Charles Wojatsek

HUNGARIAN
TEXTBOOK and GRAMMAR

HUNGARIAN

TEXTBOOK and GRAMMAR

Fourth Revised Edition

by

CHARLES WOJATSEK

Bishop's University
Lennoxville, Quebec

ÉDITIONS PAULINES

1977

Library of Congress Catalog Card: 64-18872

The Holy Crown of Hungary with the Coat-of-Arms

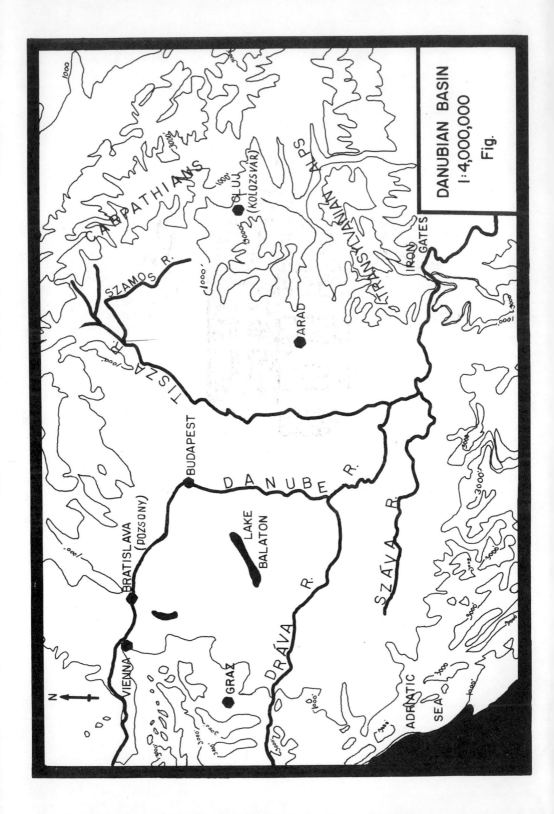

DANUBIAN BASIN
1:4,000,000
Fig.

CONTENTS:

inni. Potential verb: hatni, hetni (possum, posse). Use of present conditional in definite and "ikes" conjugations. (1st plural, 1st and 3rd singular). The Adverbs of Time. Differences between: tudni, ismerni, bírni, képesnek lenni, hatni, hetni, nekem szabad.

PREFACE

Hungarian is a Finno-Ugrian language and therefore does not belong to the Aryan or Indo-European language family. The Finno-Ugrian languages are, in turn, part of a larger language group known as the Ural-Altaic group.

Ural-Altaic Languages
||
Samoïedic — Ugrian — Turkish — Mongolian — Manchu
||
The Ugrian Peoples (Finno-Ugrian)
||

| Finnish | Cheremis | Sirïenian | Hungarian | Vogul |
| Estonian | Mordvinian | Votiak | | Ostiak |

The Lapps, although ethnically different, were influenced by the Finnish language.

Some researchers of the ancient history of the Hungarian tribes do not accept the exclusive theory of a Finno-Ugrian linguistic affinity. They examine the history of Hungarians before 896 A.D., the traditional year of the occupation of the Danubian basin by seven Magyar tribes. This orientation of research investigates its objectives in the light of new findings in archaelogy, linguistics, geography, anthropology, mythology, paleography, culture and migration of nations. This group of researchers analyse the original culture which existed before the modern chronology and interpret the Sumerian-Babylonian world and cultural commonwealth. For this reason, scholars of Eastern culture like to prove the existence of a bond with the Sumerian cultural heritage, for the Hungarians were situated there in ancient times. By examining about one thousand words and some cunic writings, the followers of this theory try to create a scientific basis for a Sumerian-Hungarian linguistic relationship. The theory of an ancient common Finno-Ugrian homeland in the region of the Ural mountains and Siberia, nor the existence of an ancient Finno-Ugrian language is recognized by advocates of this concept. These researchers defend an occupation of Hungary by the Magyar tribes well before the end of the ninth century A.D. and put the migration of the Magyars into the Danubian basin in the fourth of fifth millennium B.C., in the stone or bronze age.

In the introduction of this book I wanted to mention both theories concerning the origin of the Magyar language, and with this we can leave the academic discussion about the descent of the Hungarian nation to the orientalists.

In ancient times the Ugrian peoples lived near the site of present day Moscow in Central Russia. About 2,000 B.C. they left their common homeland in order to settle in new regions. The Finns and Estonians went west; the Hungarians went east and in 500 B.C. crossed the Ural mountains. The Hungarians lived on the eastern slopes of the Ural mountains until the sixth century A.D., at which time they were forced towards the west to escape the Asiatic migrations. At the end of the ninth century they were located east of the Carpathian mountains, and in 896 A.D. they occupied the Hungarian plains. Shortly after their arrival in Central Europe, they harrased their neighbors with frequent raids, but after one hundred years they abandoned their nomadic customs and adopted the Western, Christian way of life. The Magyars were the first people in history to recognize the geopolitical unity of the Danubian Basin where they founded a lasting state. On the crossroads of Europe and the borderline of Western civilization they succeded in maintaining their independence in the face of frequent attacks by Asiatic peoples and by the Holy-Roman and Byzantine Empires. During the Middle-Ages the Hungarian Kingdom was a Central European power. After a desperate struggle against the superior military might of the rising Ottoman Empire, the Hungarians alone, lacking the help of lethargic Western Europe, were no longer able to resist, and in 1526 Central Hungary came under Turkish occupation which lasted 150 years. As a result of this national tragedy, independent Hungary disappeared from the political map of Europe. At the same time, the Hungarian throne was occupied for 400 years by the foreign Habsburg dynasty. This alien rule and political oppression ended only when the Habsburgs lost their various territories in Europe, and desired to transfer the center of their power to the Danubian Basin. For political reasons, the Habsburgs were willing to make a reconciliation with the Hungarians at the end of the 19th century. After World War I Hungary lost two thirds of her territory and three and one half million Hungarians were forced to live under foreign rule. The invasions of the oriental peoples which occured approximately at intervals of 300 years, have their counterpart in modern times, even though the Hungarians have made it clear that they belong to the Western culture and civilization which has been their heritage for 1,000 years.

The famous 19th century German linguist, Jacob Grimm, advocated that Hungarian be made the language of diplomacy, because it is not difficult to learn as far as grammar and pronunciation are concerned.

WHY THIS BOOK WAS WRITTEN

The teaching of the Hungarian language has been greatly neglected in the English speaking world. Since World War II, when hundreds of thousands of Hungarians fled their country and settled as immigrants chiefly in areas where English is spoken, contact between people of English and Hungarian origin has increased. In our shrinking and quickly changing world, the status of the Hungarian language has had to be reconsidered, and as a consequence a modern textbook is needed to meet this challenge.

The Hungarian language at present is taught at six universities in the United States. Experience has shown that students can learn the Hungarian language easily. At first glance the vocabulary may seem a little unfamiliar, but this difficulty is offset by the fact that there is no declension, no grammatical genders, and Hungarian words are not inflected as in Latin and German. Accent moreover is regular, and the simple law of vowel harmony makes Hungarian easy in comparison with more complicated languages. Hungarian is spoken by about thirteen million people.

ORGANIZATION OF MATERIAL

Each lesson is divided into several parts. The reading material is intended not only to illustrate the grammar part of the lesson, but also to give the student a glimpse into certain aspects of Hungarian life and culture. The vocabulary contains words chosen from different segments of life and the words are always presented in the glossary which follows the stories. All Hungarian words used can be found at the end in the vocabulary of the book in alphabetical order. There is a question section after each reading exercise. All grammatical principles are explained in detail with many examples. The questions and exercises are suitable for both written and oral drill. It is necessary to call attention to the frequent usage of diacritical marks which designate long and short vowels.

Phonograph records for this book were prepared by the Playette Corporation, 301 East Shore Road, Great Neck, L.I., N.Y. 11023. Records may be ordered directly from the above firm. These records will enable students to improve their pronunciation and develop their conversational ability.

ACKNOWLEDGEMENTS

I want to express my sincere appreciation to the Service d'Aide aux Néo-Canadiens in Sherbrooke, Québec, for sponsoring this project. With united efforts, we shall be able to promote Hungarian studies in Canada and enrich the multicultural heritage of our homeland.

It is my genuine hope that this book will facilitate the study of Hungarian language and will encourage many persons not only with Hungarian background but also other scholars, researchers and the general public in their endeavour to get acquainted with this language.

C. W.

Lennoxville, Québec, January 1977.

Hungarian Pronunciation

Hungarian is a phonetic language. The words are pronounced exactly as they are written. The stress is always on the first syllable of a word. Special attention must be given to the pronunciation of short and long vowels. The long vowels are distinguished from the short vowels by acute diacritical marks, (' or "). These diacritical marks indicate a difference between words spelled alike: kor — age, kór — disease, kör — circle; hat — six, hát — back; tör — he or she breaks, tőr — dagger. The length of consonants is indicated by doubling a consonant: hal — fish, hall — he or she hears, var — scab, varr — he or she sews. Modern Hungarian, which is extremely adaptable for the expression of poetic and scientific concepts, is a result of a long development. We can distinguish dialects in Hungarian as well as in other languages, but there is not such a great difference among them as among the dialects of those languages which are spoken over a more extended area. When the language was committed to writing, and the literature began to be cultivated, literary Hungarian was formed. In every country it is the literary language which is taught in the schools. The Hungarian literary language has developed from the dialects of the Great Hungarian Plains and of Transdanubia or Pannonia. A similar evolution may be observed in other languages. Literary French developed from the dialect of the Isle de France, the Italian from the dialect of Tuscany, and in German the Deutsche Bühnenaussprache is the accepted literary pronunciation. The best accepted English pronunciation can be found in the dictionary.

During the long period of their migration the Hungarians were in contact with many other nations, and took over from them new ideas together with new words. They learned agriculture from Turkish and Slavic people, religion from Italian and Slavic missionaries, trade and commerce from the Germans. In spite of the loan words from other languages, today 80% of the Hungarian vocabulary belongs to the original Hungarian and Finno-Ugrian language family.

THE HUNGARIAN ALPHABET

The Hungarian alphabet, using Latin characters, is regarded as consisting of forty letters, 14 vowels and 26 consonants. The sounds not found in Latin, á, í, ó, ő, etc., are supplemented by application of long or short diacritical marks and compound consonants. With this addition every Hungarian sound was given a separate letter. The Hungarian spelling is simple and easy because every letter always designates the same sound. This consistency makes it possible for every adult who learns

Hungarian or the children at school to acquire the skill and knowledge of reading quickly and easily. Including letters which occur in foreign words: ch, q, w, x, y, we use in all 45 letters in Hungarian. In old family names there remain these letters: *aa* or *aá*, *ch* or *ts—cs*, cz—c, eö—ö, oó—ó, th—t, y—i, e.g., Széchenyi, Gaál, Eötvös, Tóth, Czuczor, Bethlenfalvy, Soós, Ráday. The compounded consonants represent a single sound, and cannot be divided in spelling: cs, dz, dzs, gy, ly, ny, sz, ty, zs, e.g. csúcs, bodza, lyuk, nyúl, tyúk, szeg, zsindely.

The alphabet:

a	*as in*	farm, heart; fal—wall
á	" "	small, taught, brought; állat—animal, álom—dream
b (bé)	" "	beam; bal—left (direction)
c (cé)	" "	its; cím—address, citrom—lemon
cs (csé)	" "	church, much; csekk—check
d (dé)	" "	dog; dél—noon, darab—piece
dz (dzé)	" "	Windsor; madzag—string
dzs (dzsé)	" "	joke, July; maharadzsa—maharajah
e	" "	get, where; ember—man, enni—to eat
é	" "	cake, take; és—and, élet—life
f (ef)	" "	fire; fa—wood, fekete—black
g (gé)	" "	gallon, go; gárda—guard, gáz—gas
gy (gyé)	" "	dew; gyár—factory, gyermek—child
h (há)	" "	ham; hó—snow, hal—fish, always aspirated
i	" "	nymph, French "il"; ide—here, inni—to drink
í	" "	bee, me; író—writer, íz—taste
j (jé)	" "	you, young; jó—good, jog—right, privilege
k (ká)	" "	king, cut; kék—blue, kávé—coffee
l (el)	" "	lamp; ló—horse, láb—foot
ly (ely)	" "	you, young; lyuk—hole, súly—weight
m (em)	" "	market; ma—today, mondani—to say
n (en)	" "	name; nép—people, név—name
ny (eny)	" "	new; nyár—summer, nyugat—west
o	" "	original; olaj—oil, okos—intelligent
ó	" "	own, rôle; óra—hour, watch, clock, óhaj—wish
ö	" "	French neuf, further; öt—five, öböl—bay
ő	" "	her, fur; őr—guard, ősz—autumn
p (pé)	" "	pipe; pipa—pipe, pad—bench, desk
r (er)	" "	rank; réz—copper, rang—rank
s (es)	" "	shoe; só—salt, sors—fate
sz (esz)	" "	soft; szabad—free, száj—mouth
t (té)	" "	table; tanár—professor, tábor—camp
ty (tyé)	" "	tune; tyúk—hen

u	" "	good; utca—street, ujj—finger
ú	" "	two, too; úr—gentleman (or Mr.), új—new
ü	" "	French une; üres—empty, ülni—to seat
ű	" "	French sur; űzni—to chase, gyűrű—ring
v (vé)	" "	valid; vásár—market, város—city
z (zé)	" "	zoo; zene—music, zár—lock
zs (zsé)	" "	treasure, French jour; zsák-sack, zseb—pocket

In foreign words:

ch — (pron. kh) technika, mechanika
q — Aquincum, qualitás—kvalitás
w — Windsor, kilowatt (w=v)
x — Xerxes, lexikon
y — York, nylon

Short vowels: a, e, i, o, ö, u, ü
Long vowels: á, é, í, ó, ő, ú, ű (with acute diacritical mark.)

Long or double consonants: ma*kk*—acorn, nagyo*bb*—larger
The attention of the teacher as well as of the student is called to the pronunciation of certain Hungarian letters or combination of letters: gy, ny, ty, ly, dzs. They call for special attention.

We have to deal with two charasteristic sound-mutations of the Hungarian language: *the harmonization of vowels or consonance of vowels and the assimilation of consonants.* In pure Hungarian words (i.e. not borrowed from other languages) there are either flat (deep) or sharp (high) vowels. The flat suffixes and formative endings are put to words containing flat vowels, and sharp ones are added to words with sharp vowels.

> *Flat vowels: a, á, o, ó, u, ú*
> *Sharp vowels: e, é, i, í, ö, ő, ü, ű*

E.g. szoba—room, levegő—air, szobában—in the room, levegőben—in the air. *Suffix: -ban* (flat) and *-ben* (sharp), *-ban, -ben*—in.
In words of foreign origin flat and sharp vowels can occur together: borbély—barber. Today we have mediates: *e, é, i, í* which do not necessarily obey the rule of vowel harmony. These have been derived from diphtongs: *aj* and *oj*, e.g., író—writer. The law of consonance of vowels does not prevent the neutral *e, é, i, í* from appearing in compound words

with heterogeneous vowels (flat and sharp), e.g., bőrgyár—leather factory. The harmony of vowels is one of the ancient characteristics of all the Finno-Ugrian, Turkish and Mongolian languages. The other rule refers to the consonants. There is a tendency in Hungarian pronunciation which tends to form an easy transition during the speech from one consonant to another. So called *voiced* and *voiceless* consonants which stand beside each other are assimilated, and pronunciation becomes easier.

> *Voiced consonants: b, d, g, v, z, zs, dz, dzs, gy, j, l, m, n, ny, r*
> *Voiceless consonants: p, t, k, f, sz, s, c, cs, ty*

According to the law of assimilation of consonants, if a voiceless consonant precedes a voiced one, the preceding voiceless consonant will be replaced by a voiced consonant in pronunciation, e.g., népdal (folksong) is pronounced: né*b*dal, the voiced *d* assimilates the voiceless *p* into *b*. E.g., English soupbone is pronounced soubbone. It can happen with a compound consonant: e.g., darázsfészek (wasp's nest), is pronounced dará*s*fészek. The preceding voiced consonant (zs) is changed into a voiceless one (s). In the word vasgolyó (iron ball, iron marble) the voiced *g* assimilates the voiceless *s* into a voiced *zs*, and it is pronounced va*zs*golyó. Nyelvtan (grammar) is pronounced nyel*f*tan, the voiceless *t* assimilates the voiced *v* into the voiceless *f*. Dobszó (drumnoise) is pronounced do*p*szó. The voiceless *sz* changes the voiced *b* into a voiceless *p*.

SEPARATION OF WORDS

a)   In Hungarian every syllable must contain a vowel. Even one single vowel can be a separate syllable. E.g., házai—his or her houses, há-za-i, Noé, No-é. There can be no syllable in Hungarian without a vowel.

b)   If there is only one consonant between two vowels it is attached to the second syllable, e.g., adok—I give, a-dok, papír—paper, pa-pír.

c)   Two consonants between vowels are divided between syllables: e.g., ajtó—door, aj-tó, zongora—piano, zon-go-ra, semmi—nothing, sem-mi, asztal—table, asz-tal, Tisza (a river) Ti-sza, *sz* is a compound consonant and only one sound, *s* in English.

d)   When three or more consonants appear together the last one goes to the second syllable, e.g., templom—church, temp-lom, lajstrom—list, lajst-rom.

16

e) The compound consonants *dz* and *dzs* are separated as follows:
1) When consonant appears before them: lándzsa—spear, lán-dzsa, findzsa—cup, fin-dzsa, brindza—cottage cheese, brin-dza,
2) When there is a vowel before them: madzag—string, rope, mad-zag, maharadzsa—maharajah, ma-ha-rad-zsa, (dz and dzs are separated in this case).

f) Double compound consonants, e.g., *ssz*, are fully repeated, e.g., *sz-sz*, when a word is broken off, e.g., asszony—woman, wife, asz-szony, könynyű—easy, light, köny-nyű. BUT: Fészek—nest, fé-szek, because this is a single, not a double compound consonant.

g) Compound words are separated according to their formative elements, e.g., vasút—railway, vas-út (vas—iron, út—way, road), kertajtó—garden door, kert-ajtó, feláll—he or she (it) stends up, fel-áll, csendőr—gendarme, csend-őr. BUT: csendes—silent, quiet, csen-des. Csendes is not a compound word.

THE DIACRITICAL MARKS

In Hungarian diacritical marks are used very frequently to indicate a modification of the sound of vowels. These marks do not indicate stress as they do in Spanish. In Hungarian the stress is always on the first syllable of a word, e.g., zongora—piano, zongorák—pianos (long *á* in plural), kerék—wheel, kerekek—wheels (short *e* in plural). BUT the main stress is still on the first syllable in both words, zon- and ker-. If a word is composed of many syllables the third, fifth and seventh can receive a secondary stress, e.g., *engesztelhetetlen*—unreconciliable.

CAPITAL LETTERS

In Hungarian capital letters are used at the beginning of sentences, and lines of poetry, proper names and geographical names, titles and the word Isten (God) if it designates only one god, and quotations. Adjectives derived from geographical names are written with small letters, e.g., America—America, *amerikai*—American, Magyarország—Hungary, *magyarországi*—of Hungary, belonging to Hungary, Colorádó—Colorado, *colorádói*—of Colorado, Coloradan, Budapest, *budapesti*—of Budapest. A budapesti utca,—The street of Budapest. The names of nations and nationalities are not written with capital letter in Hungarian. E.g., A magyar nyelv könnyű. The Hungarian language is easy.

PUNCTUATION MARKS AND TERMS USED IN DICTATION

.   pont—period
,   vessző—comma
:   kettőspont—colon
;   pontosvessző—semi-colon
?   kérdőjel—question mark
!   felkiáltó jel—exclamation mark
-   kötőjel—hyphen
—   gondolatjel—dash
" "   idézőjel—quotation mark
( )   zárójel—brackets
...   megszakító jel—points of suspension, ellipsis

*   csillag—asterisk
A   nagy betű—capital letter
a   kis betű—small letter
bekezdés—paragraph
új bekezdés—new paragraph
mondat—sentence
mellékmondat—clause
kifejezés—phrase
sor—line
tollbamondás—dictation

ARTICULATION

The Hungarian language when spoken is very melodious. The speaker may express varied feelings and nuances of thought with modulation of the voice or fluctuations within the phrase. The harmonious arrangement of sounds, the combination of different tones give a certain pleasant musicality. If a language has many vowels, and the proportion of vowels is greater than that of the consonants, it gains in melodiousness. As has already been pointed out a single vowel can by itself form a syllable in Hungarian, whereas groups of many consonants are avoided in Hungarian. We measure the melody of a language by the frequent occurence of short and long vowels. We have previously learned the short and long vowels of Hungarian. There is no ready way to measure the mood of the speaker, but in general we know that there are differences in the volume of our sound. We are likely to use our voice differently when we speak about the activity of the stock market or about a poem which moves us deeply. The correct emphasis, the rightly applied intonation of the sentence or the exact observation of the punctuation marks will help to make known clearly and distinctly our emotions: pleasure, joy, delight, surprise, anxiety, fear, indignation, sorrow, grief, love, desire, wonder, displeasure, excitement or calm. Emotions are stressed by words as the expression of an inner compulsion. Therefore the modulation of the voice is significant, indeed, even the skill in reading aloud depends upon it. An example of the importance of the modulation in Hungarian is the interrogative sentence, which can have the same word order as the declarative sentence. The voice alone will indicate that the sentence is a question.

Megint itt vagy. You are here again. Megint itt vagy? Are you here again?
    d e s c e n d i n g   rising and descending

The separately pronounced words have descending modulation:

madár—bird, iskolaszolga—school caretaker

The same interrogative sentence can be modulated according to the emotion or feeling of the speaker. It can depict admiration or doubt.

Hol volt? Hol volt? Where have you been?

Mit csinál itt? Mit csinál itt? What are you doing here?
Descending   Rising and descending.

In our speech we lay stress on certain parts of a sentence. In writing we indicate the emphasis by word order, and thus we can demonstrate the appropriate stress in the sentence. Hungarian word order is not so strict as English; it is, indeed, quite flexible. We shall have occasion to discuss it later in this book.

ELSŐ LECKE. (1)

Az iskola.

Mi ez? Ez iskola. Ki ez? Ez tanuló. Az iskola nagy. A tanuló jó. Mi az? Az papír. Ki az? Az tanító. A tanuló olvas. A tanár ír. Ez toll és ez ceruza. Ez tanuló és ez tanár. Hol van a könyv? Itt van a könyv. Hol van az asztal? Ott van az asztal. Hol van a szék? A szék az asztal mellett van. Hol van a pad? A pad az osztályban van. Iskola ez? Igen, ez iskola. Toll ez? Nem, ez nem toll, hanem ceruza. Mi ez? Ez fekete-tábla, fal, ablak, térkép, kréta, újság, füzet. Az ablak balra van, a térkép jobbra van. A lámpa szép. Mi az? Az pad. Mi az? Az óra. Az az óra pontos. Mi ez? Ez térkép. Ez a térkép pontos.

Szavak

első—first
lecke—lesson
a, az—the (definite article)
iskola—school

az iskola—the school
egy—one, a, an
egy iskola—a school
mi?—what?

ez—this
mi ez?—what is this?
ki?—who?
ki ez?—who is this? (it)
nagy—big, large, great
tanuló—pupil
az osztályban—in the classroom
igen—yes
nem—no
hanem—but
feketetábla—blackboard
térkép—map
fal—wall
ablak—window
kréta—chalk
újság—newspaper
füzet—exercise book, note book
jobbra—on the right
balra—on the left
lámpa—lamp
jó—good
az—that (demonstrative pronoun)
mi az?—what is that?
ki az?—who is that?
papír—paper
tanító—teacher
tanár—professor
toll—pen *feather*
ceruza—pencil
és—and
olvas—he (or she) reads
ír—he (or she) writes
hol van?—where is (it)?

a könyv—the book
itt van—here is
az asztal—the table
ott van—there is (it)
a szék—the chair
mellett (postposition)—beside
a pad—the desk, bench
az osztály—the classroom
-ban or -ben (suffix)—in
 (preposition in English)
szép—nice
óra—watch
pontos—exact
térkép—map
szó—word
szavak—words
ház—house
a zene—the music
zenét—music (accusative)
vagy—or
nyelvtan—**grammar**
fordítás—**translation**
kérdés—question
felelet—answer
gyakorlat—exercise
-ra or -re (suffix)—on
 (preposition in English)
kép—picture
lenni—to be
van—is
szabó—tailor
ajtó—door

Supplementary words

állító—affirmative
tagadó—negative
János—John
Magyarország—Hungary
Amerika—America
a hét—the week
hétfő—Monday

kedd—Tuesday
szerda—Wednesday
csütörtök—Thursday
péntek—Friday
szombat—Saturday
vasárnap—Sunday
január—January

20

február—February	augusztus—August
március—March	szeptember—September
április—April	október—October
május—May	november—November
június—June	december—December
július—July	

Nyelvtan. (Grammar.)

§ 1. *The definite article. (A határozott névelő.): the* in Hungarian has two forms: *a* and *az.*
a is used before consonants, *a toll*—the pen, *a kép*—the picture
az is used before vowels: *az ablak*—the window, *az óra*—the hour, clock, watch.

§ 2. a) *ez*—this, demonstrative pronoun or demonstrative adjective pointing to a near object. E.g., Ez ablak. This is a window. Ez szék. This is a chair.
   b) *az*—that, demonstrative pronoun or demonstrative adjective pointing to an object away from the speaker. E.g., Az iskola. That is a school. Az pad. That is a desk.
   c) In Hungarian a noun can be the predicate of a sentence without a verb, if the verb is the present tense of "to be"—"lenni" and it is in the 3rd person of singular or plural.

§ 3. Note the difference between these three expressions:

I.	II.
az iskola—the school	*ez* az iskola—this school
	az az iskola—that school
	ez iskola—this is a school
a szék—the chair	*ez* a szék—this chair
	az a szék—that chair
	ez szék—this is a chair

NOTE: In Hungarian we use the definite article even when a demonstrative pronoun precedes the noun and is used adjectively. The article follows the demonstrative pronoun.

§ 4. In the third person singular and plural of the present tense the verb *to be* is omitted in Hungarian if it states mere existence. E.g., **Ez toll.** This is a pen. **Az iskola nagy.** The school is large. Predicate adjective:

21

nagy. Is=van is omitted in Hungarian, save when referring to place or location. E.g., Az iskola ott van. The school is there. In this case we use *van*=is because it refers to a specific location.

§ 5. A simple affirmative sentence can be turned into an interrogative sentence by changing the intonation, by raising the voice at the end of the sentence.

Ez tanuló. This is a pupil.　　　　　　Ez tanuló? Is this a pupil?
　　descending　　　　　　　　　　　　　rising

The word order can be changed: Tanuló ez? Is this a pupil?

§ 6. When the Hungarian word is without a definite article, it corresponds to a noun in English with an indefinite article.
Mi ez? Ház. What is this? A house.　　Ez ház. This is a house.
Szabó vagyok. I am a tailor.

§ 7. Whenever a definite object is referred to, the definite article is used in Hungarian, e.g., Szeretem *a* zenét. I like music. In English we omit the definite article in this case. (French: J'aime *la* musique.)

§ 8. The definite article has no plural form:

Singular	Plural
az ajtó—the door	az ajtók—the doors
a fal—the wall	a falak—the walls
az óra—the watch, clock, hour	az órák—the watches, clocks, hours

§ 9. Affirmative, interrogative and negative sentences.

Állító—Affirmative	*Kérdő—Interrogative*	*Tagadó—Negative*
Az iskola nagy. The school is large.	Az iskola nagy? Nagy az iskola? Is the school large?	Az iskola nem nagy. The school is not large.
A tanuló olvas. The pupil reads.	A tanuló olvas? Olvas a tanuló? Does the pupil read?	A tanuló nem olvas. The pupil does not read.
A tanító ír. The teacher writes.	A tanító ír? Ír a tanító? Does the teacher write?	A tanító nem ír. The teacher does not write.

22

Az óra pontos.	Az óra pontos?	Az óra nem pontos.
The watch is exact.	Pontos az óra?	The watch is not
	Is the watch accurate?	accurate

§ 9. a) *Interrogative — negative sentences.*
Nem óra ez? Is this not a watch? (Isn't this a watch?)
Nem tanító ez? Is this not a teacher?
Nem ház az? Is that not a house?

b) *Question*	*Affirmative answer*	*Negative answer*
Könyv ez?	Igen.—Yes.	Nem.—No.
Is this a book?	Igen, ez könyv.	Nem, ez nem könyv.
	Könyv.	Ez nem könyv.
	Ez könyv.	
Toll az?	Igen.	Ncm.
Is that a pen?	Igen, az toll.	Nem, az nem toll.
	Toll.	Az nem toll.
	Az toll.	

§ 10. *Question.* *Answer.*

Tanuló ez vagy tanár?	Ez nem tanuló, hanem tanár.
Is this a student or a teacher?	This is not a student but a teaher.
	(professor)
Füzet az vagy papír?	Az nem papír, hanem füzet.
Is that an exercise book or paper?	That is not paper but a notebook.

Gyakorlatok. Exercises.   Toll = pen

A) *Olvasási gyakorlat. Reading exercise.*   Lh
A tanuló ír. A toll nagy. A könyv szép. A térkép az iskolában van. Ez
az óra pontos. Mi ez? Ki ez? Hol van a pad? Toll ez vagy ceruza? Ez
nem toll, hanem ceruza. Az nem füzet, hanem könyv.

note book
B) *Fordítási gyakorlat. Exercise in translation.*
1. The school is beautiful. 2. The desk is in the house. 3. What is that?
4. It is a blackboard. 5. Is this a chair or a table? 6. It is not a chair
but a table. 7. Is it a book? 8. The pupil reads. 9. The lamp is beside
the window. 10. The map is on the left. 11. The classroom is large. 12.
The house is not large, but the school is beautiful.

MÁSODIK LECKE. (2)

Ez ház.

A házban vagyok egy szobában. Milyen színű a ház? A ház fehér. A fehér házak szépek. Melyik ház szürke? A második ház szürke. Az utcán a házak magasak. Írok egy házi feladatot. Mi ez? Ez könyv. Milyen ez a könyv? Ez a könyv érdekes. Milyen színű a könyv? A könyv piros. Mik ezek? Ezek képek. A falon szürke képek vannak. Ez a kép barna. Ott van egy zöld kert. Mi a kertben vagyunk. Hol van a kapu? Kapu ez? Ez nem kapu, hanem ajtó. Ez ajtó. Ez az ajtó fekete. A fehér ajtók a szobában vannak. Az ajtók fehérek. Ti is a szobában vagytok. Az érett alma piros, a szilva kék, a körte sárga, a kávé fekete, a tej fehér. A szőlő gyümölcs. Az a gyümölcs jó. Azok a gyümölcsök jók. A fa is zöld. Ki ez? Ez Kovács István. Kik ezek? Ezek emberek. A gyermekek az iskolában vannak. János jó fiú, Anna helyes leány. Az utcán egy ember van. Az az ember katona volt*. Itt volt egy asszony. Ők itt vannak. Az asszony neve Nagy Andrásné.   *woman*

*See § 4. The verb *to be* is omitted in Hungarian only if it is in the present tense: volt=was is past tense.

Szavak

másodk—second
ez ház—this is a house
vagyok—I am
egy—a, an (indefinite article)
   one (numeral)
a szoba—the room
-ban, -ben—in
milyen színű—of what color is?
a ház—the house
a házak—the houses
fehér—white
fehérek—white (plural)
szürke—grey
melyik?—which one?
az utca—the street
az utcán—in the street
-n (suffix)—on (preposition)
a feladat—the assignment, task

feladatot—assignment
   (accusative case)
házi feladat—homework
írok—I write, I am writing,
   I do write
írni—to write
látok—I see, I am seeing,
   I do see
látni—to see
a könyv—the book
piros, vörös—red   *vörös-*
érdekes—interesting   *burgundy*
magas—tall, high
magasak—tall, high
milyen—what kind? what is it
   like?
a fal—the wall
a falon—on the wall

24

ly = j

a kép—the picture
a képek—the pictures
van—is
vannak—are, they are
barna—brown
ott van—there is (place)
zöld—green
a kert—the garden
mi—we
vagyunk—we are
hol van?—where is?
a kapu—the gate
az ajtó—the door
fekete—black
ti—you (familiar) (plur.)
vagytok—you are (plural familiar)
is—also, too
érett—ripe, mature
az alma—the apple
a szilva—the plum
kék—blue
munkás—workman, laborer
a körte—the pear
sárga—yellow
a kávé—the coffee
a tej—the milk
a szőlő—the grape
a gyümölcs—the fruit
a fa—the tree *fa = wood*
István—Stephen

ember — man, mankind

az ember—the man *személy = person*
az emberek—the men
a gyermek—the child *gyerekek*
a gyermekek—the children
vannak—they are
János—John
jó—good
a fiú—the boy
Anna—Ann
helyes—pretty *pleasant, nice.*
a leány—the girl
kik ezek?—who are these?
a katona—the soldier
volt—he, or she, or it was
ő—he or she
van—he, or she, or it is
az asszony—the woman *— nő*
ők—they
vannak—are, they are
a név—the name
neve—his, or her, or its name
András—Andrew
Nagy—in this case a family name
Nagy Andrásné—Mrs. Andrew Nagy
teve—camel
vas—iron
sas—eagle
görög—Greek
török—Turk
újságíró—journalist

Supplementary vocabulary

Béla—Béla (given name)
király—king
László—Ladislas, Leslie
orvos—doctor (physician)
Géza—Géza (given name)
bátor—brave
katona—soldier
egyszer—once
tudós—scholar, scientist

akart—he, she or it wanted
lenni—to be
Árpád—(given name)
hoz—he, she or it brings
könyvet—a book (accusative)
veszedelmes—dangerous
helyzet—situation
kevés—a little
só—salt

sót—salt (accusative)
tett—he, she or it put
a húsra—on the meat
alvás—sleep
előtt—before, in front of (prep.)
   (postposition)
György—George
kutya—dog
macska—cat

Endre, András—Andrew
Pál—Paul
Ilona—Helen
kartárs—colleague
színész—actor
bíró—judge
felelni—to answer
kosár—basket
hűvös—cool

Nyelvtan. (Grammar)

§ 11. a) *The indefinite article: egy=a, an,* it is also a numeral — *one.*
The indefinite article is much less frequently used in Hungarian than
in English. We do not use it in Hungarian when we speak in general
terms only. Indefiniteness is expressed by omission of the indefinite
article, e.g., Könyvet olvasok. I read *a* book. We do not use *egy—a* in
Hungarian. Ő szorgalmas tanuló. He is *an* industrious student. Levelet
írok. I write *a* letter. Kutyát látok. I see *a* dog. Hungarian does not use
egy—a, an in these sentences. See § 6.)

b) If a noun or ponoun is the predicate of a sentence *egy—a, an*
must never be used.
Béla király volt. Béla was *a* king. László orvos. Ladislas is *a* doctor.
Géza bátor katona. Géza is *a* brave soldier. Ő jó fiú. He is *a* good boy.

c) The indefinite article cannot be omitted when it means "a
certain", e.g., Volt egyszer egy ember, aki tudós akart lenni. There was
once a man who wanted to become a scholar.
Árpád hoz egy könyvet. Árpád brings a book. Egy gyermek van a ház-
ban. There is a child in the house.

hozni to bring

d) The indefinite article must not be omitted if we want to stress
the attribute, but in this case we put *egy* between the attribute and the
noun, e.g., Szép egy ház. So nice a house. Ez veszedelmes egy helyzet.
This is so dangerous a situation.   *situation*

e) There is a slight difference between the meaning of two expres-
sions with or without the indefinite article, e.g., Kevés sót tett a húsra.
He (or she) put little salt on the meat. (Not enough) Egy kevés sót tett
a húsra. He (or she) put *a* little salt on the meat. (Not much, just barely
as much as was necessary.)

26

Keveset olvasok. I read a little. (Not enough)
Egy keveset olvasok alvás előtt. I read a little before sleeping. (Not much, just a little.)

f) We put the indefinite article before a proper noun if it is used in general, e.g., Ő *egy* Washington volt. He was *a* Washington. Ő egy új Caesar. He is *a* new Ceasar.

§ 12. *Többes szám. Plural.*

The Hungarian is an agglutinative language, therefore number, person and cases are expressed by suffixes which are added to the stem of the word.

a) The sign of the plural is: *-k*
For words ending in a long vowel the *-k* is added to the vowel ending, e.g.,

ajtó—door	ajtók—doors	fiú—boy	fiúk—boys
nő—woman	nők—women	só—salt	sók—salts
tanuló—pupil	tanulók—pupils	ki?—who?	kik?—who? (plural)
tanító—teacher	tanítók—teachers	mi?—what?	mik?—what? (pl.)

The plural of the interrogatives: ki? mi?; kik? mik? (plural)

b) Words ending in a short vowel lengthen the final vowel in the plural, e.g.,
changes: a——á;   e——é

óra—hour, watch, clock	órák—hours, watches, clocks
barna—brown	barnák—brown (plural)
teve—camel	tevék—camels
fekete—black	feketék—black (plural)

c) Hungarian does not like the accumulation of consonants, therefore for words ending in a consonant *a connecting vowel* — in accordance with the law of vowel harmony — is inserted between the stem and the suffix of plural *-k*.

-ak ház—house, házak—houses, fal—wall, falak—walls, toll—pen, tol-ak—pens, úr—gentleman, Mr., urak—gentlemen, Messrs. vas—iron, vasak—irons

-ok pad—bench, desk, padok—benches, desks, olvasás—reading, olvasá-
sok—readings, gyakorlat—exercise, gyakorlatok—exercises, nagy—
great, nagyok—great (plural), sas—eagle, sasok—eagles

-ek kert—garden, kertek—gardens, könyv—book, könyvek—books, érde-
kes—interesting, érdekesek—interesting (plural), milyen—what
kind of, milyenek—what kind of (plural).

-ök gyümölcs—fruit, gyümölcsök—fruits, török—Turk, törökök—Turks,
görög—Greek, görögök—Greeks.

d) adjectives ending in: -s insert a connecting vowel in the plural:
gyors—swift, gyorsak—swift, rapid (plural), erős—strong, erősek—
strong (plural), hűvös—cool, hűvösek—cool (plural).

e) A certain number of substantives shorten the vowel of the last
syllable in the plural: kanál—spoon, kanalak—spoons, madár—bird, ma-
darak—birds, kosár—basket, kosarak—baskets, nyár—summer, nyarak—
summers, úr—gentleman, urak—gentlemen.

f) For euphony in the last two syllables of polysyllabic words the
vowel of the last syllable — usually a short one — is generally omitted
in the plural. The contraction occurs if the following combinations of
consonants meet in a word:

m—r járom—yoke,	jármok—yokes
k—r ökör—ox,	ökrök—oxen
k—l telek—lot,	telkek—lots
l—m malom—mill,	malmok—mills
j—k ajak—lip,	ajkak—lips
r—ny torony—tower,	tornyok—towers

g) *Singular*	*Plural*
ki?—who?	kik?—who? (plural)
mi?—what?	mik?—what? (plural)
Ki van ott?—Who is there?	Kik vannak ott?—Who are there?
Mi van ott?—What is there?	Mik vannak ott?—What are there?
Ki ez? Ez gyermek.	Kik ezek? Who are these?
Who is it (this)? It is a child.	Ezek gyermekek. These are children.
Mi az? Az toll.	Mik azok? Azok tollak.
What is that? That is a pen.	What are those? Those are pens.

§ 13. Professions: The destinctive suffix for female occupations is the suffix: -nő.

Masculine	Feminine
tanító—teacher	tanítónő—lady tetacher
tanár—professor (high school teacher)	tanárnő—lady professor
munkás—workman, laborer	munkásnő—working woman
újságíró—journalist	újságírónő—lady journalist
kartárs (kolléga)—colleague	kartársnő—lady colleague
színész—actor	színésznő—actress

§ 14. *The distinctive suffix for wife is suffix: -né.*

Masculine	Feminine
Kovács István—Stephen Kovács	Kovács Istvánné—Mrs. Stephen Kovács
Jókai Mór—Maurus Jókai	Jókai Mórné—Mrs. Maurus Jókai
tanár—professor	tanérné—wife of a professor
színész—actor	színészné—wife of an actor

§ 15. *Címek—Titles*

a) In Hungarian the word "úr"—"mister" is added to the titles after somebody's occupation, e.g.,

Nagy Péter bíró úr—Peter Nagy, judge (Mr.)
doktor úr—in English simply: doctor

b) When we address somebody, the word "úr" must be there even if we call somebody by his occupation, e.g., tanító úr—(Mr.) teacher. The English Sir—úr is not enough by itself in Hungarian.

c) The family name precedes the Christian or given name: Petőfi Sándor—Alexander Petőfi, Arany János—John Arany.

§ 16. *The translation of "there is" and "there are" in Hungarian.*

a) Egy szép pad *van ott.* There is a nice desk there *Ott van a könyv.* There is the book. *Van itt óra?* Is there a clock here? *Ott vannak a könyvek.* There are the books.

The English expression "there is, there are, here is, here are" are translated into Hungarian: "ott van, ott vannak, itt van, itt vannak", if we point something out, or if the emphasis is on physical existence or location.

b) These expressions can be translated into Hungarian "van" or "vannak" if they are used to indicate real existence. E.g., Nagy térkép *van* az iskolában. There is a large map in the school. Fehér ablakok vannak a házon. There are white windows on the house.

§ 17. a) *The adjective is indeclinable when it is used attributively:*

Singular	Plural
A *nagy* ház. The large house.	A *nagy* házak. The large houses.
A *piros* kréta. The red chalk.	A *piros* kréták. The red chalks.
Az *új* tanuló. The new pupil.	Az *új* tanulók. The new pupils.

b) The demonstrative pronoun in the plural:
　　　Singular: ez—this, az—that, *Plural:* ezek—these, azok—those
Ez iskola. This is a school. Ezek iskolák. These are schools.
Az kert. That is a garden. Azok kertek. Those are gardens.

NOTE: *Az* az iskola piros. That school is red.
　　　Azok az iskolák pirosak. Those schools are red.

　　　Ez a fal fehér. This wall is white.
　　　Ezek a falak fehérek. These walls are white.

The definite article *a, az* has no plural in Hungarian.
　　　Ez a könyv itt van. This book is here.
　　　Ezek a könyvek itt vannak. These books are here.

　　　Az az ablak ott van. That window is there.
　　　Azok az ablakok ott vannak. Those windows are there.

In the latter case the azok, ezek is a demonstrative adjective, and the a, az is the article.

c) When an adjective is used predicatively it is *declinable.*
Az iskola *szép.* The school is *nice.* Az iskolák *szépek.* The schools are *nice.*
A körte *sárga.* The pear is *yellow.* A körték *sárgák.* The pears are *yellow.*
A szoba *helyes.* The room is *pretty.* A szobák *helyesek.* The rooms are *pretty.*

§ 18. *Jelen idő. Present tense.*

a) lenni—to be, is irregular as in every language.

b) The present tense is formed by adding the personal endings to the infinitive stem, e.g.,

írni—to write   ír—infinitive stem   írok—I write (o-connecting vowel.)

lenni—to be	*írni—to write* (Indefinite or Subjective conjugation)
vagyok—I am	írok—I write, I am writing, I do write
vagy—you are (thou art) (familiar)	írsz—you write (familiar)
van—he, she or it is	ír—he, she or it writes
vagyunk—we are	írunk—we write
vagytok—you are (familiar)	írtok—you write (plural familiar)
vannak—they are	írnak—they write
Ön van—you are (singular polite)	Ön ír—you write (sing. polite)
Önök vannak—you are (plural polite	Önök írnak—you write (plural polite)

Indefinite or Subjective conjugation	*Personal endings* Indefinite or Subjective conjugation
felelni—to answer	*Singular*
felelek—I answer, I am answering, I do answer	-k
felelsz—you answer (familiar singular)	-sz (-l for sibilants)
felel—he, she or it answers	- (blank)
	Plural
felelünk—we answer	-unk, -ünk
feleltek—you answer (familiar plural)	-tok, -tek, -tök
felelnek—they answer	-nak, -nek

Ön felel—you answer (polite, singular)
Önök felelnek—you answer (polite, plural)

olvasni—to read	főzni—to cook
olvasok—I read, etc.	főzök
olvasol*	főzöl
olvas	főz
olvasunk	főzünk
olvastok	főztök
olvasnak	főznek
Ön olvas—you read	Ön főz
Önök olvasnak—you read	Önök főznek

*Note: The sign for the sibilant endings of the verbs in the infinitive stem for the 2nd person singular is-*l* in the indefinite or subjective conjugation. The sibilants are: s, sz, z., e.g., olvas, főz.

§ 19. Személyes névmások. Personal pronouns.

Singular

én—I
te—you (familiar)
ő—he, she (for persons)
az—it (for objects)
Ön—you (polite)

Plural

mi—we
ti—you (familiar)
ők—they (for persons)
azok—they (for objects)
Önök—you (polite)

Note: If we conjugate a verb it is not necessary to use the personal pronouns because the personal endings of the verbs designate the person and number of the verb, e.g., vagyok—I am, én vagyok—I am with special emphasis on I for stress or for expressing contrast. Én vagyok itt, nem te. I am here, not you. (Contrast)

GYAKORLATOK. EXERCISES.

A) *Answer the following questions with complete sentences.*

Ki ez? (György)
Mi ez? (iskola)
Kik azok? (gyermek)
Mik azok? (szék)
Tanuló az? (with igen)
Könyvek ezek? (with nem)
Orvos ön? (with igen)
Hol van a térkép?

Milyen színű az ajtó?
Milyen a könyv?
Hol van Ön?
Hol van a tanító?
Mi van az asztalon?
Mik vannak a falon?
Ki vagy te?

B) *Write the plural of the following words.*
1) fiú, 2) alma, 3) kék, 4) körte, 5) gyümölcs, 6) kapu, 7) kert, 8) utca,
9) Hol van? 10) A leány ír és olvas.

C) *Translate into Hungarian*
1) The colors are: white, black, brown, red, yellow, green, grey and blue.
2) What color is the wall? 3) What is the ripe fruit like? 4) What is
green? 5) What is this? 6) This is a garden. 7) What kind of garden
is it? 8) It is a large garden. 9) No, it is not large but small. 10) The
lamp is red. 11) The red lamp is pretty. 12) Mr. Varga is a teacher.
13) Mrs. Fodor is a doctor. 14) The wife of the actor is an actress.
15) The wife of the professor is reading.

D) *Put the following sentences into the interrogative form.*
1) Ez fekete kutya. 2) Ez szürke macska. 3) László jó király. 4) Pál
iskolában van. 5) Ilona ír. 6) A fiúk olvasnak. 7) A kertek zöldek.
8) A nagy képek szépek. 9) Ő jó ember. 10) Itt van egy asszony.

E) *Write down the days of the week and the months of the year.*

HARMADIK LECKE. (3)
Mit csinál a tanuló?

1. Jó reggelt kívánok. Farkas Gyula vagyok.
2. Jó napot. Nagyon örülök, hogy itt van.
3. Egy magyar könyvet akarok olvasni.
4. Szívesen segítek. *gladly*
5. A könyv szép. Szeretem a szép könyvet.
6. Melyik könyv szép?
7. A tankönyv szép és érdekes.
8. Szeretem olvasni az érdekes tankönyveket. *I like to read the int. text..*
9. Milyen könyvet szeret olvasni? *like, love*
10. Csak azt a könyvet szeretem olvasni, amelyet értek.
11. Akarok írni is egy keveset.
12. Milyen feladatot akar írni? *homework (assignment)*
13. Az angol, francia és latin feladatokat akarom most írni. *now*
14. Milyen tantárgyakat szeret ő az iskolában? *subjects,*
15. Ő a fizikát, a kémiát, a számtant, a földrajzot, a történelmet és a
    nyelveket szereti. *languages math geography history*
16. Hol olvasnak ők újságot? *where do they read the newspaper*
17. Ők a könyvtárban olvassák a magyar és az angol újságot.
18. Milyen az újság?

33

19. Milyen ez az újság?   *wt kind of newspaper is this*
20. Milyen óra van a falon?   *accurate   Fali óra (wall clock)*
21. Milyen ez az óra? Ez az óra pontos.   *what is the clock like?*
22. Milyen óra ez? Ez karóra.   *what is*
23. Milyenek ezek a feladatok? Ezek a feladatok érdekesek.   *what are these assig. like*
24. Melyik szőlő zöld? Ez a szőlő zöld.   *which grapes are green*
25. Melyek az érett gyümölcsök? Azok az érett gyümölcsök.   *ripe fruits*
26. Melyik tanuló ír? A jó tanuló ír.
27. Ki és mit ír? A tanár ír egy könyvet.   *k = who, mit = what*
28. Mit olvas Ön? A házi feladatot olvasom.   *what are y writing sir!*
29. Mit olvasnak Önök? Mi is a házi feladatot olvassuk.
30. Az egyik tanuló az iskolában eszik, a másik a házban eszik.
31. Melyik fiút látja István? Ő Pált látja.
32. Lát István téged is? Ő nem lát engem.   *Does Ist. see you too?*
33. Ki látja az órát? Ilona látja az órát.
34. Ki látja az órákat? A tanuló látja az órákat.
35. Ki látja önt és ki lát minket?
36. Ki látja önöket?
37. Kik látják a könyveket?
38. Kik látják önt?
39. Ki lát engem? (or engemet.)
40. Kik látják önöket?
41. Ki lát minket? (or bennünket.)
42. Kik látnak engem és minket?
43. Ki lát téged? (or tégedet.)
44. Ki lát titeket? (or benneteket.)
45. Ki lát minket és titeket?
46. Kik látják önt és kik látnak engem?
47. Ki hallja a szép zenét?
48. Ki hall téged és engem?
49. Ki néz engem és minket?
50. Ki nézi őt és őket?

Szavak   *words*

harmadik—third
mit?—what? (accusative sing.)
csinálni—to do, to make
jó napot—good day (accusative)
jó reggelt—good morning (acc.)
Gyula—Julius
Farkas—family name in this case
farkas—wolf

nap—day
nagyon (adv.)—very
örülni—to be pleased
hogy (conj.)—that
magyar (adj.)—Hungarian,
  Magyar
akarok—I want
szívesen—gladly, willingly

segíteni—to help
tankönyv—textbook
szeretni—to love, to like
csak—only
érteni—understand
ami—which, what
tudni—to know
is—also
kevés—a little, few
egy keveset—a little (acc.)
tantárgy—subject—matter
kedvelni—to prefer, to like,
   to favor
fizika (sing.)—physics
kémia—chemistry
számtan—arithmetic
földrajz—geography
történelem—history
nyelv—language, tongue
különféle—different

könyvtár—library   *tár = collection, storehouse*
melyik?—which?
melyek? (plural)—which?
könnyű—easy, light
írni—to write
olvasni—to read
enni—to eat
eszik—he, she or it eats
aludni—to sleep
alszik—he, she or it sleeps
látni—to see
ön—you (polite singular)
önök—you (polite plural)
hallani—to hear
nézni—to look (at)
az egyik—the one
a másik—the other
karóra—wristwatch   *kar = arm*
olyan—such

NYELVTAN (GRAMMAR)

§ 20. *A tárgy. The object.*

a) The sign of the object is: -*t.* This corresponds to the objective case in the Indo-European languages. In Hungarian the words are not inflected. Suffixes replace the role of endings of the declensions in different Indo-European languages.

Nominative Singular

ajtó—door
nő—woman
tanuló—student
tanító—teacher
fiú—boy
só—salt
ki?—who?
mi?—what?
jó—good

Accusative Singular

ajtót
nőt
tanulót
tanítót
fiút
sót
kit?
mit?
jót

35

b) Most of the substantives ending in:

-j, -l, -ly, -n, -ny, -r, -s, -sz, and -z

if they are not monosyllables and are preceded by a long vowel add *-t* directly to the word:

Nominative	*Accusative*
zörej—noise	zörejt
asztal—table	asztalt
király—king	királyt
milyen—what kind	milyent
vágány—rail *(track)*	vágányt
tatár—Tartar	tatárt
olvasás—reading	olvasást
halász—fisherman	halászt
vitéz—hero	vitézt

Monosyllabic:	vaj—butter	vajat (short *a*)
	vár—castle	várat (short *a*)

c) For words ending in a consonant a connecting vowel is inserted in the accusative to avoid the accumulation of consonants (§ 12. c).

	Nominative	*Accusative*	
-at	ház	házat	house
	úr	urat	gentleman, Mr.
	fal	falat	wall
-ot	pad	padot	desk, bench
	állat	állatot	animal
	gyakorlat	gyakorlatot	exercise
-et	kert	kertet	garden
	könyv	könyvet	book
	zöld	zöldet	green
-öt	gyümölcs	gyümölcsöt	fruit
	török	törököt	Turk
	köd	ködöt	fog
	füst	füstöt	smoke

d) Changes: a——á, e——é

óra	órát	hour, clock, watch
barna	barnát	brown
teve	tevét	camel
fekete	feketét	black

e) Monosyllables ending in -l or -l preceding a final consonant, add connecting vowel:

fül	fület	ear
föld	földet	earth
tölgy	tölgyet	oak

f) adjectives ending in -s insert a connecting vowel in the accusative:

gyors	gyorsat	swift, rapid
erős	erőset	strong
kevés	keveset	a little
sós	sósat	salted, salty

g) a certain number of substantives shorten the vowel of the last syllable in the accusative:

kanál	kanalat	spoon
kosár	kosarat	basket
madár	madarat	bird
nyár	nyarat	summer
úr	urat	gentleman, Mr.

h) For the sake of euphony in the last syllable of polysyllabic words the vowel is omitted in the accusative. The contraction occurs when the following combinations of consonants meet in a word:

Nominative	Accusative
r—m járom	jármot—yoke
k—r ökör	ökröt—ox
l—k telek	telket—lot, site
l—m malom	malmot—lip mi'll
j—k ajak	ajkat—lip
r—ny torony	tornyot—tower

i) In most monosyllabic words containing "i" a connecting vowel is added in the accusative:

szív	szivet (short i)	—heart
híd	hidat (short i)	—bridge
cikk	cikket	—article

j) *The accusative of the personal pronouns.*

Singular Nominative	*Singular Accusative*
én—I	engem or engemet—me
te—you (familiar)	téged or tégedet—you
ő—he, she	őt—him, her
az—it	azt—it
ön—you (polite)	önt—you

Plural Nominative	*Plural Accusative*
mi—we	minket or bennünket—us
ti—you (familiar)	titeket or benneteket—you
ők—they	őket—them
azok—they	azokat—them
önök—you (polite)	önöket—you

k) Hungarian has no proper declension as do the Indo-European languages. The changes which designate the role of a word in the sentences are formed by suffixes and postpositions. With other words we can lengthen the words by adding suffixes to them. The suffixes are joined to the words, the postpositions are written separately.

Nom. Sing.	*Acc. Sing.*	*Nom. Plur.*	*Acc. Plur.*
iskola	iskolát—school	iskolák	iskolákat—schools
Latin: schola	scholam	scholae	scholas

az iskolákban—in the schools   (-ban suffix)   (Suffixes are joined to the
a kertben—in the garden   (-ben suffix)   words)

az iskola előtt—in front of the school (előtt — postposition, is written separately after substantive.)

a kert mögött—beyond the garden (mögött — postposition)

§ 21. *A főnévi igenév. The Infinitive.*

a) The ending of the infinitive in Hungarian is: -ni

Infinitive	*3rd person of Singular of present tense*
írni—to write	(ő) ír—he or she writes
olvasni—to read	olvas—he or she reads
tanulni—to learn	tanul—he or she learns
látni—to see	lát—he or she sees

If we drop the ending -ni we obtain the 3rd person singular for the present indicative.

b) For easier pronunciation sometimes a connecting vowel is inserted between the ending -ni and the third person singular of the present tense:

Infinitive   *3rd person Singular of the present tense.*

tanítani—to teach   (ö) tanít—he or she teaches
hallani—to hear   hall—he or she hears
tartani—to hold   tart—he or she holds
festeni—to paint   fest—he or she paints
segíteni—to help   segít—he or she helps

§ 22. *The "ikes" igék. The "ikes" verbs.*

Some verbs have the ending -*ik* in 3rd person singular of the present tense, e.g.,

Infinitive   *3rd person of singular*

lakni—to dwell, to live   (ö) lakik—he or she dwells, lives
fázni—to be cold   fázik—he or she is cold
enni—to eat   eszik—he or she eats

These are called "ikes" verbs (verbs with -ik) in Hungarian. We shall study them later in more detail.
It is a particular feature of Hungarian that the group of "-ikes" verbs, without any difference in meaning, has a different conjugation with different personal endings in the singular only: (Compare § 18. personal endings of the subjective conjugation.)

Personal endings   lakni—to live, to dwell
Sing. 1. -m   lakom—I live, I am living, I do live
      2. -l   lakol—you live, etc.
      3. -ik   lakik—he, she, it lives, etc.
Plur. 1. -unk, ünk   lakunk—we live
      2. -tok, -tek, -tök laktok—you live
      3. -nak, -nek   laknak—they live

Originally the -*ik* suffix designated the 3rd person singular of the passive and reflexive verbs. There have been many disputes among Hungarian linguists concerning the elimination or retaining of the "ikes" verbs.

Today the literary language and style use them whereas in popular usage they are frequently replaced by the regular definite or indefinite conjugations. Modern usage does not always clearly distinguish between the conditional and the subjunctive moods of the *ikes* verbs on the one hand, and the indefinite and ikes conjugation of the *ikes* verbs on the other.

Present tense of *ikes* verbs.

enni—to eat

Indefinite conjugation
or Subjective conjugation.*
eszem egy ebédet—I eat a lunch
eszel egy ebédet—you eat a lunch (fam.)
eszik egy ebédet—he, she eats a lunch
eszünk egy ebédet—we eat a lunch
esztek egy ebédet—you eat a lunch
esznek egy ebédet—they eat a lunch
ön eszik egy ebédet—you eat a lunch
önök esznek egy ebédet—they eat a lunch

*We use indefinite or subjective conjugation in Hungarian if the object of the sentence is indefinite or less known.

Compare the personal endings § 18. and § 22. The indefinite conjugation and the "ikes" indefinite conjugation have different personal endings in the singular.

Definite conjugation
or Objective conjugation*
eszem az ebédet—I eat the lunch
eszed az ebédet—you eat the lunch (fam.)
eszi az ebédet—he, she eats the lunch
esszük az ebédet—we eat the lunch
eszitek az ebédet—you eat the lunch
eszik az ebédet—they eat the lunch
ön eszi az ebédet—you eat the lunch
önök eszik az ebédet—you eat the lunch

*We use definite or objective conjugation in Hungarian if the object of the sentence is definite or exactly known.

In definite conjugation the "ikes" verbs will not have different endings. See § 23.

§ 23. *Alanyi és tárgyas ragozás.* The Indefinite (Subjective) and the
Definite (Objective) Conjugation.

Every transitive verb in Hungarian has two conjugations. We call them
indefinite or subjective, and definite or objective conjugations, de-
pending upon whether the object is less determinate or indefinite.

a) Indefinite conjugation
Egy magyar könyvet akarok olvasni.
I want to read *a* Hungarian book.

In this sentence we speak about *a* book, an un-
known, indefinite book. The object is therefore
indefinite.

Egy levelet írok. I write a letter.
Ő könyvet (egy könyvet) ír. He writes a book.

A fiúk egy leckét tanulnak.
The boys are learning a lesson.

b) Definite conjugation
A magyar könyvet akarom olvasni.
I want to read *the* Hungarian book.

In this sentence we speak about *the* book, a
known, definite book. The object is therefore
definite.

A levelet írom. I write the letter.

Ő a könyvet írja.
He writes the book.

A fiúk a leckét tanulják.
The boys are learning the lesson.

Jelen idő. Present tense.
írni—to write

Indefinite conjugation	Definite conjugation
írok—I write, I am writing, I do write	írom—I write (it), I am writing (it), I do write (it)
írsz	írod
ír	írja
írunk	írjuk
írtok	írjátok
írnak	írják
ön ír	ön írja
önök írnak	önök írják

The objective or definite conjugation is used when the *object is definite and refers to the 3rd person* singular or plural.
e.g., Ki látja a könyvet? Who sees the book? (book 3rd person)
BUT: Ki lát engem? Who sees me?
Ő látja a házakat. He (she) sees the houses.
BUT: Ő lát minket. He (she) sees us.

c) *Indefinite conjugation*   *Definite conjugation*

kérni—to ask for

kérek *egy* könyvet—I ask for *a* book	kérem *a* könyvet—I ask for *the* book
kérsz *egy* könyvet	kéred *a* könyvet
kér *egy* könyvet	kéri *a* könyvet
kérünk *egy* könyvet	kérjük *a* könyvet
kértek *egy* könyvet	kéritek *a* könyvet
kérnek *egy* könyvet	kérik *a* könyvet
ön kér egy könyvet	ön kéri a könyvet
önök kérnek egy könyvet	önök kérik a könyvet

akarni—to want

akarok *egy* órát—I want *a* watch	akarom *az* órát—I *want* the watch
akarsz *egy* órát	akarod *az* órát
akar *egy* órát	akarja *az* órát
akarunk *egy* órát	akarjuk *az* órát
akartok *egy* órát	akarjátok *az* órát
akarnak *egy* órát	akarják *az* órát
ön akar egy órát	ön akarja az órát
önök akarnak egy órát	önök akarják az órát

olvasni—to read

olvasok egy füzetet—I read a notebook	olvasom a füzetet—I read the notebook
olvasol egy füzetet	olvasod a füzetet
olvas egy füzetet	olvassa a füzetet
olvasunk egy füzetet	olvassuk a füzetet
olvastok egy füzetet	olvassátok a füzetet
olvasnak egy füzetet	olvassák a füzetet
ön olvas egy füzetet	ön olvasssa a füzetet
önök olvasnak egy füzetet	önök olvassák a füzetet

Sibilants.

If the infinitive stem of a verb ends in *s, sz,* or *z,* in the 2nd person singular of the indefinite conjugation the personal ending is: -*l.* (See § 18.)

The *j* of the 3rd singular, and plural in the definite conjugation, e.g., írja and írják is assimilated at the sibilants (s and sz) into *ss* or *ssz* olvassa—olvassák (s plus j=*ss.*)

d) Special endings: -*lak* and -*lek.*

If the first person singular acts on the second person singular or plural, a special ending: -*lak* or -*lek* is added to the infinitive stem of the verb in *every* tense and mood. This suffix appears only when these two persons are involved.

Infinitive	*Inf. stem*	*Special ending Sing.*	*Plural*
szeretni—to love to like	szeret—	szeretlek I love you	szeretlek titeket or benneteket I love you (plur.)
látni—to see	lát—	látlak I see you	látlak titeket I see you (plur.)
nézni—to look	néz—	nézlek I look at you	nézlek benneteket I look at you (plur.)
érteni—to understand	ért—	értelek I understand you (*e* connecting vowel)	értelek titeket I understand you. (plural.)
akarni—to want	akar—	akarlak I want you	akarlak benneteket I want you (plur.)

NOTE: Szeretem önt. I love you (polite). (1st person acts on the 3rd person.) Szeretem önöket. I love you (polite plural).

e) The changes of verb tenses and moods in Hungarian are expressed by signs and suffixes, and not by the modification of the stem (internal changes) as e.g., in English: catch, caught, teach, taught, or in Latin: capio, cepi, do, dedi. The Hungarian conjugation is simple in spite of the two kinds of conjugations (definite and indefinite). There are two sets of personal endings: one for the indefinite and one for the definite conjugation. It is not necessary to add the personal pronouns with the verbs as in the Indo-European languages, when we conjugate or use them, because the personal endings tell us exactly the grammatical person and number of the verbs. We add the personal pronouns only when we put special stress or express contrast. E.g., Én olvasok egy könyvet, nem te. I read a book, not you.

The personal endings or suffixes of the verbs:

Indefinite conjugation

Singular:
   1. -k
   2. -sz (-l sibilants)
   3. —— (none)
Plural:
   1. -unk, -ünk
   2. -tok, -tek, -tök
   3. -nak, -nek

Definite conjugation

Singular:
   1. -m
   2. -d
   3. -ja, -je, -a, -e, -i
Plural:
   1. -juk, -jük, -uk, -ük
   2. -játok, -jétek, -itek,
      -átok, -étek
   3. -ják, -jék, -ák, -ék, -ik

We have two sets of endings for the 1st plural:

    flat vowels: -unk, -juk, -uk   sharp vowels: -ünk, -jük, -ük

Similarly there are alternative endings for the other persons.

The suffixes which are given as personal endings to the verb can *designate the person of the subject* — in the indefinite or subjective conjugation, and similarly *they can include also the object* of the sentence in the definite or objective conjugation, e.g.,

Látsz. You see. Akarsz. You want. Olvasol. You read. (2nd singular familiar, indefinite conjugation.)

Látod. You see (it). Akarod. You want (it). Olvasod. You read (it). (2nd singular definite conjugation).

The objective or definite conjugation is used when the object is definite and refers to the 3rd person.

        Ő nézi a könyvet He (she) looks at the book.
        BUT: Ő néz engem. He (she) looks at me.

NOTE: The second person singular and plural is the familiar form of pronouns and verbs. E.g.,

    te látsz—you see   ti láttok—you see (plural)
    te látod—you see (it)   ti látjátok—you see (it) (plur.)

Te (thou) and *ti* (you) is used in addressing members of the family, very close friends, relatives, children, animals and God.

f) The objective conjugation causes some difficulties for beginners. The objective conjugation appears also in the Ostiak, Vogul and Mordvinian languages. This conjugation gives an expressive brevity to Hungarian. E.g., Present tense: Látom. I see it. (One word in Hungarian and three in English.) Past tense: Láttam. I have seen it.

g) The object of a sentence is called definite under the following conditions:

1) If it is a proper noun and we are speaking of a known, definite person: Istvánt látom. I see Stephen.

2) If there is a definite article before the noun: A leckét írom. I write the lesson.

3) If the object is the personal pronoun of the 3rd person: őt—him, her   őket—them
or accusative of the demonstrative pronoun: azt—that, ezt—this (sing.),   azokat—those, ezeket—these (plural).
Akarja őt. He (she) wants him (her).
Nézi azt. He (she) looks at it.

4) If the object is a pronoun ending in -ik, e.g., egyik—one of them; másik—the other; melyik—which? which one?
Akarom az egyiket. I want one of them.
Melyiket akarod? Which one do you want?

5) If the demonstrative adjective modifies the object: azt, ezt or melyik.
Azt az órát szeretem. I like that watch.
Ön melyik órát szereti? Which watch do you (polite) like?

6) If the predicate of a sentence refers to an objective subordinate clause, e.g.,
Ő írja, amit mondok. He (she) writes what I am saying.
Hallod, hogy Párizsba utazik? Do you (familiar) hear he is traveling to Paris?
The subordinate clause is separated from the main clause by a comma.

7) If the object has a possessive suffix. We shall see the possessive suffixes later. (In Hungarian possessive suffixes are used instead of possessive adjectives.)
Olvasom a könyvem or könyvemet. I read my book.

h) The indefinite form of the conjugation is used when the object is less determinate:

1) Sok embert látok. I see many people. Valami hangot hallok. I hear a (some) voice. Egy házat akarok. I want a house.

2) A substantive is preceded by a cardinal number:
Tíz halászt látok. I see ten fishermen. (Indefinite conj.)
BUT: A tíz halászt látom. I see *the* ten fishermen. (known men) (Definite conj.)

Ezt a tíz halászt látom. I see *these* ten fishermen.

3) The infinitive is the object of a sentence:
Szeretek játszani. I like to play. Szeretünk tanulni. We like to study.
BUT: with a relative pronoun and infinitive we use the objective conjugation: Szeretem énekelni, *amit* te jól tudsz. I like to sing what you know well.

4) If the object is a relative pronoun, we use the indefinite conjugation: A könyv, *amelyet* olvasok, érdekes. The book which I am reading is interesting. A tanulók, akiket látok, olvasnak. The students whom I see are reading.

§ 24. The verb *do* is not used as an auxiliary in Hungarian for interrogative or negative sentences.
Az ablakot látják. They see the window.
Melyik ablakot látják? Which window do they see?
Melyik ablakot nem látják? Which window do they not see?

Gyakorlatok. Exercises.

A) *Tegyük a következő szavakat a tárgyeset egyes számába:*
Put the following words into the accusative singular:
1) szó, 2) ceruza, 3) zene, 4) kérdés, 5) felelet, 6) gyakorlat, 7) tankönyv, 8) papír, 9) Amerika, 10) térkép, 11) szép, 12) utca, 13) magas, 14) füzet, 15) újság, 16) tanító, 17) tanár, 18) színésznő, 19) Nagyné, 20) ember, 21) fa, 22) gyermek, 23) körte, 24) név, 25) András.

B) *Fordítsuk le angolra. Translate into English.*
1) Hol van János? 2) Ő latint és számtant tanul. 3) Anna is tanulja a leckét. 4) Szeretek olvasni angol könyvet. 5) A magyar tankönyvet is szeretem. 6) Írunk egy keveset. 7) Írjuk a házi feladatot. 8) Ők is írnak egy keveset. 9) A házi feladatot is írják. 10) Mit olvastok? 11) Az újságot olvassátok?

C) *Fordítsuk le magyarra. Translate into Hungarian.*
1) What do you (familiar singular) see there? 2) I see a house. 3) What does he see in the school on the wall? 4) He sees a map, a lamp and a window. 5) Do you (polite plural) learn music? 6) I like music very much. 7) What are we doing? We are writing a letter. 9) We write the letter) 10) They learn physics, chemistry, history, geography, English and Hungarian. 11) They learn the homework. 12) He sees me. 13) He sees you (familiar plural). 14) He sees them.

15) I want to see you (familiar singular). 16) I want to see you (polite plural). 17) I understand you (familiar singular). 18) I understand him. 19) I understand you (singular polite). 20) I paint you (familiar plural).

D) *Töltsük ki az üres helyeket az igék megfelelő alakjaival.*
Fill the blanks with the suitable forms of verbs.

1) (nézni) .... (2nd sing.) őt.
2) (nézni) .... (2nd sing.) engem.
3) (írni) .... (1st plur.) egy levelet.
4) (írni) .... (1st plur.) a levelet.
5) (ismerni) .... (1st plur.) téged.
6) (ismerni) .... (1st sing.) téged.
7) (ismerni) .... (1st sing.) őt.
8) ő (szeretni) .... engem.
9) ő (szeretni) .... őket.
10) ők (látni) .... önt.
11) ők (látni) .... téged.
12) ők (látni) .... minket.
13) ő (kérni) .... őt.
14) ő (kérni) .... engem.
15) ő (kérni) .... minket.
16) ő (kérni) .... önöket.
17) ti (olvasni) .... egy könyvet.
18) ti (olvasni) .... a könyvet.
19) ő (enni) .... egy gyümölcsöt.
20) ő (enni) .... a gyümölcsöt.

NEGYEDIK LECKE. (4)

Séta a városban.

Ma szombat van. Margit a városba megy az anyjával. Ők egy faluban laknak. Károly a városban van, ő egyetemi hallgató. Károly jól ismeri a várost és mindent megmutat, amit lehet látni a városban. Margit nem ismeri a várost. A városban magas házakat, szép épületeket, széles utcákat, nagy iskolákat, híres könyvtárakat lehet látni. Ők óhajtják látni az egyetemet is. Délben egy vendéglőbe mennek ebédelni. Károly barátja is ott eszik. Délután vásárolnak az üzletekben. Ruhát akarnak venni? Nem ruhát, hanem bútort. Ebben az üzletben nincs ruha és nincsenek kalapok. Milyen bútort vesznek? Kovácsné asztalt, karosszéket, székeket, szőnyeget, ágyat és szekrényt vesz Margitnak. Károly egy új ruhát kap. A kereskedő ismeri Károlyt és ismer bennünket. Vesznek cipőt és harisnyát is. Károly egy pár cipőt kap, Margit hármat. Margit anyja vesz egy kiló

47

almát. Délután az egyetemre mennek, ahol megnézik az épületeket, a könyvtárat, a diáklakásokat. Sok* diák tanul az egyetemen. Mit lehet látni a falu mellett? Mezőt, erdőt, füvet, tavat, követ, lovakat, ökröket, állatokat, fákat, virágokat lehet látni. Már este van, Margit visszamegy a faluba az anyjával.

Feleljünk a következő kérdésekre. Answer the following questions.
1) Milyen nap van ma? 2) Hová megy Margit? 3) Hol laknak ők? 4) **Mi** Károly? 5) Ismeri Margit a várost? 6) Mit lehet látni a városban? 7) Hol ebédelnek délben? 8) **Mit** vesznek az üzletben Margitnak? 9) **Milyen** állatokat lehet látni a falu mellett? 10) Hová megy este Margit és anyja?

*Note: after sok—many and the numerals more than one Hungarian does not use plural but singular.

Szavak

negyedik—fourth
séta—walk
város—city, town
Margit—Margaret
menni—to go
megy—he, she or it goes
anya—mother
-val, -vel (suffix)—with (prep.)
anyjával—with his (or her) mother
falu—village
Károly—Charles
egyetem—university
az egyetemre—to the university
az egyetemen—at the university
egyetemi hallgató—university student
(literally university auditor)
jól—**well**
ismerni—to know, to be familiar with
megmutatni—to show
lehet—is possible, can
nem—not
üzlet—store
széles—wide
épület—building
híres—famous
könyvtár—library

dél—noon, south
délen—in the south
délben—at noon
vendéglő—restaurant
ebédelni—to take lunch
vendég—guest
délután—afternoon, in the afternoon
vásárolni—to shop
ruha (sing.)—clothes
nincs—is not
nincsenek—are not
kalap—hat
venni—to buy
veszek—I buy
bútor—furniture
karosszék—armchair
szőnyeg—carpet
ágy—bed
fel—up
le—down
sőt—even
minden—every
összes—all
szekrény—wardrobe, case
ma—today
cipő—shoe
harisnya—stockings
pár—pair

48

három—three
mellett—beside
mező—meadow
erdő—forest
fű—grass
kő—stone
tehén—cow
ló—horse
tó—lake
állat—animal
virág—flower
már—already
este—evening
visszamenni—to return
énekelni—to sing
nap—day
hová?—where to, whither?
megnézni—to look at

ahol—where
diáklakás—student apartment
piac—market
bor—wine
búza—wheat
Suffixes—(ragok)
-ba, -be—into
-ban, -ben—in
-ból, -ből—out of, from
-ról, -ről—from (down)
-ra, -re—on (motion)
-n, -on, -en, -ön—on (rest)
más—other
nevezetesség—celebrity, sights
  (of a city)
sofőr—chauffeur
sok—many, much
diák—student

Nyelvtan.—Grammar.
§ 25. *A tárgyeset. The accusative. (Continued.)*
  Többes szám. Plural.

In forming the accusative plural we add *"-t,"* the sign of the object, to the plural of the word. There is a connecting vowel between the sing of the plural *("-k")* and the sign of the accusative *"-t".*

Nom. Sing.	Nom. Plur.	Acc. Plur.
óra—watch	órák	órákat
fekete—black	feketék	feketéket
török—Turk, Turkish	törökök	törököket
asztal—table	asztalok	asztalokat
zörej—noise, zaj	zörejek	zörejeket
színésznő—actress	színésznők	színésznőket
név—name	nevek	neveket
piros—red	pirosak	pirosokat
ezüst—silver	ezüstök	ezüstöket
malom—mill	malmok	malmokat
ökör—ox	ökrök	ökröket
vár—castle	várak	várakat
szív—heart	szívek	szíveket
madár—bird	madarak	madarakat

A madarak énekelnek. The birds sing. Madarakat látok. I see birds. Az ökrök állatok. The oxen are animals. Az utcán ökröket látok. I see oxen in the street. Órákat veszek. I buy watches.

§ 26. *Az egyszótagú főnevek tárgyesete. The accusative of the mono-syllabic nouns.*

Some monosyllabic nouns ending in a vowel keep the o r i g i n a l longer form in the accusative case. They interpose a *"v"* in the accusative and at the same time some of them shorten their stem vowel.

Nom. Sing.	Acc. Sing.	Nom. Plur.	Acc. Plur.
cső—tube, pipe	csövet	csövek	csöveket
hó—snow	havat	havak	havakat
kő—stone	követ	kövek	köveket
lé—juice	levet	levek	leveket
ló—horse	lovat	lovak	lovakat
mű—art	művet	művek	műveket
szó—word	szavat szót	szavak	szavakat
tó—lake	tavat	tavak	tavakat
tő—stem	tövet	tövek	töveket

János szereti a lovakat. John likes horses. Havat lehet látni. It is possible to see snow. Szavakat tanulok. I study words. Füvet és követ látnak a kertben. They see grass and stone(s) in the garden.

§ 27. *Tagadás. Negation.*   nincs = nem van

Negation may be expressed by a negative particle: nem—not, or by a verb: nincs—(there) is not. The English "do" is not an auxiliary verb in Hungarian. See § 24.

> Nem veszek szőnyeget. I do not buy a rug.
> Péter nem eszik almát. Peter does not eat apple(s).
> Nem megyünk iskolába. We do not go to school.
> Otthon nincs elég bútor. There is not enough furniture at home.
> Ő nincs itt. He is not here.
> Nincs térkép az osztályban. There is no map in the classroom.

§ 28. *Jelen idő. Present tense.*

menni—to go (irregular verb)

megyek—I go, I am going, I do go
mész
megy
megyünk
mentek
mennek

The verb to go, an intransitive verb, does not have a definite conjugation. Just the transitive verbs have the definite conjugation.

Indefinite conjugation (subjective)	Definite conjugation (objective)
venni—to buy	veszem—I buy (it), etc.
veszek—I buy, I am buying, I do buy	veszed
	veszi
veszel (-l after sibilant)	vesszük (after sibilant the "j" is
vesz	transformed into "s")
veszünk	veszitek
vesztek	veszik
vesznek	

látni—to see	
látok—I see, I am seeing, I do see	látom—I see (it), etc.
látsz	látod
lát	látja
látunk	látjuk
láttok	látjátok
látnak	látják

kapni—to get, to obtain	
kapok—I get, I am getting, I do get	kapom—I get (it), etc.
	kapod
kapsz	kapja
kap	kapjuk
kapunk	kapjátok
kaptok	kapják
kapnak	

tenni—to put	
teszek—I put, etc.	teszem—I put (it),
teszel	teszed
tesz	teszi
teszünk	tesszük
tesztek	teszitek
tesznek	teszik

hinni—to believe	
hiszek—I believe, etc.	hiszem—I believe (it)
hiszel	hiszed
hisz	hiszi
hiszünk	hisszük
hisztek	hiszitek
hisznek	hiszik

51

29. Gyűjtőnevek. The Collective Nouns.

It is a charasteristic of the Hungarian language that it often uses the singular of collective nouns where in English the plural word would be used.
For example:

A *nyáj* a legelőn van. The sheep are in the pasture.

Mária *rózsát* szed. Mary picks roses.

A gyermek *cipőt* kap az apjától. The child gets shoes from his father.

Tojást vesz az üzletben. He (she) buys eggs in the store.

Szeretem a *körtét*. I like pears.

Borsót főz ebédre. He (she) cooks peas for lunch.

If we speak of more than one variety we put the noun in the plural.

When reference is made to a quality of the same genus (the name of fruits, vegetables, minerals, clothing from which usually more than one piece is needed) the noun is in the singular.

Singular	Plural
Bort iszik. He (she) drinks wine.	Borokat vesz a piacon. He (she) buys wines on the market.
A magyar búza jó. Hungarian wheat is good.	A magyar búzák jobbak mint a kanadaiak. Hungarian wheat(s) (are) is better than Canadian.

§ 30. Egyes szám határozott és határozatlan számnevek után.
Use of the Singular after Definite and Indefinite Numerals.

egy ajtó—one door	két ajtó—two doors	sok ajtó—many doors
egy fiú—one boy	három fiú—three boys	kevés fiú—few boys
egy ló—one horse	száz ló—one hundred horses	néhány ló—several horses
egy cipő—one shoe	tíz cipő—ten shoes	sok cipő—many shoes

We shall discuss this in connection with the numerals. (§ 36 1. and § 37.)

Házi feladat. Homework.

A) *Egészítsük ki a következő mondatokat.*
   Complete the following sentences.

   Accusative singular.

   1. Margit (shoes) .... vesz
   2. Ők (lunch) .... esznek
   3. A feleség (peas) .... főz
   4. Sok (child) .... látok
   5. A magyar (book) .... olvasom

52

Accusative plural

1. Károly (chairs) .... kap
2. Mi (cows) .... látunk
3. Nagybátyám (horses) .... vesz
á. Mi nézzük az (stores) ....
5. Ők látnak (us) ....

bolt — store (specific)
üzlet — store (general)

B) Tegyük a megfelelő ragokat az üres helyekre.
   Put the suitable suffixes in the blanks.

1. Julianna szombaton megy a város.......
2. Ő egy vendéglő...... ebédel.
3. Ma este hazamegyek a falu ba. *into the village*
4. Az új bútor az üzlet ben van.
5. Délután az egyetem re megyek.

C) Fordítsuk le angolra. Translate into English.

1. Ebben az üzletben sok cipőt árulnak. *sell*
2. Itt vannak az új cipők.
3. Mit eszel ebédre? *what do you eat for lunch*
4. Hová teszitek az új székeket?
5. Ki megy a városba?
6. Kit lát ott? *Whom does he see there?*
7. Ebben az üzletben nincs szép bútor.
8. A tanuló az egyetemen tanul. *university studies*
9. Ő minden nap megy az egyetemre. *goes*
10. A magyar borok jók. *The hungarian wines are good*
11. Borsót főzök. Sokat eszem ebédre. *cook peas*
12. Veszek lovakat teheneket és ökröket. *horses cows oxen*
13. A ló szereti a füvet. *The horse likes grass*
14. Sok követ látnak az utcán. *To see many stones in the street*
15. A fiú madarat tesz a házba. *The boy puts the bird in the house*

D) Fordítsuk le magyarra. Translate into Hungarian.

1. He knows the city but he does not know me. *ismeri* *See p 38*
   to show, mutatni
2. He shows the flower in the garden.
3. I see many forests near the village. *látok sok erdőt közelében*
4. Horses, cows and oxen are animals.
5. We buy fruit, grapes, apples, pears, peas and bread. *p 51*
6. Today we go to the university.
7. I want to see the library.
8. The students eat in the restaurant.
9. I do not believe what you say.
10. We see the lake, the meadow and the house.

53

E) *Egészítsük ki a tárgyas vagy alanyi ragozást.*
Complete the definite or indefinite conjugation.

1. Milyen könyvet (olvasni) .... (2nd sing.)
2. Egy új könyvet (olvasni) .... (1st sing.)
3. (Szeretni) .... a szép ruhát. (3rd sing.)
4. Ők (írni) .... egy levelet.
5. Ők (írni) .... a házi feladatot.
6. Mi (venni) .... egy új házat.
7. Ti (akarni) .... látni a híres filmet.
8. Az óra pontosan (mutatni) .... az időt.
9. Az emberek (látni) .... a várost.
10. János ma sokat (enni) ....
11. Te (inni) .... bort ebédre.
12. Reggel sok kávét lehet (inni) .... ebben a városban.
13. A gyermekek a faluban (játszani) ....
14. A sofőr ma az új autót (vezetni) ....
15. A sofőr ma egy új autót (vezetni) ....
16. Megyek könyvet (venni) .... az üzletbe.
17. Ő a szép lovat (nézni) ....
18. Ő engem és téged (nézni) ....
19. Margit sok ruhát (kapni) ....
20. A tanuló (tanulni) .... a leckét.

ÖTÖDIK LECKE. (5)

Egy szép lakás.

Egy új lakásban vagyunk. Szegedi úr lakik itt. A lakás nagyon szép. Öt helyiségből áll. Van benne egy konyha, egy nappali szoba, egy hálószoba, egy gyerekszoba és egy ebédlő. Van egy előszoba is a házban. A hálószoba és a gyerekszoba között van a fürdőszoba. A ház alatt van a pince. A nagy és széles szobák felett a padlás alacsony. A szobák nagyok. Szegedi és Szegediné szeretik a nagy szobákat. A szobák magasak és világosak. A konyha tágas. A tágas konyhában jól lehet főzni. Van benne hideg és meleg víz. A központi fűtést a pincében lehet látni. A lakásban új és régi bútorok vannak. A függönyök újak, a székek régiek. A festés a falon barátságos. A képek is helyesek. Szegediék szeretik a szép tárgyakat. A ház mögött van egy kis kert. A gyermekek a kertben játszanak. Ott kellemes ülni este, amikor nem süt a nap. Szegedi úr és Szegediné este hazamennek vacsorázni. Szegedi magyar, Szegediné amerikai. Gyakran meghívják a közeli barátokat a szép lakásba. A vendégek amerikaiak, franciák, németek, kanadaiak, svájciak vagy magyarok.

answer questions (handwritten)

Kérdések. Questions.

1. Ki lakik az új lakásban? 2. Hány szoba van az új lakásban? 3. Hol van a fürdőszoba? 4. Mi van a ház alatt? 5. Mi van a konyhában? 6. Hol lehet látni a központi fűtést? 7. Hol vannak a képek? 8. Milyenek a képek? 9. Hol van a kert? 10. Mit csinálnak a gyermekek a kertben? 11. Kiket hívnak meg Szegediék? 12. Milyenek a vendégek?

Szavak

ötödik—fifth
lakás—a flat, apartment
új—new
nagyon—very (adv.)
öt—five
helyiség—room (premises)
áll valamiből—consists of
  something
öt helyiségből áll—consists of five
  rooms
  (after numerals singular is
  used in Hungarian)
benne—in it (in him or in her)
konyha—kitchen
nappali szoba—living room
nappal—daylight, during the day
hálószoba—bedroom
gyerekszoba—children's room
ebédlő—dining room
ebéd—lunch
között—between
fürdőszoba—bathroom
keskeny—narrow
alatt (postposition)—under
pince—basement
felett (postposition)—above
padlás—attic
alacsony—low
kis, kicsi—small*
előszoba—vestibule
világos—clear, light
tágas—spacious
főzni—to cook
hideg—cold
meleg—warm

víz—water
központi—central
fűtés—heating
régi—old, ancient
öreg—old (age)
függöny—curtain
festés—painting
fal—wall
a falon—on the wall
barátságos—friendly
Szegediék—the Szegedis
tárgy—object
mögött (postposition)—behind,
  beyond
találni—to find
kellemes—pleasant
ülni—to sit
amikor—when
sütni—to bake
nap—sun or day
süt a nap—the sun shines
hazamenni—to go home
vacsorázni—to have supper,
  to dine
gyakran—often
meghívni—to invite
közeli—close, nearby
vendég—guest
barát—friend
hány—how much? how many?
francia—French
német—German
svájci—Swiss
vagy—or

55

*In Hungarian there are two forms for small: *kis* and *kicsi*. Kis is used attributively, e.g., kis ház—(a) small house, kis házak—small houses. Kicsi is used predicatively, e.g., A ház kicsi. The house is small. A házak kicsik. The houses are small.

§ 31. *Névutók és ragok. Postpositions and suffixes.*

a) One of the characteristics of Hungarian is the use of postpositions instead of prepositions. These postpositions are equivalent to the English prepositions, but they stand after the noun (the nominative of the noun). They are separated from the noun, i.e. are not joined to the noun to which they refer. They do not require cases because in Hungarian there are, strictly speaking, no cases, and the words are not inflected. Relations between words are shown by suffixes and postpositions.

E.g., a ház alatt—under the house　　　　　　　　　*postpositions*
　　　a ház mögött—behind the house
　　　a fák felett (or fölött)—above the trees
　　　az egyetem mellett—near the university
A konyha és a hálószoba között van a fürdőszoba
Between the kitchen and the bedroom is the bathroom.
Az erdő felett madár repül.
Above the forest a bird flies.
A pad alatt piros ceruzák vannak.
Under the desk (bench) there are red pencils.

b) *Ragok—Suffixes*
The suffixes in Hungarian do not change the meaning of the words, they just indicate exactly their role in a sentence. They are written together with the words to which they belong.

E.g., az iskola—the school　　　　　A tanulók az iskolában vannak.
　　　az iskolában—in the school　　　The pupils are in the school.
　　　az iskolákból—from the schools
Franciaország—France
　　　Sándor Franciaországba megy.—Alexander is going to France.
Magyarország—Hungary
　　　Harry Magyarországra megy.—Harry goes (is going) to Hungary.

§ 32. *A melléknév mint jelző és állítmány.*
　　　The attributive and predicative adjective. (See §17. a.c.)

Attributive adjectives　　　　　　*Predicative adjectives*

A *szorgalmas* fiú tanul.　　　　　A fiú *szorgalmas.*
The industrious boy studies.　　　The boy is industrious.

A *szorgalmas* fiúk tanulnak.　　　A fiúk *szorgalmasak.*
The industrious boys study.　　　　The boys are industrious.

56

A *jó* leány olvas.
The good girl reads.

A leány *jó.*
The girl is good.

A *jó* leányok olvasnak.
The good girls read.

A leányok *jók.*
The girls are good.

A *barátságos* tanítónő.
The friendly lady teacher.

A tanítónő *barátságos volt.* ... ...
The lady teacher was friendly.

A *barátságos* tanítónők.
The friendly lady teachers.

A tanítónők *barátságosak voltak.*
The lady teachers were friendly.

A *széles* utca.
The wide street.

Az utca *széles.*
The street is wide.

A *széles* utcák.
The wide streets.

Az utcák *szélesek.*
The streets are wide.

Az *amerikai* vendég.
The American guest.

A vendég *amerikai.*
The guest is American.

Az *amerikai* vendégek.
The American guests.

A vendégek *amerikaiak.*
The guests are American.

A *régi* ház.
The old house.

A ház *régi.*
The house is old.

A *régi* házak.
The old houses.

A házak *régiek.*
The houses are old.

If the adjective is used attributively it is not changed; no suffix is necessary.

If the adjective is used predicatively it needs suffixes in the plural. (§ 17.)

NOTE: *van*—is and *vannak*—are, in Hungarian are not translated if they express simple existence (§ 16.) in the third person singular and plural of the present tense.
E.g., Az iskola nagy. The school is large.
BUT: in past tense: Az iskola nagy *volt.* The school *was* large.
    in future tense: Az iskola nagy *lesz.* The school will be large.
The past and future forms of the verb "to be" are used even in the 3rd person.

§ 33. *Az -ú, -ű, -ó, -ő, -i végződésű melléknevek többes száma.*
    The plural of the adjectives ending in: -ú, -ű, -ó, -ő, -i.

Singular	*Plural*
régi—old	régiek
dániai—of Denmark, Danish	dániaiak
jómódú—well situated, rich	jómódúak
jókedvű—good humored, merry	jókedvűek

A könyv régi.	A könyvek régiek.
The book is old.	The books are old.
A hal dániai.	A halak dániaiak.
The fish is Danish	The fish are Danish.
A barát jókedvű.	A barátok jókedvűek.
The friend is merry.	The friends are good humored.

A connecting vowel is put between the sign of the plural -*k* and the ending of the adjective. The connecting vowel for flat words: *a* dániai*ak,* for sharp words: *e* régi*ek*

§ 34. *Helyhatározó névutók. Adverbial postpositions indicating place.*

The adverbial postpositions indicating place in Hungarian have three forms and answer three questions: Where? whither? whence? The place can be designated by postpositions of by suffixes.

Hol lakik Margit? Where does Margaret live?

Hová megy Margit? Where (whence) does Margaret go?

Honnan jön Margit? From where does Margaret come?

Suffixes

Margit a falu*ban* lakik. Margaret lives in the village.

Margit a város*ba* megy. Margaret goes (is going) to town.

Margit a falu*ból* jön. Margaret comes from the village.

Postpositions

Hol vagyok? A ház *előtt* vagyok. Where am I? I am in front of the house.

Hová megyek? A ház *elé* megyek. Where am I going to? I am going in front of the house.

Honnan jövök? A ház *elől* jövök. Where am I coming from? I am coming from in front of the house.

A) *Postpositions indicating place.*

Hol? Where?	*Hová? Where to? Whither?*	*Honnan? Where from? Whence?*
alatt—under (rest)	alá—under (direction)	alól—from under
előtt—in front of, before	elé—in front of	elől—from in front of
között—between, among	közé—between, among	közül—from among
mellett—beside (near)	mellé—beside	mellől—from beside
mögött—behind, after	mögé—behind	mögül—from behind
felett—above (fölött)	fölé—above	felől—from above
körül—around	köré—around	körül—around
(does not end in -tt)		

Hol van a kert? A kert a ház mögött van. Where is the garden? The garden is behind the house.

Hová teszi a széket a tanuló? Where does the pupil put the chair?
A széket az asztal mögé teszi. He puts the chair behind the table.
Honnan jön a fiú? Where is the boy coming from?
A fiú a ház mögül jön. The boy is coming from behind the house.

a) 1. Note the use of postpositions after the demonstrative adjectives or pronouns:
ez (e)—this, az (a)—that
ez előtt—before this, a mögött—behind that
Ez előtt a ház előtt virágok vannak. There are flowers in front of this house.
A mögött a ház mögött kert van. There is a garden behind that house.
In Hungarian the postposition is put out *twice:* after the demonstrative adjective and after the noun.

2. Postpositions with suffixes — see § 44. d.

B) *Suffixes indicating place.*

Hol?	*Hová?*	*Honnan?* from where
-ban, -ben—in	-ba, -be—into	-ból, -ből—from, out of
-n, -on, -en, -ön—on	-ra, -re—on (to)	-ról, ről—from (down)
-nál, -nél—at, beside	-hoz, -hez, -höz—to	-tól, től—away (from)

Az egyetemen vagyok. Az egyetemre megyek Az egyetemről jövök.
I am at the university. I go to the university. I come from the university.

A városban sok ház van. A városba megyek.
There are many houses I go (in) to the town. A városból jövök.
in the city. I come from town.

2) Note the use of suffixes after the demonstrative adjectives and pronouns.
ez—this, az—that
Ebben a városban vagyok. I am in this town. (ez plus -ben=ebben.)
Ezen az egyetemen vagyok. I am at this university. (ez plus -en)
Abban az iskolában tanulok. I study in that school. (az plus -ban=abban)
In Hungarian the suffixes are put out *twice:* after the demonstrative adjective (or pronoun) and after the noun.

Spanyolországban vagyok. Spanyolországba megyek Spanyolországból jövök.
I am in Spain. I go into Spain. I came from Spain.

Magyarországon vagyok.	Magyarországra megyek.	Magyarországról jövök.
I am in Hungary.	I am going to Hungary.	I come from Hungary.

Budapesten vagyok.	Budapestre megyek.	Budapestről jövök.
Debrecenben vagyok.	Debrecenbe megyek.	Debrecenből jövök.
Prágában vagyok.	Prágába megyek.	Prágából jövök.
Washingtonban vagyok.	Washingtonba megyek.	Washingtonból jövök.
Denverben vagyok.	Denverbe megyek.	Denverből jövök.
Bécsben vagyok	Bécsbe megyek.	Bécsből jövök.
Kassán vagyok.	Kassára megyek.	Kassáról jövök.

§ 35. *-ikes igeragozás. -ikes conjugation.*

aludni—to sleep	haragudni—to be angry

alszom—I sleep, I am sleeping, I do sleep	haragszom—I am angry
alszol	haragszol
alszik	haragszik
alszunk	haragszunk
alszotok	haragszotok
alszanak	haragszanak

Gyakorlatok. Exercises.

A)   *Szótagoljuk a következő szavakat. Divide the following words into syllables.*
kezdet, kezdtem, osztrák, influenza, Ausztrália, fogódzik, gyermekei, csendes, csendőr, kertek, kertajtó, kaptam.

B)   *Csináljunk kérdéseket a következő mondatokból igenlő és tagadó alakban:*
Form questions from the following sentences in affirmative and negative interrogative:
1) Ez ember. 2) Margit ott van. 3) Itt van az ajtó. 4) A város nagy.
5) A kertek szépek.

C)   *Ragozzuk alanyi és tárgyas ragozásban:*
Conjugate in indefinite and definite conjugation:
1) vásárolni—to shop, 2) szeretni—to like, to love

D)   *Helyettesítsük a szünetjelet egy kérdőszóval:*
Replace the dash with one of the interrogative words:
ki? kit? mi? mit? milyen?
hol? honnan? hová?

60

1) — László?
2) — lát György?
3) — van Anna?
4) — mennek a gyermekek?
5) — a lámpa?

6) — ez az ablak?
7) — az érett szilva?
8) — képek vannak a falon?
9) — vagyunk?
10) —akar menni Margit?

E) *Feleljünk a következő kérdésekre:*
   Answer the following questions:

E.g., Milyen az óra? Az óra pontos.
1) Milyen színű a kávé, a tej, a fal, az érett szilva, az alma, a körte?
2) Milyen színű a fű?
3) Milyen tantárgyakat szeret Vilmos? *what kind of subjects does William like?*
4) Milyen ez a könyv?
5) Mit írnak a tanulók?
6) Mit lehet látni az osztályban?
7) Ki Nagy János felesége?
8) Ki a tanító úr felesége?
9) Milyen nyelvet tanul ön?
10) Mit lehet látni a faluban? *what is it possible to see in the classroom? village*

F) *Írjuk le a lehetséges feleleteket igenlő és tagadó alakban:*
   Write down the possible answers in both affirmative and negative:

E.g.,

Ház ez? Is this a house?

1) Pad ez? Könyvtár ez?

Igen.	Nem.
Igen, az.	Nem az.
Az.	Nem, nem az.
Ház.	Nem ház.
Igen, ház.	Nem, nem ház.
Igen, ez ház.	Nem, ez nem ház.

G) *Tegyük többes számba: Put into the plural:*

1) A fiú kicsi. 2) Az osztály nagy. 3) Fekete a füzet. 4) Ő magyar.
5) Te angol vagy. 6) Ő amerikai. 7) Te nem vagy itt. 8) Levelet ír.
9) A feladatot írja. 10) Tó van az erdőben.

H) *Complete the blanks with suitable suffixes* (-ban, -ben, -ból, -ből,
-ba, -be, etc.) *or postpositions* (alatt, alá, alól, etc.)
1) Az egyetem egy nagy város............ van. 2) A tanuló (ez) .... az
iskola............ megy haza. 3) A színész a színház............ van. (színház—

theater) 4) Az iskola a templom...... van. (templom—church) 5) E......
ház...... garázs van. 6) A doktor a ház...... megy. 7) A vendégek ez......
ház...... jönnek. 8) A pince a szoba .... van. 9) A könyvet a pad......
teszem. 10) Holnap megyek Budapest...... és Debrecen...... 11) Az ame-
rikai diák (student) Magyarország........... megy. 12) Olaszország..........
(from) írok. 13) Amerika...... sok egyetem van, de Magyarország......
kevés. 14) A füzet a könyv .... van. 15) A kert a ház .... van.

HATODIK LECKE. (6)

Az utazás.

Ma szombat van. Ezen a héten az egész család kirándul vasúton egy
nyaralóba. Reggel 7 órakor indul a vonat az állomásról az ötödik vá-
gányról, de már hat órakor felkelünk. A bőröndök készen vannak és autón
megyünk a vasútállomásra. Az autó öt perc alatt az állomásnál van. Két
perc múlva indul a vonat. Mi jobban szeretjük a vonatot, mint a hajót
vagy a repülőgépet. Az utazás hosszú, ezért az étkezőkocsiban ebédelünk.
Hány órakor ebédelsz te? Én délben tizenkét órakor ebédelek, sokan fél
egykor esznek. Mennyit eszel? Sokat. Negyed kettőkor kiszállunk a vo-
natból és két kellemes napot töltünk egy szállodában. Háromnegyed hét-
től háromnegyed nyolcig a vendéglőben vacsorázunk. Mennyit eszünk?
Keveset. Vacsora után fél kilenckor különféle műsor van: hangverseny,
színház, mozi és tánc. Éjfél után öt perccel érünk haza a szállodába. A
következő nap egy tónál töltjük az időt, ahol úszni, csónakázni és vitor-
lázni lehet. Délután indulunk haza. József az induláskor ezt kérdezi:
"Hány óra van?" Öt perc múlva lesz hat óra. Késő éjjel volt, amikor
otthon lefeküdtünk. Hol laktok ti? Mi Veszprémben lakunk.

Kérdések. Questions.

1) Mikor rándul ki a család? 2) Mivel utazunk? 3) Hány órakor kelnek
fel? 4) Hogyan mennek az állomásra? 5) Mikor indul a vonat? 6) Hol
ebédelnek? 7) Hány órakor ebédeltek ti? 8) Hány órakor és hol vacso-
rázik a család? 9) Milyen műsor (program) van vacsora után? 10) Mikor
érünk a szállodába? 11) Hol töltjük az időt következő nap? 12) Mit csi-
nálunk ott? 13) Hány órakor indul a vonat haza? 14) Hány órakor va-
gyunk otthon? 15) Hol lakunk mi?

Szavak

hatodik—sixth
utazás—travel
ma—today
egész—whole
család—family
kirándulni—to make an excursion

vasút—railway
a hét—the week
hét (numeral)—seven or week
hét órakor—at seven o'clock
indulni—to depart
állomás—station

vasútállomás—railway station
nyaraló—summer resort
vágány—truck, rail
de—but
már—already
hat—six
felkelni—to get up, to rise
bőrönd—luggage
készen van—is ready
autó (gépkocsi)—automobil, car
öt—five
perc—minute
alatt—under
állni—to stand
két or kettő—two*
hosszú—long
azért—therefore
étkezőkocsi—dining car
jobban—better
mint—than
hajó—boat
repülőgép—airplane
hány órakor?—at what time?
hány?—how many?
mennyi?—how much?
tizenkettő—twelve
sokan—many people
fél—half
fél egy—half past twelve
negyed—quarter
negyed kettő—quarter after one
kiszállni—to leave, to descend,
    to get out
napot tölteni—to spend a day
szálloda or szálló—hotel
háromnegyed—three quarters
háromnegyed hét—quarter to
    seven

kilenc—nine
fél kilenc—half past eight
-tól, -től (suffix)—from
-ig (suffix)—until, to
különféle—different
műsor (program)—program
hangverseny (koncert)—concert
színház—theater
mozi—movie
tánc—dance
éjfél—midnight
éj—night
következő—following
tó—lake
-nál, -nél (suffix)—at
ahol—where
úszni—to swim
csónakázni—to boat, to row
vitorlázni—to sail
időt tölteni—to spend time
haza—homeward, fatherland
indulás—departure
kérdezni—to ask
hány óra van?—what time is it?
mennyi az idő?—what time is it?
öt perc múlva lesz hat—in five
    minutes will be six
éjjel—at night, night
otthon—at home
lefeküdni—to lie down, to go
    to bed
lefeküdtünk—we went to bed
Veszprém—a city in Hungary
-val, -vel (suffix)—with
forint—Hungarian monetary unit
villamos—streetcar

The day on the timetables of railways and airlines is divided into 24 hours.
*(see § 36 a.) two has two forms: *két* and *kettő*. *Kettő* is used when it
stands alone.
Hány ház van itt? *Kettő.* How many houses are here. Two.
Két is used with a noun in a sentence.
Hány ház van itt? *Két ház.* How many houses are here? Two houses.
A vonat két órakor indul. The train departs at two o'clock.

Nyelvtan. Grammar.

§ 36. Számnevek. Numerals.

Tőszámnevek— Cardinals	Sorszámnevek— Ordinals	Törtszámnevek— Fractionals		Szorzószámnevek— Multiplicatives
0 nulla, zéró				
1 egy	első—first			egyszer—once
2 kettő or két	második—second	1/2	fél	kétszer—twice
3 három	harmadik—third	1/3	harmad	háromszor—three times
4 négy	negyedik—fourth	1/4	negyed	négyszer—four times
5 öt	ötödik—fifth	1/5	ötöd	ötször—five times
6 hat	hatodik—sixth	1/6	hatod	hatszor
7 hét	hetedik—seventh	1/7	heted	hétszer
8 nyolc	nyolcadik	1/8	nyolcad	nyolcszor
9 kilenc	kilencedik	1/9	kilenced	kilencszer
10 tíz	tizedik	1/10	tized	tízszer
11 tizenegy	tizenegyedik	1/11	tizenegyed	tizenegyszer
12 tizenkettő	tizenkettedik	1/12	tizenketted	
13 tizenhárom	tizenharmadik			
14 tizennégy	tizennegyedik			
15 tizenöt	tizenötödik			
16 tizenhat	tizenhatodik			
17 tizenhét	tizenhetedik			
18 tizennyolc	tizennyolcadik			
19 tizenkilenc	tizenkilencedik			
20 húsz	huszadik	1/20	huszad	hússzor
21 huszonegy	huszonegyedik	1/21	huszonegyed	
22 huszonkettő	huszonkettedik	1/22	huszonketted	
28 huszonnyolc	huszonnyolcadik			
29 huszonkilenc	huszonkilencedik			
30 harminc	harmincadik	1/30	harmincad	harmincszor
31 harmincegy	harmincegyedik			
39 harminckilenc	harminckilencedik			
40 negyven	negyvenedik	1/40	negyvened	negyvenszer
42 negyvenkettő	negyvenkettedik			
48 negyvennyolc	negyvennyolcadik			
50 ötven	ötvenedik	1/50	ötvened	ötvenszer
53 ötvenhárom	ötvenharmadik			ötvenháromszor
57 ötvenhét	ötvenhetedik			
60 hatvan	hatvanadik	1/60	hatvanad	hatvanszor
64 hatvannégy	hatvannegyedik			hatvannégyszer
66 hatvanhat	hatvanhatodik			
70 hetven	hetvenedik	1/70	hetvened	hetvenszer
75 hetvenöt	hetvenötödik			
77 hetvenhét	hetvenhetedik	1/77	hetvenheted	
80 nyolcvan	nyolcvanadik	1/80	nyolcvanad	nyolcvanszor
81 nyolcvanegy	nyolcvanegyedik			
88 nyolcvannyolc	nyolcvannyolcadik			
90 kilencven	kilencvenedik	1/90	kilencvened	kilencvenszer
91 kilencvenegy	kilencvenegyedik			
99 kilencvenkilenc	kilencvenkilencedik	1/99	kilencvenkilenced	

Tőszámnevek— Cardinals	Sorszámnevek— Ordinals	Törtszámnevek— Fractionals	Szorzószámnevek— Multiplicatives
100 száz	századik	1/100 száz	százszor
101 százegy	százegyedik		
110 száztiz	száztizedik		
111 száztizenegy	száztizenegyedik		száztizenegyszer
120 százhúsz	százhuszadik	1/120 százhuszad	százhússzor
121 százhuszonegy	százhuszonegyedik		
130 százharminc			
140 száznegyven			
150 százötven			
199 százkilencvenkilenc			
200 kétszáz	kétszázadik	kétszázad	kétszázszor
201 kétszázegy	kétszázegyedik	kétszázegyed	kétszázegyszer
300 háromszáz	háromszázadik	háromszázad	háromszázszor
400 négyszáz	négyszázadik	négyszázad	négyszázszor
500 ötszáz	ötszázadik	ötszázad	ötszázszor
1,000 ezer	ezredik	ezred	ezerszer
2,000 kétezer	kétezredik	kétezred	kétezerszer
9,000 kilencezer	kilencezredik	kilencezred	kilencezerszer
10,000 tízezer	tízezredik	tízezred	tízezerszer
100,000 százezer	százezredik	százezred	százezerszer
1,000,000 millió	milliomodik	milliomod	milliószor

NOTES: § 36. a) Two has two forms:

kettő—two, if the numeral stands by itself:

Hány óra van? Kettő. What time is it? Two.

két—two, if the numeral is before the noun or is used in a sentence:

Hány óra van? Két óra. What time is it? Two o'clock.

b) három—three, in accusative case the *o* is omitted, and a connecting vowel is put before *t*, e.g., hármat. Hány vonatot látsz? Hármat. How many trains do you see? Three.

Similarly the accusative of ezer—thousand is *ezret,* omit *e* in ezer, and put a connecting vowel before *t.*

c) hét — seven, in accusative the *e* is short: hetet.

65

d) tíz—ten (long í), if the units are added, short *i*, tizenegy—eleven, húsz—twenty (long ú), if the units are added, short *u*, huszonkettő—twenty two.

e) *double sz* (szsz) in Hungarian becomes ssz, e.g. hússzor (húsz plus -szor)—twenty times. BUT: if separated on the end of a line: húsz-szor.

f) From 30—harminc upward units are added without suffix: harmincegy—thirty one, compare with tizenegy, huszonöt, tíz—ten, húsz—twenty, harmincöt—thirty five, negyvenhat—forty six, negyven—forty, nyolcvanegy—eighty one, nyolcvan—eighty

g) -n, -an or -en suffix is added to the numerals if the verb "to be" accompanies the numerals, or the numerals refer to person or a group of persons:
Ők négyen jó barátok. They four are good friends.
Ők hárman mennek az iskolába. They three go to the school.
Százan voltak a vonaton és ezren az erdőben. There were a hundred (people) on the train and a thousand in the forest.

BUT: Száz virág van az erdőben. Hundred flowers are in the forset.
Sokan vannak itt. Many people are here.

BUT: Sok ló van itt. Many horses are here.

h) If a number precedes the noun indicating the length of time suffixes, -e, -va, -ve, -ja may be added to the noun.
Öt hónapja van itt. He (she, it) is here for five months. (has been)
Két éve és nyolc napja tanul. He (she) has been studying for two years and eight days.
Öt napja várunk jó időre. We have been waiting for good weather for five days.
In Hungarian present tense is used when the English applies present perfect when a period of time is given. There is only one past tense in Hungarian.

i) Suffix-*s* indicates the age, e.g.,
1) Hány éves a gyermek? A gyermek három éves. How old is the child? The child is three years old.
2) -*s* indicates the figure:
egyes—a 1, a number one
kettes—a 2
hármas—a 3
tizes—a 10 (e.g. "a ten spot")

hatos villamos—the streetcar number six
3) with suffix -s we can distinguish also units of currency:
tizes—$10, e.g., a ten dollar bill
százas—$100, e.g., a hundred dollar bill

j) A cardinal number plus *rétű* is an other form of rarely used multiplicative:
egyrétű—single, kétrétű—twofold

k) The numerals can be used as nouns:
Százak vannak az erdőben. There are hundreds (e.g., of people) in the forest.

l) *A very characteristic feature of Hungarian is that the noun and verb remain in the singular after the numerals.* (definite or indefinite numerals)

Egy ház, két ház, három ház, tíz ház, száz ház.
One house, two houses, three houses, ten houses, hundred houses.
Itt száz ház van. Here are a hundred houses.
BUT: If we speak in general of houses without writing definite or indefinite numerals, we can put the nouns and verbs in plural.
Itt házak vannak. There are houses here.

m) The numerals up to two thousand are written without separation: tizenegy—11, hetvenhét—77, ötszáz—500, ezerkilencszáz—1,900. After 2,000 we write them together only then if there are no hundreds, tens and units in them, e.g., ötezer—5,000.
BUT: 5,342 ötezer-háromszáznegyvenkettő.
The dates are written without separation: ezerkilencszázhatvankettő—1962

n) After the ordinals a period is put in Hungarian:
1.-első—first, 2.-második—2nd, 3.-harmadik—3rd, 30.-harmincadik—30th
10. lecke (read—tizedik lecke)—tenth lesson.

o) The Roman numerals are used as ordinals to mark:
1) the same name of different persons: V. István—(king) Stephen V,
2) the centuries: XX. század—20th century,
3) months: I. 6. (Január 6.)—6th of January.
4) districts: IX. kerület—9th district
5) stories of building: Fő utca 50, III. 5. — Main Street 50, 4th floor, Apartment 5.
Note: In Hungary the first floor is called "ground floor". Első emelet (first floor) is the 2nd floor in Canada.

6) volumes of books: III. kötet—third volume
7) chapters: II. fejezet—2nd chapter, lessons: VII. lecke (hetedik lecke) —7th lesson
8) grades in schools: a VIII. osztály—the eighth grade (class)

 p) The decimals are marked with a decimal point (·): $52·50

Examples:

Hány? How many? How much?
Hány óra van? Tizenegy óra. What time is it? Eleven o'clock. (óra is in the singular.)
Hány ember van ott? How many people are there? Száz ember. 100 people. (ember is in the singular.)
Hány tanuló van az iskolában? How many pupils are in the school? Háromszáz tanuló. 300 pupils.
Hányat lát ő? How many does he see? Ötöt vagy hatot. 5 or 6.
Hány nap van januárban? How many days are there in January? Harmincegy nap. 31 days.
Hány nap van egy évben? How many days are there in a year? Háromszázhatvanöt nap. 365 days.
Mennyi? How much?
Mennyit eszünk vacsorára? How much do we eat for supper? Sokat. Much. (acc.)
Hány vacsorát eszem? How many suppers (dinners) do I eat? Egyet. One. (acc.)
Mennyit fizetünk? How much do we pay? Keveset. A little.
 kevés—(nom.), keveset—(acc.)
Hányadik? Which?
Hányadik tanuló vagy az osztályban? What is your rank in the class? (Literally: Which number of student are you (familiar singular) in the class?)
Hányadik feladatot írja Pista? What is the number of the assignment which Steve writes?

§ 37. *A határozatlan számnév.—The Indefinite Numerals.*

sok—many, much, kevés—a few, a little, néhány—several
(accusative: sokat, keveset, néhányat)
The noun and the verb remain in the singular after the indefinite numerals (See § 36. l.)
Sok vonat van az állomáson. There are many trains at (or in) the station.
 (vonat—train, singular.)

Kevés madarat látok. I see a few birds. (madár—bird, madarat, acc. sing.)
Néhány autó megy a városba. A few cars go into the city. (autó—car,
singular.)
BUT: Autók mennek a városba. Cars go into the city. (autók—plural)
Without indefinite or definite numerals we would use the plural in a
general sense.

§ 38. *Jelen idő. Present tense.*

Indefinite conjugation.

ebédelni—to have lunch, vacsorázni—to have dinner (supper), indulni—
to depart, to set out

ebédelek—I have lunch	vacsorázom*—I have dinner	indulok—I depart (leave)
ebédelsz	vacsorázol	indulsz
ebédel	vacsorázik	indul
ebédelünk	vacsorázunk	indulunk
ebédeltek	vacsoráztok	indultok
ebédelnek	vacsoráznak	indulnak
	*ikes verb	

jönni—to come

Singular	*Plural*
jövök—I come, I am coming, I do come	jövünk
jössz	jöttök
jön	jönnek

Indefinite conjugation	*Definite conjugation*
kérdezni—to ask, to question	
kérdezek—I ask, I am asking, I do ask	kérdezem—I ask (it), etc.
kérdezel—(-l, sibilants: -s, -sz, -z)	kérdezed
kérdez	kérdezi
kérdezünk	kérdezzük
kérdeztek	kérdezitek
kérdeznek	kérdezik

látni—to see

látok—I see, etc.	látom—I see (it), etc.
látsz	látod
lát	látja
látunk	látjuk
láttok	látjátok
látnak	látják

§ 39. a) *Összeadás. Addition.*

Mennyi kettő meg kettő? Kettő meg kettő az négy.
How much is two and two? Two and two is four.

Száz meg száz az kétszáz. One hundred and one hundred is two hundred.

NOTE: With numerals the conjunction *"meg"* (and) is used instead of
és—and.

The conjunction *és* is used in sentences between other words.

Mennyi tíz hatod meg tíz hatod? Tíz hatod meg tíz hatod az húsz hatod.
How much is $10/6+10/6$? $10/6+10/6=20/6$

b) *Kivonás. Subtraction.*

Menni tíz mínusz öt? Tíz mínusz öt az öt.
How much is ten minus five? $10—5=5$.

Mennyi marad tízből, ha kivonunk ötöt? Öt marad tízből, ha kivonunk
ötöt.   kivonni—to subtract, levonni—to deduct.
How much is left if we subtract five from ten? Five is left if we subtract
five from ten.

c) *Szorzás. Multiplication.*

Mennyi ötször három? Ötször három az tizenöt.
How much is 5 times 3? 5 times $3=15$.

d) *Osztás. Division. Hat osztva kettővel az három.*

Hányszor van meg a nyolc a negyvennyolcban? Nyolc a negyvennyolcban
hatszor van meg.
How many times does 8 go into 48? 8 goes into 48 6 times.

§ 40. *Az idő. Time.*

Hány óra van?
Hány óra?   What time is it?
Mennyi az idő?
Mennyi idő van?

óra—hour, watch, clock, karóra—wristwatch, fali óra—(wall) clock,
idő—time or weather.

a) The hours: cardinal numbers plus the word "óra".

We express time of day by respective cardinal numbers followed by the
word "óra".

Hány óra van? Két óra. Két óra van. Kettő.
What time is it? It is two o'clock. Two.

There are three answers to the following question:
Hány óra van? Tizenkettő. Tizenkét óra. Tizenkét óra van.
What time is it? Twelve. Twelve o'clock. It is twelve o'clock.

b) *The half hours:* The fraction *fél* (half) is followed by the
cardinal number of the *next hour*.

1.30—egy harminc or *fél* kettő—half past one.
In English the past hour, in Hungarian the *next* hour is repeated after
half. In Hungarian one says *fél* followed by the next hour. German:
halb zwei)

9.30—kilenc harminc or fél tíz—half past nine.
11.30—tizenegy harminc or fél tizenkettő—half past eleven.

c) *The quarter hours:*

The fraction quarter—*negyed* is followed by the cardinal number of the
next hour.

2.15—kettő tizenöt or negyed három—quarter past two
6.15—hat tizenöt or negyed hét—quarter past six.

d) *The quarter to the next hour:*

The fraction three quarters—*háromnegyed* is followed by the cardinal number of the next hour:

2.45—kettő negyvenöt or háromnegyed három—quarter to three
7.45—hét negyvenöt or háromnegyed nyolc—quarter to eight.

---

reggel—morning, in the morning
dél—noon
délelőtt—before noon (A.M.)

délután—afternoon, in the afternoon (P.M.)
este—evening, in the evening
éjjel—night, at night
éjfél—midnight

---

e) *A percek. Minutes.*

1) After the hour:

    1.05—egy óra öt (perc) or Öt perccel múlt egy óra. Five minutes past one.
      at—kor, öt órakor—at 5 o'clock
    2.10—két óra tíz or Tíz perccel múlt kettő (két óra). Ten past two. (Ten after two.)
    3.20—három óra húsz (twenty after three) or Húsz perccel múlt három. Twenty past three.

2) Before the hour:

    5.50—öt óra ötven (perc) *Tíz perc múlva lesz hat óra.* In ten minutes will be six o'clock.
    6.55—hat óra ötvenöt (perc) or Öt perc mulva lesz hét óra. In five minutes it will be seven o'clock.

12.00—tizenkettő, tizenkét óra or dél van. (12.00 noon) It is noon.
12.00 P.M.—tizenkettő, tizenkét óra or éjfél van. It is midnight.
Pontosan dél van. It is exactly noon.

Note the following time expressions:

5.25—öt huszonöt or öt perc múlva fél hat.—In five minutes it will be five thirty.

6.40—hat negyven or öt perc múlva lesz háromnegyed hét.—In five minutes it will be quarter to seven.

§ 41. *A dátum. The date.*

The date in Hungarian has a different order from English. The year is followed by the month and day. If we employ numerals we always use the ordinals. In other words we put a period after them. There are many possible ways to indicate the date:

1962. július 1.
1962. júl. 1. (abbreviation)
1962. VII. 1. (The month is expressed by a Roman numeral.)
1962. évi július hó 1. napján. (első napján). On the first day of the month of July of the year 1962.
1962. július 1-én. Március 3-án (1-én—elsején, 3-án—harmadikán)

With the addition of suffixes: -*én*, -*án* with a hyphen, in this case there is no period after the number:

On the first of July, 1962. On the 3rd of March.

1962. júl. 1-én. (with an abbreviation of the month and a suffix to the number without a period.)

1900 előtt—before 1900; if there is a postposition after the year, ordinals are not used, instead we use cardinal numbers.

Cardinals are used if a word with a possessive suffix* follows the year:
1900 őszén—in the fall of 1900.

1848 katon*ái*—the soldiers of 1848.

*See next lesson.

§ 42. *A részeshatározó esete. The Dative Case.*

The dative in Hungarian expresses the person or thing to whom or to which something is given or belongs. The suffix of the dative is: *-nak, -nek.*

a) Könyvet ad a tanulónak. He (she) gives a book to the student.

Cukrot ad a gyermekeknek. He (she) gives sugar (candy) to the children.

Megmondom a sofőrnek, hogy megyünk az állomásra. I tell the chauffeur that we are going to the station.

b) The dative is used in Hungarian with these verbs: van, volt, lesz, nincs, kell, — is, was, will be, is not, it is necessary.

A fiúnak van könyve. The boy has a book.

A fiúnak sokat kell tanulni. The boy has to learn much. (It is necessary to the boy to learn much.)

Gyakorlatok. Exercises.

A) *Write down the following numbers:*
2, 11, 12, 15, 26, 39, 41, 57, 69, 73, 88, 94, 100, 101, 110, 111, 200, 222, 305, 1,000, 1,301, 53,718,
dates: 1492, 1848, 1925

B) Count from 10 to 30.

C) *Write the following dates and numbers:*
1) The first day of the year. 2) The date of your birthday, 3) The date of Columbus day. 4) The number of days in a year. 5) Which month is July? 6) Which month is December? 7) Add 8 and 4. Answer with a complete sentence. 8) Deduct 189 from 200. 9) $9 \times 9 = ?$
10) 3/8 plus 4/8 = ? 11) $15 \div 3$? (divided) 12) 9th district. 13) Fifth chapter. 14) 15th century. 15) Write down the population of the U.S.A. in figures.

D) *Write the following numbers in figures:*
tizenkettő, huszonnégy, hatvan, egyszázöt, kétszázkettő, százötvenkilenc, kilencszázkilencvenkilenc, kétezer, kétezer-hatszázötvenöt, nyolcszáznegyvenhétezer-négyszázhuszonkettő, hatvanmillió-háromszázkilencvenhatezer-százhatvankettő.

E) *Translate into English:*
1) Ma május elseje van. 2) A nap öt órakor kel fel. 3) Augusztus 3-án megyek a nyaralóba. 4) Mennyi kilencvenkilenc mínusz hetvennyolc? 6) Mennyi hétszer hét? 7) Hány forint (Hungarian monetary unit) van az asztalon? 8) Hány lovat lát ön? 9) Mennyi öt hatod meg öt hatod? 10) Hány gyermek megy iskolába? 11) Hányan mennek iskolába? 12) Hányadika van ma? 13) Kinek küldünk könyvet? (kinek—to whom) 14) Kinek adsz ebédet? 15) Kinek van autója? 16) Kinek lesz lova? 17) Az ötös villamos jön. 18) Hárman vannak itt. 19) Sokan jönnek az iskolába. 20) Ma tizedike van. 21) Kétszer írom ezt a házi feladatot. 22) Reggel negyed kilenckor indulok az iskolába. 23) Délben tizenkettőkor ebédelek. 24) Délután hatig tanulok. 25) Este tíz óra előtt tíz perccel fekszem le. 26) Öt perccel múlt két óra. 27) Hat perc múlva lesz hat óra. 28) Nyolcadik Henrik angol volt. 29) Háromnegyed négykor megyek haza. 30) Otthon először az újságot olvasom.

F) *Translate into Hungarian:*
1) How many airplanes are here? Two. 2) Today two cars go into the forest. 3) We make an excursion by train. 4) The train departs from the station at five minutes after six in the morning. 5) The train stands on the second track. 6) What time is it? 7) It is twenty to five. 8) John eats much. 10) We go by car at ten to six to the village. 11) How many people are there in the train? 12) There are 543 people. 13) The streetcar number 26 is coming. 14) I like the fifth chapter in the book. 15) The third street is interesting. 16) It is noon and we are eating dinner. 17) The lakes are blue, the grass is green and the horses are white. 18) To whom does he give a book? 19) He gives the book to the pupil. 20) What is the date today?

HETEDIK LECKE. (7)

Van egy jó barátom.

Ma délután négy órakor az egyik barátomhoz megyek tanulni, aki az én iskolámba jár. Holnap ő jön hozzám. Sándor kitünő tanuló, az osztály legjobb tanulója. Az iskolának sok jó tanulója van. Mi szeretünk együtt tanulni és együtt játszani. Házunk egy forgalmas utcán van, amely a város közepén fekszik. Kié az az autó a ház előtt? Az apámé — mondja a barátom. A táskámban könyvek vannak. "Hol van a számtan könyved?" — kérdeztem a barátomtól? "Nálad van a számtan könyvem" — feleli Sándor. Melyik feladatot csináljuk meg először? Írjuk le az angol leckét először. Utána azt csinálunk, amit akarunk.

Nemsokára másik két barátunk jön hozzánk. Tanulás után Sándor megmutatja házukat, amely nagyon szép és nagy. Neki van egy szobája, amelyben asztalt, székeket, könyvszekrényt, ágyat, lámpát, órát és rádiót lehet látni. Később barátom anyja is bejön a szobába, apja nincs otthon délután. Apjának az apja az ő nagyapja, anyjának a nővére az ő nagynénje. Sándornak három testvére van: egy húga, egy öccse és egy bátyja. Barátom nagybátyjának a fia a ti osztályotokba jár. Az ő osztályukban sok szorgalmas tanuló van. Kié ez az osztály? Ez az ő osztálya. Kié ez a könyv? Ez a könyv Jánosé. Kinek a tolla ez? Ez István tolla. Amikor tanulnom kell, nem szabad dohányoznom. Szabad neked dohányznod az iskolában? Sándornak nem szabad dohányoznia. Nekünk nem szabad dohányoznunk és itt nem is lehet, mert itt sok a gyermek. Sok helyen lehet olvasni ezt a feliratot: Dohányozni tilos.

Kérdések. Questions.

1) Hová mész ma tanulni? 2) Ki iskolájába jár a barátod? 3) Hová megy ő holnap? 4) Hány tanulója van az iskolának? 5) Hol van Sándor háza? 6) Hol van apám autója? 7) Hol vannak a könyvek? 8) Mit mutat meg Sándor? 9) Ki Sándor nagyapja? 10) Kié a könyv? 11) Kinek a tolla az? 12 Szabad az iskolában dohányozni?

Szavak.

hetedik—seventh
ma—today
nekem van—I have
barát—friend
barátom van—I have a friend
holnap—tomorrow
-hoz, -hez, -höz (suffix)—to
hozzám—to me, to my place
tanulni—to study
aki—who (relative pronoun)
amely, ami—which, what
osztály—class
iskolába járni—to attend school
járni—to go frequently, repeatedly
kitünő—excellent
legjobb—best
együtt—together
játszani—to play
forgalmas—busy (with traffic)
házuk van—they have a house

vinni—to carry
táska—briefcase
először—at first
után—after
-nál, -nél (suffix)—at
nálad—on you, at your house
feküdni—to lie, to recline
írni—to write
megírni—to finish writing
könnyű—easy
megmutatni—to show
bejönni—to come in
anya—mother
apa or atya—father
nagyanya—grandmother
nagyapa—grandfather
testvér—brother or sister
húga—his (her) younger sister
nővér—elder sister
öcsém—my younger brother

öccse—his (her) younger brother
bátya—elder brother
szorgalmas—industrious
kié?—whose?
mié?—of what?
dohányozni—to smoke
szabad—it is permitted
lehet—it is possible
hely—place
felirat—sign, inscription
tilos—prohibited

elhinni—to believe
ruha—clothing, clothes
szomszéd—neighbor
állat—animal
kutya—dog
Erzsébet—Elizabeth
György—George
nagynéni—aunt
nagybátya—uncle
senki—nobody

Nyelvtan. Grammar.

§ 43. a) *nekem van—I have*
The verb *to have* is not used in Hungarian as it is in the Indo-European languages. The following construction is used instead: *nekem van—I have* (literally: to me is). The designation of possessor differs very much from the structure of the Indo-European languages: van=is, nekem=to me (dative).

The verb "lenni—to be" has two meanings in Hungarian:
1) én vagyok I am, 2) nekem van I have. In this latter case we add the possessive suffix to the suffix: *-nek.* (-nak or -nek correspond to the ending of dative case in other languages.)

Singular

nekem—to me
neked—to you
neki—to him, her, it

nekem van I have
neked van—you have
neki van—he, she, it has

önnek van—you have (polite)

Plural

nekünk—to us
nektek—to you
nekik—to them

nekünk van we have
nektek van—you have
nekik van—they have

önöknek van—you have (polite)

b) *The verbs: van—is, volt—was, lesz—will be, nincs—is not, kell—it is necessary* have two meanings in Hungarian:

én voltam—I was
ő lesz—he, she, it will be

nekem volt—I had
neki lesz—he, she, it will have

c) én kellek valakinek—somebody needs me
nekem kell valami—I need something

kelleni—to be needful, to be necessary — has two meanings, e.g.,

Ma az autó kell nekem.—Today I need the car.
Az autónak benzin kell.—The car needs gasoline.

A könyv kell a tanulónak.—The student needs the book.
A könyvnek kell könyvszekrény. The book needs a bookcase.

§ 44. A birtokos személyragok. — The Possessive Suffixes.

To indicate the possessor the Hungarian uses possessive suffixes instead of the common possessive adjective of the Indo-European languages. The possessive suffixes show the person and number of possessor and possession. This is a common phenomenon in the Ural-Altaic and Semitic languages. The possessive suffixes have the same origin as the personal endings of the verbs. E.g., toll—pen, ajtó—door, pince—cellar.

One possessor, one possession.

a)

tollam—my pen	ajtóm—	könyvem—	pincém—
	my door	my book	my cellar
tollad—your pen	ajtód	könyved	pincéd
tolla—his (her, its) pen	ajtója	könyve	pincéje

More possessors, one possession.

tollunk—our pen	ajtónk—	könyvünk—	pincénk—
	our door	our book	our cellar
tollatok—your pen	ajtótok	könyvetek	pincétek
tolluk—their pen	ajtójuk	könyvük	pincéjük

Possessive suffixes:

One possession, one possessor:
1. -m (-am, -em, -öm)
2. -d (-ad, -ed, -öd)
3. -a, -e, -ja, -je

More possessors, one possession:
1. -unk, -ünk, -nk
2. -tok, -tek, -tök
3. -uk, -ük, -juk, -jük

b) The personal pronoun is not employed before the possession because the possession and possessor are sufficiently indicated by the suffix, e.g.,

könyvem—my book, könyvünk—our book.

However, if we want to emphasize the possessor we also add the personal pronoun in front of the possession (stressed).

Unstressed	*Stressed*
házam—my house	én házam—my house
házad—your house	te házad—your house
háza—his (her) house	ő háza—his (her) house
	ön háza—your house (polite)

c) Suffixes with possessive suffixes:
-hoz, -hez, -höz (suffix)—to (preposition), -nál, -nél—at

hozzám—to me	nálam—at me (my house), on me
hozzád—to you	nálad
hozzá—etc.	nála
hozzánk	nálunk
hozzátok	nálatok
hozzájuk	náluk
önhöz—to you (polite, sing.)	önnél—at you (pol. sing.)
önökhöz—to you (polite, plur.)	önöknél—at you (pol. plur.)

-ban, -ben—in	-ba, -be—into	-ból, -ből—from, out of
bennem—in me	belém—into me	belőlem—from me, out of me
benned	beléd	belőled
benne	belé	belőle
bennünk	belénk	belőlünk
bennetek	belétek	belőletek
bennük	beléjük	belőlük
önben	önbe	önből
önökben	önökbe	önökből

-tól, -től—from	-ra, -re—on (direction)	-ról, -ről—from (down)
tőlem—from me	rám or reám—on me	rólam—from me (down)
tőled	rád or reád	rólad
tőle	rá or reá	róla
tőlünk	ránk or reánk	rólunk
tőletek	rátok or reátok	rólatok
tőlük	rájuk or reájuk	róluk
öntől	önre	önről
önöktől	önökre	önökről

-n, -on, -en, -ön—on

rajtam—on me (place)	rajtunk—on us
rajtad—on you	rajtatok—on you
rajta—on him (her, it)	rajtuk—on them
önön—on you (polite sing.)	önökön—on you (polite, plural)

Stressed forms with personal pronouns:

énhozzám—to me, tenálad—at you, őbenne—in him (her, it), mibelőlünk—from us, tireátok—on you, őróla—from him (her, it), őróluk—from them, (use *ő* in plural stressed form too.) NOTE: ő—singular, ők—plural.

d) postpositions with suffixes:

mellett—beside (where)	mellé—beside (wither)	mellől—from beside
mellettem—beside me	mellém—beside me	mellőlem—from beside me
melletted	melléd	mellőled
mellette	mellé	mellőle
mellettünk	mellénk	mellőlünk
mellettetek	mellétek	mellőletek
mellettük	melléjük	mellőlük
ön mellett	ön mellé	ön mellől
önök mellett	önök mellé	önök mellől

Tőled kaptam a kalapot, amely rajtam van. I got the hat from you which is on me.
Barátom mellettük áll. My friend stands beside them.

e) Verbs of obligation or permission: kell, lehet, szabad plus infinitive.

kell tanulnom—I must study
kell tanulnod
kell tanulnia
kell tanulnunk
kell tanulnotok
kell tanulniok

Instead of "nekem kell tanulni" we say "tanulnom kell", the possessive suffixes are added to the infinitive stem of the verbs.

§ 45. There is no definite rule for the use of suffixes -a, -e, -ja, -je in the third person singular (originally there were only -a, -e suffixes). According to today's usage one usually finds -ja or -je after the final vowel, e.g.,

1) fa—tree, fája—his (her, its) tree, ajtó—door, ajtója—his (her) door
2) after these consonants: p, b, f, m, t, d, n, g, k, r;
lap—page, sheet, lapja—his (her, its) page
dob—drum, dobja—his (her, its) drum, kert—garden, kertje—his (etc.) garden
papír—paper, papírja—his (etc) paper
BUT: not always, as in feladat—homework, feladata—his (etc.) homework, felelet—answer, felelete—his (etc) answer, kép—picture, képe—his (etc) picture
3) In words ending in a consonant the "j" is usually omitted:
gyermek— child, gyermeke—his (her, its) child
4) Words ending in two different consonants usually retain the "j".
kert—kertje, föld—földje—his (her, its) land
5) In the Hungarian language some words can have two possessive suffixes for the 3rd person. These are interchangeable.
bánat—sorrow, bánata or bánatja—his (her, its) sorrow
magzat—embryo, magzata or magzatja—his (her, its) embryo
6) Sometimes there is a difference between the meanings of two different possessive suffixes, e.g.,
láb—foot, az ember lába—the man's foot (part of body)
a telek lábja—the foot of a lot (measurement)
nő—woman, nője—his woman (not legal relationship)
neje—his wife
fiú—boy, fiúja—her boy (a girl's boyfriend)
fia—his (her, its) son

§ 46. There are two different suffixes in Hungarian to indicate the possessive or genitive case or the possessor's name.

　　a) The possession has the suffixes: -a, -e, -ja, -je, e.g.,

　　　　apám háza, barátom könyve, a tanuló iskolája, Molnár úr szőlője. my father's house, my friend's book, the school of the pupil, the vineyard of Mr. Molnár.

　　b) When the possessor and possession are mentioned, and there are several possessions, one of the possessions takes a suffix: -nak a, -nek a, e.g.,

　　　　Apám házának az ablaka. The window of the house of my father. (Did you notice the completly reversed word order in Hungarian?)

　　　　Barátom könyvének az ára. The price of the book of my friend. Molnár úr szőlőjének a kapuja. The gate of the vineyard of Mr. Molnár.

　　c) If there are more than two possessions the next to the last one takes the suffix -nak a, -nek a. The others will have the possessive suffixes: E.g., Apám háza ablakának a kerete. The frame of the window of my father's house. Molnár úr szőlője kapujának a kilincse. The doorknob of the gate of Mr. Molnár's vineyard.

　　　　keret—frame, kilincs—doorknob

　　d) the -nak a (-nak), or -nek a (nek) suffix (for genitive) stands also in adjectival relation to the possessor, e.g.,

　　　　Kanadának a földje termékeny. Canada's soil is fertile.

　　　　Amerikának a búzája jó. The wheat of America is good.

But this construction is awkward. In most such cases adjectives are used.

　　　　A *kanadai* föld termékeny. The Canadian soil is fertile.

　　　　Az amerikai búza jó. The American wheat is good.

　　e) -nak a, -nek a plus possessive suffix: nekem, neked, neki, etc. plus: van. E.g.,

　　　　nekem van könyvem—I have a book, neked van könyved—you have a book, neki van könyve—he (she, it) has a book, nekünk van könyvünk—we have a book, nektek van könyvetek—you have a book, nekik van könyvük—they have a book.

§ 47. Possessive suffixes in Hungarian are used much more frequently than the corresponding forms in other languages.

A)　1.　If we address somebody: Kedves Barátom—My Dear Friend

　　　　Édes Anyám—My Beloved (Sweet) Mother

　　　　Kedves Uram—My Dear Sir

　　　2.　After mentioning the parts of the body:

Kezében tartja. (not only Kézben tartja.) He (she) holds it in his (her) hand.

82

3. After magam, magad, maga, magunk, magatok, maguk—myself, yourself, etc. reflexive pronoun.
BUT: with these possession will be in the third person of singular.
Compare:

az én házam—my house	magam háza—my house
a te házad—your house	magad háza—your house
az ő háza—his (etc.) house	maga háza—his (etc.) house
a mi házunk—our house	magunk háza
a ti házatok—your house	magatok háza etc.
az ő házuk—their house	maguk háza

Légy a magad ura. Be your own master.

4. The reflexive pronouns have two meanings in Hungarian:
   a) reflexive: Vágom magamat. I cut myself. vágni—to cut
   b) it expresses the idea that somebody does something by himself: Magam vezetem a repülőgépet. I myself drive the airplane.
   c) the idea of: alone
      Magam vagyok itt. I am here alone.
B) Compound words with possessive suffixes have two meanings:
    kézfej—back of the hand
    kezem feje—the back of my hand
    szamárfej—donkey's head
with possessive suffix: a) szamarad feje—the head of your donkey
b) szamár fejed—you donkey (stupid) head (This meaning is an insult.)

§ 48. Present tense of:
    vinni—to carry, akarni—to want, adni—to give

Indefinite conjugation	*Definite conjugation*
viszek—I carry, etc.	viszem—I carry (it) etc.
viszel	viszed
visz	viszi
viszünk	visszük
visztek	viszitek
visznek	viszik
akarok—I want, etc.	akarom—I want (it) etc.
akarsz	akarod
akar	akarja
akarunk	akarjuk
akartok	akarjátok
akarnak	akarják

adok—I give, etc.
adsz
ad
adunk
adtok
adnak

adom—I give (it) etc.
adod
adja
adjuk
adjátok
adják

ikes verbs: feküdni—to lie, to recline, dohányozni—to smoke

I n d e f i n i t e   c o n j u g a t i o n

fekszem—I lie, I do lie, I am lying
fekszel
fekszik
fekszünk
fekszetek
fekszenek

dohányzom—I smoke, etc.
dohányzol
dohányzik
dohányzunk
dohányoztok
dohányoznak

Gyakorlatok. Exercises.
A) *Fordítsuk le angolra. Translate into English.*

1) Tollam a táskádban van. 2) A házam a városban van. 3) Az iskola tanulója jól tanul. 4) Édesapámnak vendége van. 5) Az egyetem könyvtára új. 6) Minden tantárgyunk könnyű. 7) A mi tanárunk kedves ember. 8) Anna ceruzája hegyes, de tolla nem jó. 9) Akinek sok háza van, az gazdag ember. 10) Barátom könyve a könyvtárban van. 11) Ezt a könyvet, amelyet ma olvasok, nagyon szeretem. 12) Azt elhiszem, amit György barátunk mond. 13) A tanuló ruhája tiszta. 14) A szomszédnak sok állata van. 15) Az egyik lova fehér, a másik fekete, tehene barna, ökre is barna és kutyája szürke. 16) Barátom háza kertjének egyik fája nagyon magas. 17) Itt szabad játszanunk és énekelnünk, de senkinek sem szabad dohányoznia.

B) *Fordítsuk le magyarra. Translate into Hungarian.*

1) John is the best student of (in) my class. 2) Anne's book is always clean. 3) The house of my friend is nice and large. 4) I like to play with my friend. 5) His book is on the table in his room. 6) There is nice furniture in his room. 7) The father of my father is my grandfather. 8) The son of my older brother is my cousin. 9) My yonger brother is a soldier. 10) The daughter of my older sister is a student. 11) My younger sister, who is a university student, works well. 12) My grandmother is in my father's garden. 13) My English book is in my briefcase. 14) My

Latin book is in my friend's room. 15) We play with our friend in the yard. 16) One page of Stephen's book is green. 17) The students may study here.

C) *Feleljünk a következő kérdésekre magyarul. Answer the following questions in Hungarian.*

1) Hol van a könyvem? 2) Hol van a barátom háza? 3) Hány ceruzája van Andrásnak és hány van Péternek? 4) Milyen színű Erzsébet könyve? 5) Ez az a ház, amelyben barátom apja és anyja lakik? 5) Kivel szeretsz játszani? 7) Ki a legjobb tanuló az iskolában? 8) Mikor tanultok együtt a barátoddal? 9) Kinek az apja a te nagyapád? 10) Hogy hívják a nővéredet? 11) Hány öcséd van? 12) Mit csinál barátod bátyja?

NYOLCADIK LECKE. (8)

Mit csináltam a szünidőben?

Augusztus huszonötödikén hazajöttem nagybátyámtól, akinél a szünidő egy részét töltöttem. Nagybátyám az egyik iskola igazgatója a faluban. Mindig szerettem menni hozzájuk, ahol mindig jól éreztem magam. Édesapámmal és öcsémmel mentem a pályaudvarra villamoson. Néhány órai utazás után megérkeztem nagybátyám falujába, ahol nagynéném várt az állomáson. Onnan autón mentünk hozzájuk. Nagybátyám gyermekei üdvözöltek minket az udvaron. Vittem nekik sok ajándékot, amelyet édesanyám küldött unokatestvéreimnek. Este már fáradt voltam és vacsora után korán elaludtam. Másnap egy felejthetetlen kirándulást tettünk a hegyekbe. Egy hegyi vasút vitt fel bennünket a hegy tetejére. Onnan lehetett látni a vidék városait, tavait, fáit és hegyeit. Állt ott egy vendéglő is, amelynek a külseje régi, de a belseje tiszta volt. Kié volt a vendéglő? A vendéglősé volt. A vidék lakói a földeken, saját birtokaikon dolgoztak, ahová lovaikkal és ökreikkel mentek ki minden nap. Egy más alkalommal egy közeli városba rándultunk ki, ahol megnéztük a könyvtárt és a múzeumot. A könyvtárban idegennyelvű könyvek is voltak. Ön is szeretett olvasni idegen könyveket, ugye?

Meleg nyári napokon a falu melletti tóba mentünk fürödni, ahol úsztunk, futottunk, játszottunk, ütöttük a labdát. Nem hittem el, hogy olyan jól éreztem magam. Amikor nem volt szép idő, a házban maradtunk, olvastunk, játszottunk, festettünk, zongoráztunk. Akkor láttam, hogy könyveik érdekesek és képeik a falon szépek. Olyankor barátaink is eljöttek hozzánk játszani, mert szerették unokatestvéreimet. Az egyik unokaöcsémnek nyáron volt születése napja. Kinek volt születése napja? Lajosnak. Nagy tortát kapott édesanyjától, amelyet a gyerekek mind megettek.

Még ott akartam maradni sokáig, de levelet kaptam édesanyámtól. Elolvastam és megtudtam, hogy haza kellett mennem, mert családommal töltöttem a szünidő többi részét. A múlt nyáron sokat láttam, tanultam, jól éreztem magam és új erővel kezdtem a tanulást a következő iskolai évben.

Kérdések

Hol töltötted a szünidőt?

Mikor jött Árpád haza nagybátyjától?
Mi az ő nagybátyja?
Hogyan ment oda?
Ki várta Árpádot az állomáson?
Mit vitt unokatestvéreinek?
Mit csináltak a gyerekek nyáron?

Hová rándultak ki?
Mit néztek meg az egyik városban?
Kié az autó, amellyel mentek?
Kié ez a táska?
Mi a tied?
Mit mondott Zoltán?
Kié ezek a lovak? (Ki lovai ezek?)
Minek az ablakai ezek?
Ki van a vonat előtt?
Kik írtak levelet Árpádnak?
Kivel ment haza Árpád?

Feleletek.

A szünidőt nagybátyámnál töltöttem.
Ő augusztus végén jött haza.

Nagybátyja egy iskola igazgatója.
Vonattal ment oda.
Nagynénje várta őt autóval.
Ajándékot vitt nekik.
Játszottak, fürödtek, olvastak, zongoráztak.
A közeli hegyekbe rándultak ki.
A könyvtár könyveit nézték meg.

Az autó a nagybátyjáé volt.
Az enyém.
Övé az új könyv.
Azt mondja, hogy új cipőt kapott.
Ezek a mieink.
Ezek a vonat ablakai.
Egy kis fiú van a vonat előtt.
Szülei írtak levelet neki.
Ő egyedül ment haza.

Szavak

nyolcadik—eighth
csinálni—to do, to make
huszonötödikén—on the 25th
haza—homewards, home
hazamenni—to go home
-tól, -től (suffix)—from
-nál, -nél (suffix)—at
rész—part
tölteni—to fill
időt tölteni—to spend time
-hoz, -hez, -höz—to, towards

hozzájuk—to them
mindig—always
szünidő—vacation, holiday
jól érezni magát—to have a good time, to feel well
érezni—to feel
-val, -vel—with
pályaudvar—railway station
vasút—railway
állomás—station
néhány—several

megérkezni—to arrive
várni—to wait
-on, -en, -ön—on
onnan—from there
üdvözölni—to greet
engem or engemet—me (acc.)
udvar—backyard
vinni—to carry
ajándék—gift, present
küldeni—to send
érkezni—to arrive
enni—to eat
ettünk—we ate
valami—something
este—evening, in the evening
fáradt—tired
után—after
korán—early
aludni—to sleep
másnap—next day
felejthetetlen—unforgettable
kirándulás—excursion
hegy—mountain
hegyi vasút—mountain railway
bennünket or minket—us (acc.)
tető—top, roof
állni—to stand
vendéglő—restaurant
külső—outer, outside
belső—inner, inside
régi—old
tiszta—clean
lakó—inhabitant
vidék—countryside
föld—land, earth
saját—own
birtok—property

dolgozni—to work
más—other
alkalom—occasion, chance
közeli—near
idegen—foreign
idegennyelvű—(of a) foreign
    language
meleg—warm
fürödni—to bathe
úszni—to swim
futni—to run
ütni—to beat
labda—ball
hinni—to believe
olyan—such
maradni—to remain
zongorázni—to play the piano
festeni—to paint
szép—beautiful, nice
helyes—pretty
születésnap—birthday
kapni—to get, obtain
torta—cake
megenni—to eat (up)
akarni—to want
tudni—to know
megtudni—to learn, to get to
    know, to find out
többi—other(s)
új—new
erő—strength
kezdeni—to begin
tanulás—study, studying
következő—following, next
év—year
édes—sweet
még—still

§ 49. *A múlt idő. The Past Tense.*

Today only one past tense is used in Hungarian. If we want to express priority or posteriority we must use adverbs or conjunctions to express at what point in the past an action took place. The sign of the past tense in Hungarian is: *t* or *tt*

-t (after consonants) or
-tt (after vowels).

A)   -t is added to the infinitive stem of a verb plus the same personal endings as in the present tense:

Infinitive	Inf. stem.	Past tense (3rd) person sing.)
írni—to write	ír-	írt—he etc) wrote, was writing, did write
tanulni—to study	tanul-	tanult—he (etc.) studied
folyni—to flow	foly-	folyt—it flowed
kenni—to spread, grease	ken-	kent—he (etc.) spread
hányni—to throw, to vomit	hány-	hányt—he threw
maradni—to remain, to stay	marad-	maradt—he (etc.) stayed
állni—to stand	áll-	állt—he (etc.) stood
menni—to go	men-	ment—he (etc.) went
fújni—to blow	fúj-	fújt—he (etc.) blew

B)   -ott, -ett, -ött one of them is the sign for the past tense, if:

1) the infinitive stem ends in two consonants:

hallani—to hear	hall-	hallott—he (etc.) heard
kelleni—to be necessary	kell-	kellett—it was necessary
küldeni—to send	küld-	küldött—he (etc.) sent

2) the infinitive stem ends in monosyllabic words:

vetni—to sew, to throw	vet-	vetett—he (etc.) sewed or threw
sütni—to bake	süt-	sütött—he (etc.) baked
fűteni—to heat	fűt-	fűtött—he (etc.) heated

3) the infinitive stem ends in -ít:

építeni—to build	épít-	épített—he (etc.) built
készíteni—to prepare	készít-	készített—he (etc.) prepared
fiatalítani—to rejuvenate	fiatalít-	fiatalított—he etc.) rejuvenated
kiközösíteni—to excommunicate	kiközösít-	kiközösített—he (etc.) excommunicated
fertőtleníteni—to disinfect	fertőtlenít-	fertőtlenített—he (etc.) disinfected

Past tense.

Indefinite conjugation	Definite conjugation

tanulni—to study, to learn

tanultam—I studied, I have studied, I have been studying	tanultam—I studied (it), etc.
tanultál	tanultad
tanult	tanulta
tanultunk	tanultuk
tanultatok	tanultátok
tanultak	tanulták
ön tanult	ön tanulta
önök tanultak	önök tanulták

Ő tegnap egy új leckét tanult. Yesterday he (she) studied a new lesson.	Ő tegnap az új leckét tanulta. Yesterday he (she) studied *the* new lesson.

látni—to see

láttam—I saw	láttam—I saw (it)
láttál	láttad
látott	látta
láttunk	láttuk
láttatok	láttátok
láttak	látták
ön látott	ön látta
önök láttak	önök látták

Látott ön egy kék autót? Did you see a blue car?	Látta ön a kék autót? Did you see the blue car?

küldeni—to send

küldtem—I sent	küldtem—I sent (it)
küldtél	küldted
küldött	küldte
küldtünk	küldtük
küldtetek	küldtétek
küldtek	küldték
ön küldött	ön küldte
önök küldtek	önök küldték

Ti küldtetek egy levelet nekem. Ti küldtétek a levelet nekem.
You sent me a letter. You sent me the letter.

menni—to go

mentem—I went, I have gone
mentél
ment
mentünk
mentetek
mentek
ön ment
önök mentek

Tegnap színházba mentem, ma délelőtt moziba mentünk.
Yesterday I went to the theater, this morning we went to the movies.

sütni—to bake

sütöttem—I baked sütöttem—I baked (it)
sütöttél sütötted
sütött sütötte
sütöttünk sütöttük
sütöttetek sütöttétek
sütöttek sütötték
ön sütött ön sütötte
önök sütöttek önök sütötték

Mi sütöttünk egy kenyeret. Mi sütöttük a kenyeret.
We baked a (loaf of) bread. We baked the bread.
  (kenyér—bread)

építeni—to build

építettem—I built én építettem—I build (it)
építettél te építetted
épített ő építette
építettünk mi építettük
építettetek ti építettétek
építettek ők építették
ön épített ön építette
önök építettek önök építették

Ők építettek egy házat. Ők építették a házat.
They built a house. They built the house.

C) To form the past tense for all other verbs add in the 3rd person singular: -ott, -ett, -ött.

adni—to give   kapni—to get   olvasni—to read
adtam   kaptam   olvastam

adtam—I gave	adtam—I gave (it)
adtál	adtad
adott	adta
adtunk	adtuk
adtatok	adtátok
adtak	adták
ön adott	ön adta
önök adtak	önök adták

Ő adott neki egy tollat
He (she) gave him (her) a pen

Ti adtatok neki egy tollat.   Ti adtátok neki a tollat.
You gave him (her) a pen.   You gave him (her) the pen.

Ők olvastak egy könyvet.   Ők olvasták a könyvet.
They read a book.   They read the book

szeretni—to love, to like

szerettem—I loved, I liked	szerettem—I loved (it)
szerettél	szeretted
szeretett	szerette
szerettünk	szerettük
szerettetek	szerettétek
szerettek	szerették
ön szeretett	ön szerette
önök szerettek	önök szerették

A tanító szeretett egy jó tanulót.   A tanító szerette a jó tanulót.
The teacher liked a good pupil.   The teacher liked the good pupil.

D) Some verbs ending in -d in the infinitive stem can form the past tense in two ways, e.g.,

mondani—to say   mondtam or mondottam—I said
kezdeni—to begin   kezdtem or kezdettem—I began
küldeni—to send   küldtem or küldöttem—I sent
The shorter form is more popular: mondtam, kezdtem, küldtem.

E) *Irregular past tense.*

lenni—to be

voltam—I was
voltál
volt
voltunk
voltatok
voltak
ön volt
önök voltak

Indefinite conjugation	*Definite conjugation*
enni—to eat	
ettem—I ate, I was eating	ettem—I ate (it)
ettél	etted
evett	ette
ettünk	ettük
ettetek	ettétek
ettek	ették
ön evett	ön ette
önök ettek	önök ették
János ma 11 órakor evett egy ebédet.	János ma 11 órakor ette az ebédet.
Today John ate a lunch at 11 o'clock.	Today John ate the lunch at 11 o'clock.
inni—to drink	
ittam—I drank	ittam—I drank (it)
ittál	ittad
ivott	itta
ittunk	ittuk
ittatok	ittátok
ittak	itták
ön ivott	ön itta
önök ittak	önök itták

venni—to buy

vettem—I bought
vettél
vett
vettünk
vettetek
vettek
ön vett
önök vettek

vettem—I bought (it)
vetted
vette
vettük
vettétek
vették
ön vette
önök vették

Ma vettünk egy új lovat.
Today we bought a new horse.

Ma vettük az új lovat.
Today we bought the new horse.

hinni—to believe

hittem—I believed
hittél
hitt
hittünk
hittetek
hittek
ön hitt
önök hittek

hittem—I believed (it)
hitted
hitte
hittük
hittétek
hitték
ön hitte
önök hitték

tenni—to put, to do

tettem—I did
tettél
tett
tettünk
tettetek
tettek
ön tett
önök tettek

tettem—I did (it)
tetted
tette
tettük
tettétek
tették
ön tette
önök tették

§ 50. *A birtokos személyragok többesszáma.* The Possessive Suffixes in Plural. The English possessive adjectives are expressed by possessive suffixes in Hungarian. The possessive suffix for the plural is *"i"*.

Compare:

Singular	*Possessive Sing.*	*Plural*	*Possessive Plural*
ház—house	házam—my house	házak—houses	házaim—my houses
ajtó—door	ajtóm—my door	ajtók—doors	ajtóim—my doors
fa—tree, wood	fám—my tree	fák—trees	fáim—my trees
könyv—book	könyvem—my book	könyvek—books	könyveim—my books
kefe—brush	kefém—my brush	kefék—brushes	keféim—my brushes

A) *One possessor — more possessions.*

1.

(én) tollaim—my pens
(te) tollaid—your pens
(ő) tollai—his (her, its) pens

barátaim—my friends
barátaid—your friends
barátai—his (etc.) friends

lovaim—my horses
lovaid—your horses
lovai—his (etc.) horses

nővéreim—my sisters
nővéreid—your sisters
nővérei—his (etc.) sisters

kocsijaim—my cars
kocsijaid—your cars
kocsijai—his (etc.) cars

kertjeim—my gardens
kertjeid—your gardens
kertjei—his (etc.) gardens

napjaim—my days
napjaid—your days
napjai—his (etc.) days

2.
The suffix *"i"* is added to the possessive suffix of the third person singular (one possessor — one possession), e.g.,
ház — háza — házaim—house, his house, my houses
ló — lova — lovaim—horse, his horse, my horses
kert — kertje — kertjeim—garden, his garden, my gardens
kocsi — kocsija — kocsijaim—coach, his coach, my coaches
gyümölcs — gyümölcse — gyümölcseim—fruit, his fruit, my fruits

3. *Possessive suffixes.* — *One possessor* — *more possessions:*

1. person   -aim, -eim, -jaim, -jeim
2. person   -aid, -eid, -jaid, -jeid
3. person   -ai, -ei, -jai, -jei

4. Rules for the formation of the possessive plural in **Hungarian:**
   a) If a word ends in a short *a, e,* (See § 12 formation of plural)
      a, e, change into: *á, é*
óra — óráim—watch, my watches, lámpa — lámpáim—lamp, my lamps
teve — tevéim—camel, my camels
   b) If a word ends in a long vowel:
ajtó — ajtóim—door, my doors, tanító — tanítóim—teacher, my teachers
   c) A great number of words ending in *"ó"* or *"ő"*, especially in
      the old language changed the final end vowel into *"a"* or *"e"*
      before the possessive suffix of the 3rd person singular,
ajtó — ajtaja—door, his (etc.) door. Hány ajtaja van a háznak?
How many doors does the house have?
fiú — fia or fiúja—boy, his (etc.) son, his (etc.) boyfriend
Possessive plurals: ajtóim or ajtaim, erdőm or erdeim, fiaim or fiúim
BUT: idő—time, weather, poss. plural; időim—my times
ideje—his time. Mennyi ideje volt neki? How much time did he have?
tető—roof, top—teteje, belső—inner (part)—belseje
külső—outer (part)—külseje, első—first—elseje
Ma január elseje van. Today is the first of January.

   d) Words ending in *"i"*.
kocsi — kocsija — kocsijaim—coach (car), his etc.) coach, my coaches
holmi — holmija — holmijaim—belongings, his belongings, my belongings

   e) Today the possessive suffix has become obscure in these words:
epe — epéje — epéim—bile, his (etc.) bile, my biles
vese — veséje — veséim—kidney, his (etc.) kidney, my kidneys

   f) After some consonants the possessive suffix in 3rd person
      singular is:
-ja, -je. (See § 50. part B.)
kert — kertje — kertjeim—garden, his garden, my gardens
alak — alakja — alakjaim—form, posture
hónap — hónapja — hónapjaim—month
nadrág — nadrágja — nadrágjaim—trousers   etc.
szomszéd — szomszédja — szomszédjaim—neighbor
múlt — múltja — múltjaim—past

B) *More possessors — more possessions.*

tollaink—our pens   barátaink—our friends   lovaink—our horses
tollaitok—your pens   barátaitok—your friends lovaitok—your horses
tollaik—their pens   barátaik—their friends   lovaik—their horses

nővéreink—our sisters   kocsijaink—our cars
nővéreitek—your sisters   kocsijaitok—your cars
nővéreik—their sisters   kocsijaik—their cars

kertjeink—our gardens   napjaink—our days
kertjeitek—your gardens   napjaitok—your days
kertjeik—their gardens   napjaik—their days

Ti a mi tollainkkal írtatok. You wrote with our pens. Kertjeinkben sok
fa van. There are many trees in our gardens.

Possessive suffixes. More possessors — more possessions.
1. person   -aink, -eink, -jaink, -jeink
2. person   -aitok, -eitek, -jaitok, -jeitek
3. person   -aik, -eik, -jaik, -jeik

§ 51. We may attach additional suffixes to possessive suffixes. This is
a characteristic feature of an agglutinative language, e.g.,
a)

Nom. Plur.	*Acc. Plur.*	*Dative Plur.*
ajtóim	ajtóimat	ajtóimnak
erdőim	erdőimet	erdőimnek
házaim	házaimat	házaimnak

Nom. Sing.	*Acc. Sing.*	*Dat. Sing.*
könyvem	könyvemet	könyvemnek
tollam	tollamat	tollamnak

b)
-val, -vel suffix

tollammal, órámmal, könyvemmel — with my pen, watch, book
tollaimmal — with my pens.

§ 52. *A birtokos névmás. The Possessive Pronoun.*

One possessor—one possession
enyém—mine
tied—yours
övé—his, hers
öné—yours (polite)

One possessor—more possessions
enyéim—mine (plural)
tieid—yours (plural)
övéi—his, hers (plural)
önéi—yours (polite, plur.)

More possessors—one possession
mienk—ours
tietek—yours
övéké—theirs
önöké—yours (polite)

More possessors—more possessions
mieink—ours (plural)
tieitek—yours (plural)
övéik—theirs (plural)
önökéi—your (polite plur.)

NOTE: the insertion of an "*i*" for the possessive plural.

Kié a ruha? Whose is the suit?	Enyém Tied Övé Mienk Tietek Övéké	Kiéi a ruhák? Whose (plural) are the suits?	Enyéim Tieid Övéi Mieink Tieitek Övéik

Kié ez a ház? Ez a ház az apámé. Whose home is this? This is my father's home.

§ 53. *The past tense.*

Indefinite conjugation.

jönni—to come

jöttem—I came
jöttél
jött
jöttünk
jöttetek
jöttek

futni—to run

futottam—I ran
futottál
futott
futottunk
futottatok
futottak

Indefinite conjugation	*Definite conjugation*

kapni—to get, to obtain

kaptam—I got	kaptam—I got it
kaptál	kaptad
kapott	kapta
kaptunk	kaptuk
kaptatok	kaptátok
kaptak	kapták
ön kapott	ön kapta
önök kaptak	önök kapták

festeni—to paint

festettem—I painted	festettem—I painted (it)
festettél	festetted
festett	festette
festettünk	festettük
festettetek	festettétek
festettek	festették
ön festett	ön festette
önök festettek	önök festették

Ki festette azt a szép képet a falon? Te festetted vagy ön festette?
Who painted that nice picture on the wall? Did you (familiar) paint it
    or you (polite) did it?

főzni—to cook

főztem—I cooked	főztem—I cooked (it)
főztél	főzted
főzött	főzte
főztünk	főztük
főztetek	főztétek
főztek	főzték
ön főzött	ön főzte
önök főztek	önök főzték

§ 54. After the verbs:

kell—it is necessary, to have to
lehet—it is possible
szabad—it is permitted
tilos—it is prohibited

the possessive suffixes are attached to the endings of the infinitive: -ni.

Infinitive
1) Dolgozni kell.
   It is necessary to work.
2) Nekem dolgozni kell.
   I have to (must) work.

With possessive suffixes
3) Nekem dolgoznom kell.
   I have to (must) work.
4) Dolgoznom kell.
   I have to (must) work.

Infinitive
Tanulni kell.
It is necessary to study.
Nekem tanulni kell.
I have to (must) study.
Neked tanulni kell.
You have to (must) study.

With possessive suffixes
Tanulnom kell.
　　I have to (must) study.
Tanulnod kell.
　　You have to (must) study.
Tanulnia kell.
　　He have to (must) study.
Tanulnunk kell.
　　We have to (must) study.
Tanulnotok kell.
　　You have to (must) study.
Tanulniok kell.
　　They have to (must) study.
Since the possessive suffix -m expresses the grammatical person (1st person sing.) "nekem" can be omitted if we do not want to put special emphasis on it.

Ma önnek kell tanulnia, holnap önöknek kell tanulniok.
Today you (polite sing.) have to study, tomorrow you (polite plur.) have to study.
Nekem minden nap kell tanulnom.
I have to study every day.

Dohányozni tilos. Smoking is prohibited.
(It is prohibited to smoke. Literally)

Dohányoznom tilos. I am not allowed to smoke.
(Literally: It is prohibited for me to smoke.)

Menni kell. It is necessary to go.

Mennem kell. I have to go.
Mennünk kell. We have to go.

Énekelni szabad. Singing is permitted.
(Literally: It is permitted to sing)

Énekelnie szabad. He (etc.) is permitted to sing.
He may sing.

Gyakorlatok. Exercises.

A) *Fordítsuk le magyarra. Translate into Hungarian.*

1) My older brother has a nice house. 2) My younger brother has a small house. 3) My older sister has a white purse. 4) Whose forest is this? 5) Whose restaurants are these? 6) The door of my room is brown. 7) The key of my door is new. 8) The ball of my friend is hard. 9) Whose ball is this? 10) It is Andrew's ball. 11) Whose horses are those? 12) This store is my uncle's. 13) This car is mine. 14) What is yours? (polite sing.) 15) I bought a gift for my cousin. 16) Who is yours? 17) What did you buy for him? 18) Whom did you see on the beach? 19) From whom did she get a letter? 20) With whom did he go home? 21) You like your brother, don't you? 22) You do not go to school every day, do you?

B) *Fordítsuk le angolra. Translate into English.*

1) Mit csinált ön nyáron? Önök is szeretnek utazni vonaton, ugye? 2) Ti hová szerettek kirándulni? 3) Az erdőben volt egy tiszta vendéglő, ahol jól főztek. 4) Kié volt az erdő? Az övé. 5) Kiéi voltak a fák? Az övéké. 6) Kiket hívtatok meg? Titeket. 7) Mivel mentél az állomásra? Villamossal. 8) Kinek a nővérei jöttek ide? Az enyéim. 9) Kinek a tollai ezek? Az önéi. 10) Tegnap egész nap vártalak. 11) Kit vártál még? 12. Őket is vártam. 13) Láttunk titeket a tónál. 14) Ön is látott engem, ugye? 15) Két hónapja már, hogy haza kellett utaznom.

C) *Egészítsük ki. Fill in the blanks:*

1) Ez az asztal az .... (én).
   Ez az én (asztal) ....
2) Az a kréta a .... (te).
   Az a te (kréta) ....
3) Ez az óra az .... (ő).
   Az az ő (óra) ....
4) Ez a lámpa az .... (ön).
   Ez az ön (lámpa) ....
5) Ez a szék a .... (mi).
   Ez a mi (szék) ....
6) Ez a pad a .... (ti).
   Ez a ti (pad) ....
7) Az a tábla az .... (ők).
   Ez az ő (tábla) ....

8) Ez az újság az .... (önök).
Ez az önök (újság) ....
9) Ezek a körték az .... (én).
Ezek az én (körte) ....
10) Azok a képek a .... (te).
Azok a te (kép) ....
11) Ezek a tankönyvek az .... (ő).
Ezek az ő (tankönyv) ....
12) Azok a virágok az .... (Ön).
Azok az ön (virág) ....
13) Ezek az üzletek a .... (mi).
Ezek a mi (üzlet) ....
14) Azok a bútorok a .... (ti).
Azok a ti (bútor) ....
15) Ezek a könyvtárak az .... (ők).
Ezek az ő (könyvtár) ....
16) Azok a kövek az .... (Önök).
Azok az Önök (kő) ....
17) Kié az erdő? .... (atya).
18) Kiéi a lovak? .... (apa).
19) Mié az ablak? .... (ház).
20) Kinek a szobája ez? .... (bátyám).
21) Kinek írsz levelet? .... (barátaim).
22) Honnan jön János? .... (város).
23) Kivel ment Árpád hozzájuk? .... (egyedül).
24) Mit írt Sándor? .... (levél).
25) Hol laktok ti? .... (falu).

D) *Kiegészítés. Múlt idő. Fill in the blanks with the past tense of the given words.*

1) Kihez (menni) .... Árpád nyaralni.
2) Hogyan (utazni) .... oda?
3) Mit (főzni) .... az anyja ebédre?
4) Milyen képet (festeni) .... a barátja?
5) Mit (venni) .... a gyerekek?
6) Hol (lenni) .... ti?
7) Mi nem (hinni) .... neki.
8) Hová (tenni) .... a ceruzáimat?
9) Hol (lakni) .... Árpád nagybátyja?
10) Mit (enni) .... Ön vacsorára?
11) Hol (aludni) .... a kutya?
12) Ők mikor (jönni) .... hozzánk?
13) Mikor (indulni) .... a vonat?

14) Mi nem (akarni) .... hazamenni.
15) Mit (kérdezni) .... ők tőlünk?
16) Mit (látni) .... Önök a hegy tetején?
17) Milyen könyveket (olvasni) .... a tanulók?
18) Ki (írni) .... a levelet a fiamnak?
19) A nyáron sokat (úszni) .... a tóban.
20) Szabad neki itt (dohányozni) .... ?

D) *Tegyük az igéket múlt időbe. Put the verbs into the past tense.*

1) Én ma reggel jövök haza. 2) A diák iskolába megy. 3) Nálatok van a számtan könyvem? 4) A házi feladatot írjuk. 5) Most a latint csináljuk. 6) Te jó tanuló vagy. 7) Egy újságot tesz az asztalra. 8) János egy szép képet fest. 9) Ma az érdekes könyvet olvassuk. 10) A filmet az iskolában látjátok. 11) Ön egy levelet ír. 12) Mondod, hogy építsz egy új házat. 13) Az öreg embert látod az utcán. 14) Amikor ők iskolába járnak, sokat olvasnak. 15) Az ebédet teszi az asztalra.

Kilencedik lecke. (9)

A diákok, akik több nyelven beszélnek.

Legtöbbnyire azok az emberek, akik kis nemzetekhez tartoznak, több nyelvet beszélnek. Magyarország kis állam, amely Közép-Európában terül el. Mindenre emlékszem, amit Magyarországról tanultam a földrajzban, amikor középiskolába jártam.

Harry angol fiú, aki most jött Magyarországra. Ő angol nyelven tanul az iskolában. Az a tanítási nyelv.

Harry: Milyen idegen nyelvet tanulnak a tanulók, akik Magyarországon járnak iskolába?
János: Abban az iskolában, amelybe én járok, több idegen nyelvet tanítanak.
Harry: Melyek azok a nyelvek?
János: Angol, francia, német, latin és legújabban az orosz. Régen görögöt is tanítottak.
Harry: Minden iskolában ezeket a nyelveket tanítják?
János: Nem. Abban az iskolában, amelybe öcsém jár, spanyolt tanítanak francia helyett.
Harry: Valaki mondta, hogy az olasz nyelvet is előadják valahol.
János: Van olyan iskola, amelyik az olaszt vezette be.
Harry: Hány nyelvet beszélsz te, János?
János: Én három nyelven beszélek jól: magyarul, amely az anyanyelvem, angolul, amelyet az iskolában tanultam és franciául, amelyből jó jegyet kaptam. Ezenkívül olvasok és értek latinul is.

Harry: Milyen módszerrel tanítják az angolt?
János: Olyan módszerrel, amilyennel a franciát.
Harry: Mit fogsz csinálni, ha elvégzed az iskolát?
János: El akarom végezni az egyetemet is és utána külföldre fogok utazni.
Harry: Melyek azok az országok, amelyeket meg akarsz látogatni?
János: Nyugat-Európa és Észak-Amerika azok a helyek, amelyeket meg fogok nézni. Dél-Amerikát már megnéztem.
Harry: Miért szereted azokat az országokat, amelyek olyan messze terülnek el?
János: Azokban sok szépet lehet látni, hallani és tanulni.
Harry: Van sok olyan kis ország Európában, amilyen Magyarország?
János: Igen. Európában van több olyan kis ország, mint Magyarország.
Harry: Melyik államban van több hivatalos nyelv Európában?
János: Európában több olyan állam van, amelyikben néhány nyelvet használnak. Például Svájc.
Harry: Melyek a hivatalos nyelvek Svájcban?
János: A német, a francia, az olasz és a rethoromán.
Harry: Hány hivatalos nyelv van Belgiumban és Finnországban?
János: Mindkét államban két hivatalos nyelv van. Belgiumban francia és flamand, Finnországban finn és svéd.
Harry: Tudod, hogy Kanadában is több hivatalos nyelv van?
János: Hallottam, hogy kettő. Angol és francia az a két nyelv.
Harry: Mikor fogsz eljönni Amerikába?
János: Meg fogom írni, mielőtt el fogok utazni. Le fogom írni utitervemet is.
Harry: Bocsánat. Az autó megérkezett. Azt hiszem, apám jött vissza vele.
János: Kimegyünk és megnézzük az új autót, amelyet tegnap vettek meg és fizettek ki.
Harry: Sajnálom, de mindjárt haza kell mennem.
János: Remélem, fogjuk egymást látni, mielőtt elutaztok Franciaországba és vissza Amerikába.

Questions. See: Exercise F.

Szavak.

kilencedik—ninth
diák—student
aki—who
akik (plur.)—who
amely or ami—which, that
amelyek or amik—which, that (plural)
nemzet—nation
tartozni—to belong

több—more
legtöbbnyire—mostly
Magyarország—Hungary
nyelven beszélni—to speak in a language
nyelvet beszélni—to speak a language
állam—state
Közép-Európa—Central Europe

elterülni—to be situated, to lie
elterülni (from a blow)—to fall
   flat
minden—everything
emlékezni—to remember
-ról, -ről—from
tanítási nyelv—language of
   instruction
idegen—foreign
iskolába járni—to attend school
angol—English
francia—French
német—German
latin—Latin
legújabban—most recently
orosz—Russian
régen—a long time ago
görög—Greek
is—also, too
valahol—somewhere
magyarul—in Hungarian
spanyol—Spanish
helyett—instead of
valaki—somebody
olasz—Italian
előadni—to portray
bevezetni—to introduce
jól—well
anyanyelv—mother tongue
jegy—ticket, grade in school
módszer—method
tanítani—to teach
érteni—to understand
elvégezni—to finish
akarni—to want
egyetem—university
külföld—foreign country
utazni—to travel
meglátogatni—to visit
megnézni—to look at

Dél-Amerika—South America
már—already
miért—why
messze—far
hivatalos nyelv—official language
Svájc—Switzerland
például—for example, e.g.
rethoromán—Rhaetic
Belgium—Belgium
Finnország—Finland
flamand—Flemish
finn—Finnish
svéd—Swedish
Kanada—Canada
megírni—to write (finish
   writing)
mielőtt—before
elutazni—to depart
ezenkívül—besides this
használni—to use
utazni—to travel
leírni—to note down
utiterv—itinerary
bocsánat—pardon
megérkezni—to arrive
visszajönni—to come back
megvenni—to purchase, to buy
fizetni—to pay
kifizetni—to pay off
tegnap—yesterday
sajnálni—to be sorry
mindjárt—immediately
hazamenni—to go home
remélni—to hope
egymás—each other
sokszor—many times
tapsolni—to applaud
ismerni—to be acquainted, to
   know
vele—with him, her, it

Nyelvtan. Grammar.

§ 55. A vonatkozó névmás. The Relative Pronoun.

The relative pronoun always introduces a subordinate clause and always has an antecedent. The following forms of the relative pronoun are to be found in Hungarian:

> *aki*—who, is used in connection with persons,
>
> *amely, ami*—which, that, are used in connection with objects, things.

a) *aki*—who (akik-plural)

Az emberek, *akik* az utcán vannak, a színházban voltak.
The people who are in the street were in the theater.

A gyermek, *aki* itt játszik, a tanító fia.
The child who plays here is the son of the teacher.

NOTE: ki?—who? is an interrogative pronoun. Ki van itt? Who is here?

b) *amely*—which; that (*amelyek*-plural), is used in connection with objects, things.

A terem, *amely* as iskolában van, nagy.
Te hall which is in the school is large.

A teremben, *amelyben* tanulunk, sok lámpa van.
There are many lamps in the room in which we study.

Itt van az autó, *amellyel* jöttünk.
Here is the car with which we came.

Az énekeket, *amelyeket* énekelnek, ismerem.
I know the songs which they sing.

A könyvek, *amelyek* otthon vannak, érdekesek.
The books which are at home are interesting.

Ez a nemzet, *amely* ezer éve van itt, bátor és művelt.
This nation which has been (*is* in Hungarian) here for a thousand years is brave and educated.

NOTE: *amely* is used for collective nouns even if they designate persons: nemzet—nation.

c) *ami*—which, that (*amik*-plural.)

ami- is used in connection with things and objects when it *refers to the whole content* of a sentence and not only to one word.

Mindent értek, *amit* mond. I understand everything that he (she) says.

Mi volt az, amit tegnap játszottál zongorán? What was that you played yesterday on the piano?

NOTE: mi?—what? is interrogative. Mi van ott? What is here?

d) *amelyik*—who, which, can be used for persons and things only when one refers to people or things in a selective sense.

Megmutatom azt a tanulót, *amelyik* ezt a dolgozatot írta. I point out the pupil who wrote this lesson. (assignment)

Nézzük meg a lovat, *amelyik* elől van. Let us look at the horse which is in front.

e) *amilyen*—as, *olyan*—such or as (demonstrative)

olyan . . . amilyen—such . . . as.

If the demonstrative *olyan*—such, as is in the main clause the relative pronoun *amilyen* is used in the subordinate clause.

Olyan jó munkás vagyok, amilyen te. I am as good a worker as you.
Olyan cipőt vettem, amilyent bátyám. I bought such shoes as my brother did.

§ 56. *A jövő idő. The Future Tense.*

The future tense is a compound tense in Hungarian. It consists of *the infinitive of a verb plus "fogok"* (for the indefinite conjugation) and *"fogom"* (for the definite conjugation.)

menni fogok—	járni fogok—	jönni fogok—
I shall go	I shall go (frequently)	I shall come
menni fogsz	járni fogsz	jönni fogsz
menni fog	járni fog	jönni fog
menni fogunk	járni fogunk	jönni fogunk
menni fogtok	járni fogtok	jönni fogtok
menni **fognak**	járni fognak	jönni fognak
ön fog menni		
önök fognak menni		

Indefinite (subjective) conjugation	*Definite (objective) conjugation*
nézni fogok—I shall look	nézni fogom—I shall look at (it)
nézni fogsz	nézni fogod
nézni fog	nézni fogja
nézni fogunk	nézni fogjuk
nézni fogtok	nézni fogjátok
nézni fognak	nézni fogják

Indefinite (subjective) conjugation	*Definite (objective) conjugation*
várni fogok—I shall wait	várni fogom—I shall wait for (it)
várni fogsz	várni fogod
várni fog	várni fogja
várni fogunk	várni fogjuk
várni fogtok	várni fogjátok
várni fognak	várni fogják

enni fogok—I shall eat	enni fogom—I shall eat (it)
enni fogsz	enni fogod
enni fog	enni fogja
enni fogunk	enni fogjuk
enni fogtok	enni fogjátok
enni fognak	enni fogják

írni fogok—I shall write	írni fogom—I shall write (it)
írni fogsz	írni fogod
írni fog	írni fogja
írni fogunk	írni fogjuk
írni fogtok	írni fogjátok
írni fognak	írni fogják

Future perfect is not used in Hungarian. The adverbs replace the extinct tense.

I shall (soon) have gone home. Nemsokára hazamegyek.

§ 57. *Igekötők. Verbal Prefixes.*

The verbal prefixes modify the meaning of verbs or the quality of actions. Hungarian verbal prefixes have rarely an exact equivalent in English. E.g., fizetni—to pay; kifizetni—to pay off; megfizetni—to pay for; menni—to go; elmenni—to go away; kimenni—to go out

The verbal prefix is generally attached to the verb to which it belongs. If we do not wish to put emphasis on the verbal prefix, but rather on an other word in a sentence, then we must place that word directly in front of the verb.

A *fiú* ment ki. *The boy* went out. A fiú *ki*ment. The boy went *out*.

A) Verbal prefixes can express many different modifications of verbs:
1) the direction of the action:

> bemenni—to go in, to enter
> elmenni—to go away
> kimenni—to go out
> kiugrani—to jump out
> felugrani—to jump up

2) the completion for an action:

> megírni—to finish writing
> elolvasni—to finish reading
> megolvasni—to count
> mondani—to say
> felmondani—to give notice

3) the lasting effect: hátrahagyni—to leave behind
gondolkodni—to think; elgondolni—to be lost in meditation, to be absorbed in thought
adni—to give; eladni—to sell

4) the result: beírni—to write in a book, to note, to register

5) an instantaneous action; brevity:

ütni—to hit, to strike; megütni—to bang, to hit (once)

B) The position of the verbal prefix is one of the most delicate problems of Hungarian word order. The verbal prefix is nothing but an adverb which is closely related to the verb to which it belongs. It is not separated from the verb if it stands before it. As concerns word order in general we have to remember that any word which is placed in front of a verb is emphasized automatically by virtue of its position.

1) The verbal prefix is in front of the verb:
A repülő megérkezett. The airplane arrived.
A macska kiugrik a kezemből. The cat jumps out of my hand.
2) A repülő érkezett meg nem az autó. The airplane arrived not the car.
(emphasis on the airplane)
In this sentence "repülő" is emphasized therefore is put in front of the verb. The verbal prefix in this case is separated from the verb, and placed later in the sentence.

3) Megérkezett a repülő. The airplane arrived.
In this sentence the verb with its prefix begins the sentence, and therefore emphasizes "arrival".

4) Often the stressed word changes the verbal prefix to a suffix.
Ma megértem, amit mond, de tegnap nem értettem meg.
Today I understand what he says, but yesterday I did not understand it.
Ma korán befejeztem a tanulást. Tegnap későn fejeztem be a tanulást.
Today I finished my studying early. Yesterday I finished my studying late.

5) In many cases the Hungarian verbal prefixes correspond to the English adverbs or prepositions:

ki—out	menni—to go	kimenni—to go out
fel—up	menni—to go	felmenni—to go up
le—down	menni—to go	lemenni—to go down
be—in	menni—to go	bemenni—to go in, to enter

Kimegyek a városból. I go out of the city. Felmegyek a várba. I go up to the castle.
Lemegyek az első emeletről. I go down from the 2nd floor.
Lemegyek a háztetőről. I go down from the roof.
Bemegyek a szobába. I go into the room.

írni—to write	leírni—to note down, to copy, to describe
	felírni—to inscribe, to make a note
	kiírni—to write out, to excerpt
	megírni—to finish writing, to put down in writing
	ráírni—to write on

Írok Magyarországra és Franciaországba. I write in Hungary and France.
Leírjuk, ami a táblán van. We note down what is on the blackboard.
Leírja egy ember jellemét. He describes the character of a man.
Felírom a címedet. I note down your address.
Kiír egy fejezetet a könyvből. He writes out a chapter from the book.

Ma megírom a könyvismertetést. Today I write (finish writing) the book-review.
Odaírom a nevem a papírra. I write my name there on the paper.

6) Sometimes a compound verb (prefix plus verb) in Hungarian can have two meanings:
   a) the first meaning, or the most common meaning, can be inferred from the sense of the simple verb plus the meaning of the prefix: írni—ráírni; menni—kimenni
   b) the second meaning is an acquired (abstract) meaning considerably different from the sense of the original verb and its prefix. E.g. csapni—to slam, to hit
      a) becsapni—to slam (in)
      b) becsapni—to cheat, to deceive

a) A gyermek becsapja az ajtót. The child slams the door.
b) A kereskedő becsapja a vevőt. The merchant cheats the buyer.

7) The verbal prefix in the present *adjectival* participle is never separated from the verb.
A ház *eladó*. The house is for sale. (adjectival participle)
A ház el van adva. The house is sold. (adverbial participle) (See § 84.)

8) The place of the verbal prefix plus the infinitive after verbs expresses desire, wish, necessity or future tense:
akarni—to want. Meg akarom nézni a filmet. I want to look at the film.
kelleni—to be necessary. Ki kell fizetni a jegyeket. It is necessary to pay for the tickets.

With other verbs: szeretni—to love, and future of "to be".
felszállni—to board, to step on
   Fel szeretnék szállni a vonatra. I would like to board the train.
      (Conditional)

megnézni—to look at
   Meg fogom nézni a filmet. I shall look at the film.
      (Future)

kifizetni—to pay for
   Ki fogja fizetni az autót. He will pay for the car.
      (Future)

Compare:

Without verbal prefix	*With verbal prefix*
Ön írja a levelet.	Ön megírja a levelet.
You are writing the letter.	You write (finish) the letter.
Ön írta a levelet.	Ön megírta a levelet.
You were writing the letter.	You wrote the letter
	(and finished it).
Ön írni fogja a levelet.	Ön meg fogja írni a levelet.
You will be writing the letter.	You will write (finish) the letter.

9)   The verbal prefix can be placed in front or after the verb. The meaning of the sentence will vary slightly depending on the position of the prefix.

Sokat elolvastam a könyvből, de még nem olvastam el egészen.
I read much from the book, but I did not read it completely.

Fiam ma jól megtanulta a házi feladatot, de tegnap rosszul tanulta meg.
Today my son studied his homework well, but yesterday he studied it poorly.

10)   Doubling of verbal prefixes can express the repetition or continuity of an action.

A repülő felszáll A repülő fel-felszáll.
The airplane takes off. The airplane takes off many times (repeatedly).

A doubled verbal prefix should be hyphenated.

A fiú megáll. The boy stops. A fiú meg-megáll. The boy stops many times.

11)   When used alone the verbal prefix can express strong emotions., exhortation.

Fel, fel a nagy feladatra. (Up, up) to the great task.

§ 57. a) *Questions using verbs with prefixes.*

Questions	*Answer*		
	1.	**2.**	**3.**
Elmegy Magyarországra az idén? Will you go to Hungary this year?	El.	Elmegyek I shall go	Igen. Yes.
Megírja a levelet New Yorkba? Are you going to write the letter to New York?	Meg.	Megírom. I am going to write it.	Igen. Yes.
Visszaadod nekem a könyvet? Are you going to give me back the book?	Vissza.	Visszaadom I am going to give it back.	Igen. Yes.
Megmagyarázta a tanár a leckét? Did the teacher explain the lesson?	Meg.	Megmagyarázta. He explained it.	Igen. Yes.

There are three answers:
1. with the verbal prefix. This is a characteristic Hungarian answer.
2. with the whole verb (verb plus prefix).
3. with igen—yes.

2) a) Mikor megy el Magyarországra. When are you going to Hungary?
Mikor adod nekem vissza a könyvet? When are you going to give
the book back to me?
Hogyan magyarázta meg a tanár a leckét? How did the teacher
explain the lesson?
  b) Menj el Magyarországra az idén! Go to Hungary this year!
Add nekem vissza a könyvet! Give me back the book!
The verbal prefix is separated from the verb:
  a) in the interrogative with an interrogative word,
  b) in the imperative.

Gyakorlatok. Exercises.

A) *Töltsük ki az üres helyeket a vonatkozó névmás megfelelő alakjaival:*
Fill in the blanks with the correct form of the relative pronoun:

1. Elolvastam azt az újságot, ... barátom hozott.
2. Mindent elolvastam, ... barátom hozott.
3. Ismerem azt a fiút, ... egy tanuló hozott hozzánk.
4. Olyan ez a film, ... nálunk fognak játszani a jövő héten.

5. Az összes programszámot hallottam, ... a zenekar játszott a rádióban.
6. Nem kell azt csinálni, ... egy rossz gyerek tesz.
7. Ismeri ön azt az embert, ... ma fog jönni?
8. Érti azt, ... mondok?
9. Az új kalap, ... az üzletben van, drága.
10. A leány, ... ír, az én nővérem.

B) *Fordítsuk le angolra. Translate into English:*

1. Minden nap olvasok magyar újságot, amelyet apám vesz a városban.
2. A nyári vakációban nagynénémhez megyek, aki Olaszországban lakik.
3. Nagybátyám, aki több nyelven beszél, kereskedő.
4. Az angol diák olyan, amilyen a magyar tanuló volt.
5. A közönség, amely a játékot nézte, sokszor tapsolt.
6. Hány órakor fognak enni ma este?
7. Ön reggel nyolc órakor fog felkelni.
8. Hány órakor keltetek fel ma, gyerekek?
9. Mikor írod le a házi feladatot?
10. Holnap fogom megvenni az új angol könyvemet.

C) *Fordítsuk le magyarra. Translate into Hungarian.*

1. The people of small nations usually speak more languages.
2. They learn more foreign languages because other people do not speak their mother tongue.
3. Hungary is situated in Central Europe.
4. I learned about Hungary when I attended high school.
5. In Hungary they teach several foreign languages in the schools.
6. What languages do you speak? (polite, singular form)
7. Where did you study those languages?
8. Will you (familiar, singular) enter the university?
9. Did they visit South America?
10. There are many small nations in Europe.
11. In some states there is more than one official language.
12. In Switzerland, Belgium and Finland the people speak more languages.
13. Before I depart for the U.S.A. I shall write (down) my itinerary.
14. My father bought a car yesterday and paid for it.
15. I am sorry, but I must go home. Good-bye.

D) *Töltsük ki az üres helyeket a megfelelő igekötőkkel.*
Fill in the blanks with the correct form of the given verbs using verbal prefixes where necessary.

1. Az autó .... (arrives).
2. A vonat .... (departs).
3. A repülőgép .... (takes off).

4. Barátom .... (will visit) engem.
5. Franciaország Belgium és Spanyolország között .... (is situated).
6. Ma este .... (I shall write and finish) egy levelet.
7. Tegnap .... (I came back) a kirándulásról.
8. A levél .... (came back).
9. (I want to visit) .... nagybátyámat.
10. (I shall finish) .... az egyetemet.

E) *Fordítsuk le magyarra. Translate into Hungarian.*

1. Do you know the actor who will play tomorrow?
2. Do you know what is written in this book?
3. We shall do the homework which we got today.
4. The French film, which I shall see, is beautiful.
5. I heard everything that the teacher said.
6. When I write to Paris I shall write in French.
7. Will you see them in London?
8. We are going to visit Debrecen, which is in Hungary.
9. The car in which they will travel is new.
10. You must go to the doctor.

F) *Feleljünk a következő kérdésekre. Answer the following questions.*

1. Milyen emberek beszélnek több nyelvet?
2. Hol terül el Magyarország?
3. Milyen fiú Harry?
4. Milyen idegen nyelveket tanulnak a magyarországi iskolákban?
5. Milyen idegen nyelveket beszél ön?
6. Mit fog csinálni János, ha el fogja végezni a középiskolát?
7. Milyen országokat akar meglátogatni?
8. Melyik földrészt (kontinenst) nézte már meg?
9. Mit lehet látni azokban az országokban?
10. Hány európai országban van több hivatalos nyelv?
11. Melyek azok az országok és nyelvek?
12. Mit fog leírni János, mielőtt Amerikába fog utazni?
13. Ki jött vissza az autóval?
14. Ki nézte meg az autót, amelyet tegnap vettek meg?
15. Hová kellett mennie Harrynek?

Tizedik lecke. (10)
A tavasz jobb, mint a tél.

Egy évben négy évszak van: tavasz, nyár, ősz és tél. Tavasszal a napok hosszabbak, mint télen és az éjjelek rövidebbek. A legrövidebb nap és a leghosszabb éjjel decemberben van. Télen több napot töltünk a házban, mint kint, mert hidegebb az idő, mint ősszel. Március huszonegyedike az első tavaszi nap, de a legszebb nap sokszor később van. Sokszor elég meleg napok vannak télen is, de ősszel melegebb van és nyáron van a legmelegebb. Szeretem a kellemes nyári napokat.

Karácsonykor majdnem minden jobb módú ember bőkezűbb, mint máskor. Én is akkor vagyok a legbőkezűbb. Testvéreimnek veszek kisebb méretű ajándékokat; legtöbbször drágát, sokszor drágábbat, néha a legdrágábbat. Néha az olcsóbb játékszer kedvesebb, mint a drágább. A rossz gyermekek keveset kapnak, a rosszabbak kevesebbet és a legrosszabbak a legkevesebbet.

Tavasszal sokszor olyan meleg van, mint ősszel. Néha annyi hideg nap van, mint ősszel. Minden télen akkora hó van nálunk, mint nálatok. Tavasszal többet esik, mint télen, de kevesebbet havazik. Nyáron villámlik a legtöbbet. Azt mondják, hogy nyáron minket lehet látni az utcán, télen titeket. Bennünket azért lehet látni, mert szeretünk kint játszani, benneteket pedig korcsolyázni lehet látni. Ennyi gyermeket még sohasem láttam a jégen, mint ezen a télen. Meleg időben a legtöbb fiú és leány nagyobb kedvvel játszik és jobb ízű az étel otthon. A fákon a legtöbb virág tavasszal van, a legjobb ízű gyümölcsöket ősszel árulják. Minél kedvesebb valaki, annál jobban szereti a kisebb gyermekeket. Mi a legfelső emeleten lakunk, ti alattunk laktok, ők az alsó lakásban laknak. Télen töltjük a legtöbb időt a lakásban, tavasszal kevesebbet vagyunk a házban, nyáron pedig a legkevesebbet.

Kérdések. Questions.

1. Hány évszak van egy évben?
2. Hogyan hívják ezeket az évszakokat?
3. Melyik a legszebb évszak?
4. Mikor van a legrövidebb éjjel?
5. Milyen ön karácsonykor?
6. Mennyi ajándékot kapnak a legrosszabb gyermekek?
7. Milyen ajándékot kaptál te?
8. Mikor villámlik a legkevesebbet?
9. Hol lehet látni bennünket nyáron?
10. Mennyi virág van tavasszal a fákon?
11. Mikor jobb ízű az étel?
12. Ki szereti jobban a kisebb gyermekeket?
13. Hol lakunk mi?
14. Hol laktok ti?
15. Hol töltjük a legtöbb időt nyáron?

tizedik—tenth
tavasz—spring
tél—winter
évszak—season
nyár—summer
ősz—fall, autumn
tavasszal—in the spring
nyáron—in the summer
ősszel—in the fall
télen—in the winter
éjjel—night, at night
hideg—cold
karácsony—Christmas
majdnem—almost
máskor—at another time
ajándék—gift, present

kapni—to get, to obtain
meleg—warm
nálunk—at our house
nálatok—at your house
lehet—it is possible, can be
korcsolyázni—to skate
sohasem—never
kedv—mood, good humor
nagyobb kedvvel—with greater
    pleasure
étel—food
árulni—to sell
alattunk—under us
lakás—apartment
rendszerint—usually

§ 58. 1) The beginning of an action may be expressed by the verb "kezdeni"—to begin.
Most kezdek írni. I am beginning to write now.
Tegnap kezdtem olvasni egy könyvet. I started to read a book yesterday.
Holnap fogok kezdeni tanulni a vizsgára. I shall begin to study for the examination tomorrow.
    2) The beginning of an action may be expressed by verbal prefixes:
A vonat elindul. The train departs. (starts to move out.)

§ 59. *Az általános alany. The general subject.*
Sometimes it is not necessary to say what the subject of a sentence is. The subject of a sentence can be: definite, indefinite or general.

1) It is definite if it is precisely expressed.
    A madár repül. The bird flies.

2) It is indefinite if the indefinite article is used.
    Egy jó könyv van az asztalon. There is a good book on the table.

3) The subject which has a general sense may refer to anyone:

    a) indefinite pronoun, e.g.,
Senki sem tud énekelni. Nobody knows how to sing.
Akárki tud ilyen levelet írni. Anybody is able to write such a letter.
Valaki itt van. Somebody is here.

116

b) with a noun of general meaning, e.g., *ember, emberek*—people

Nem tudja az ember, milyen szerencséje lesz. People do not know what kind of luck they will have.

Amerikában az emberek tudnak írni és olvasni. In America people (in general) know how to read and write.

c) with the word: *világ*—word, e.g.,

Az egész világ csodálja őt. The whole world (everybody) admires him.

Nem bánja, akármit mond a világ. He does not care what (ever) the world says about him.

d) personal endings of the verbs,

Írtok. You write. Tanulnak. They study.

e) 2nd person singular,

Lassan járj, tovább érsz. Go slowly, you (will) get further.

Addig üsd a vasat, amíg meleg. Hit the iron while it is hot.

f) 3rd person of plural (conveys the impersonal idea),

Azt mondják, hogy itt jó szálloda van. They say (it is said) there is a good hotel here.

Colorádót festői államnak hívják. Colorado is called a picturesque state.

Ebben az üzletben beszélnek magyarul. Hungarian is spoken in this store.

(NOTE: the passive voice *is not* used in Hungarian.)

g) infinitive used as a predicate,

Ide hallani a zenét. Music can be heard here. (hallani—to hear — inf.)

§ 60. *A személytelen igék. The Impersonal Verbs.*

Sometimes the subject of the sentence may be understood, not expressed. In English the subject can be expressed by "it".

Havazik.—It is snowing. Esik.—It is raining. Virrad.—The day breaks.

Alkonyodik.—It is getting dark. Dörög.—It is thundering.

havazni—to snow, esni—to rain, alkonyodni—to get dark.

(NOTE: Esik az eső. The rain falls. Esik a hó. The snow falls.)

§ 61. *Az alany és állítmány egyezése.* The agreement of subject and predicate.

1) The predicate agrees with the subject in person and number.
Én írok, ők írnak. I write, they write.

2) After two or more subjects the predicate is in the singular:
A Tokaj, a Vértes és a Bakony Magyarországon fekszik. (sing.)
The Tokaj, the Vértes and the Bakony (mountains) are situated in
Hungary.

3) If two persons are named, the predicate can be either singular
or plural:
Apám és anyám a városba megy *or* mennek. My father and mother go
into the town.

4) If there are two subjects and the predicate is a noun or an
adjective, the predicate must be in the plural:
Petőfi és Arany világhírű költők. Petőfi and Arany are world-famous
poets.
A ló és a csikó erősek. The horse and the colt are strong.

5) If there is more than one subject in a sentence the predicate
must agree in number with the subject which is nearer to it.
Gyorsan megy a ló és az autó (sing.) az utcán. The horse and the car
go fast on the street.
A ló és az autók (plur.) gyorsan mennek az utcán. The horse and the
cars go fast on the street.

Usually we put the plural subject closer to the verb, and the predicate in
such a case is automatically in the plural.

6) If there is more than one subject in a sentence, the predicate is
put in the plural, and always according to the following priority:
1st person before 2nd; 2nd before 3rd.
Én és feleségem együtt hallgattuk a rádiót. I and my wife listened to-
gether to the radio. (1st person plural.)
Te és a francia professzor mentek Európába. You and the French profes-
sor will go to Europe. (2nd person plural.)
(NOTE: Te mész Európába. You go to Europe. A professzor megy Euró-
pába. The professor goes to Europe.)

7) After "mind"—every, singular or plural can be used.
A diák mind jól tanul. A diákok mind jól tanulnak. Every student studies
well.

8) *Gyűjtőfogalom. Collective nouns.*
If a collective noun is used in a plural sense then the verb must be in the plural.

A vad népek barátságosak voltak. The wild people were friendly.
BUT: Az amerikaiak és kanadaiak mindíg baráti *nép* lesznek. (Nép — singular, lesznek — plural)
A nomád magyar nép bátor volt. The nomadic Hungarian people were brave. (bátor — singular, volt — singular. Singular sense.)

9) If the title of a literary work or a newspaper is in the plural the predicate after such a subject is always in the *singular.*
A Századok írja. The Századok writes. (Századok—Centuries — a historical journal, writes—írja, sing.)
Berzsenyi ódája "A Magyarokhoz" szép. The ode of Berzsenyi "To the Hungarians" is beautiful. (*szép* in the singular is the predicate.)

§ 62. *A melléknevek fokozása. Comparison of Adjectives.*

In grammar we distinguish three degrees of comparison: positive, comparative and superlative.
The positive is the basic form of adjectives, it indicates the characteristics without intending comparison or degree.

I. Alapfok. The positive.

With the conjunction "m i n t"—"as" we can compare the qualities in any of the three degrees.

a) Gyors, mint egy ló. Swift as a horse.
Hosszú, mint egy országút. Long as a highway.
Magas, mint egy torony. High as a tower.
Olcsó, mint a papír. Cheap as paper.
Régi, mint a világ. Old as the world.
Keserű, mint a citrom. Bitter as lemon.

b) If we want to express the equality of two things we use two words, one in front of the adjective, the other after it.

			Pointing close	
1. olyan	mint —	such as	ilyen	mint
2. annyi	mint —	as many (much) as	ennyi	mint
3. akkora	mint —	as big (large) as	ekkora	mint

Milyen?—What kind of?
Mennyi?—How much? How many?
Mekkora?—How big?

A ház olyan magas, mint az iskola. The house is as high as the school.
Ilyen éles kés, mint ez, nincs több az üzletben. We do not have such a
sharp knife as this in the store.
Apám annyi idős, mint ön. My father is as old as you.
Ennyi sok leckét, mint ez, nem tudok megtanulni. I am not able to learn
as many lessons as this.
Akkora, mint Franciaország. As large as France.
Ez éppen ekkora, mint a tied. This is just as large as yours.

NOTE: § 55. e) "olyan .... amilyen"—such .... as. Demonstrative
word *olyan* plus relative adjectival pronoun *amilyen*.
Olyan jó munkás vagyok, amilyen te. I am as good a worker as you.

II. Középfok. Comparative.

In order to compare qualities of persons or things the comparative degree
is used. The formative suffix of the comparative in Hungarian is: *-bb*.

Positive	*Comparative*

a)

olcsó—cheap	olcsóbb—cheaper
régi—old	régibb—older
keserű—bitter	keserűbb—more bitter
egyszerű—simple	egyszerűbb—simpler

b) Adjectives ending in "a" or "e" change the final vowel into
"*á*" or "*é*":

fekete—black	feketébb—blacker
szürke—grey	szürkébb—greyer
drága—dear, expensive	drágább—dearer, more expensive
barna—brown	barnább—browner

A hús drágább, mint a kenyér. Meat is more expensive than bread.
Ez a ruha szürkébb, mint a másik. This suit is greyer than the other.
János öregebb, mint te. (János öregebb nálad.) John is older than you.
Budapest nagyobb város, mint Debrecen. (Budapest nagyobb város Deb-
recennél.) Budapest is a larger city than Debrecen.

120

c) Adjectives ending in *one* or *more* consonants add a connecting vowel before the *-bb* of the comparative to avoid the accumulation of consonants. *(-ebb, -abb.)*

édes—sweet	édesebb—sweeter
éles—sharp	élesebb—sharper
magas—high, tall	magasabb—higher
rossz—bad	rosszabb—worse
sikeres—successful	sikeresebb—more successful

The *only* exeption here is:

nagy—big, large   nagyobb—larger   *-obb*

A méz édesebb, mint a cukor. Honey is sweeter than sugar.
A torony magasabb, mint a ház. The tower is higher than the house.
Az udvar nagyobb, mint a kert. The (back) yard is larger than the garden.

d) *Rendhagyó fokozás. Irregular comparison. Kivételek. Exceptions.*

Positive	*Comparative*
jó—good	jobb—better
szép—nice	szebb—nicer
sok—many, much	több—more
kis, kicsi—small, little	kisebb—smaller
hosszú—long	hosszabb—longer
lassú—slow	lassabb—slower
könnyű—easy, light	könnyebb—easier, lighter
szörnyű—horrible	szörnyebb—more horrible
bátor—brave	bátrabb—braver
bő—abundant (loose)	bővebb—more abundant, (looser)
hű—faithful	hűbb or hívebb—more faithful
ifjú—young	ifjabb—younger

NOTE: Poets may use: édesb instead of édesebb—sweater
                idősb instead of idősebb—older, elder

A magyar könyv nagyobb, mint az angol, de könnyebb. The Hungarian book is larger than the English but is easier.
A fiatalabb katona bátrabb, mint az öreg. The younger soldier is braver than the older.
Az én lovam lassúbb, mint a tied, de az autóm gyorsabb. My horse is slower than yours by my car is faster.
NOTE: If we use the comparative form of an adjective without intending to actually compare something, the comparative in this case lacks the force of a true comparative degree.

Egy idősebb hölgy vár az utcán. An elderly lady is waiting in the street.
Vettem egy jobb autót. I bought a better car. (Comparison is implied
rather than concretely stated.)

e) Comparison of adjectives ending in -*ú*, -*ű*, (compound adjectives)

1.

Positive	Comparative
jóízű—delicious	jobb ízű—more delicious
jómódú—well-to-do	jobb módú—more well-to-do
kisméretű—small sized	kisebb méretű—smaller sized
nagysikerű—highly successful	nagyobb sikerű—more highly successful

NOTE: adjectives ending in: -ó, -ő, -ú, -ű are written together in the
positive: *jóízű*, but *jobb ízű* are separated in the comparative and in the
superlative. E.g.,
Az Állami Operaház nagysikerű előadást tartott március tizenötödikén.
The State Opera arranged a highly successful performance on the 15th
of March.
Láttam már nagyobb sikerű előadást. I have already seen a more highly
successful performance.

2. If the meaning of a compound adjective differs from the
combined meaning of its parts, such an adjective must be written as one
word.
valószínű—probable, való—real, szín—color

Positive	Comparative
bőkezű—generous	bőkezűbb—more generous
előkelő—illustrious, aristocratic	előkelőbb—more illustrious
valószínű—probable	valószínűbb—more probable

Ha valaki tanul, vizsgája sikere valószínű. If one studies, the success of
his examination is probable.
Ha valaki sokat tanul, akkor valószínűbb. If one studies much, it is more
probable.

f) 1. adjectives ending in: -só, -ső. (single adjectives)

Positive	Comparative
alsó—low, (lower)	alsóbb—still lower
felső—upper	felsőbb—still higher
szélső—outside	szélsőbb—outer
belső—inside	belsőbb—inner
utolsó—last	utolsóbb—latter

Te a felső osztályba jársz, ő a felsőbbe. You attend the upper class, he attends a still higher class.

Bátyám a középiskola alsó osztályába jár, de öcsém még alsóbba. My elder brother attends the lower grade of the high school, but my younger brother a still lower grade.

2. *compound* adjectives ending in: -só, -ső.

Positive	*Comparative*
felső bíróság—upper court	felsőbb bíróság—higher (superior) court

A vádlottat a felső bíróság elítélte, de egy felsőbb bíróság felmentette.
The upper court condemned the defendant but a higher court acquitted him.

g) Comparison with: -nál, -nél—than

Bátyám idősebb, mint öcsém. Bátyám idősebb öcsémnél. My older brother is older than my younger brother.

A Duna nagyobb folyó, mint a Tisza. A Duna nagyobb folyó a Tiszánál. The Danube is a larger river than the Tisza.

Te nagyobb vagy, mint én. Te nagyobb vagy nálam. You are taller than I.

Ön nagyobb, mint te. Ön nagyobb nálad. You (polite sing.) are taller than you (familiar sing.)

Ők jobbak, mint ti. Ők jobbak tőletek. They are better than you (plural familiar).

h) comparison with: -val, -vel:

A toll két centiméterrel rövidebb, mint a ceruza. A toll két centiméterrel rövidebb a ceruzánál. The pen is two centimeters shorter than the pencil.

Hány méterrel nagyobb az ön kertje, mint a mienk? By how many meters is your garden larger than ours?

A Balaton öt kilométerrel hosszabb, mint a Fertő tó. A Balaton öt kilométerrel hosszabb a Fertő tónál. The Balaton is five kilometers longer than Lake Fertő.

III. Felsőfok. The Superlative.

The superlative can be used only when we compare more than two things. The superlative expresses the highest degree of comparison. The formative prefix of the superlative is: *leg-*. Superlative is made up of the *prefix leg- plus the comparative.*

Positive	Comparative	Superlative
olcsó—cheap	olcsóbb—cheaper	legolcsóbb—cheapest
drága—dear	drágább—dearer	legdrágább—dearest
éles—sharp	élesebb—sharper	legélesebb—sharpest
magas—high	magasabb—higher	legmagasabb—highest
rossz—bad	rosszabb—worse	legrosszabb—worst
nagy—big	nagyobb—bigger	legnagyobb—biggest
jó—good	jobb—better	legjobb—best
sok—much, many	több—more	legtöbb—most
bátor—brave	bátrabb—braver	legbátrabb—bravest

A kenyér olcsó, a gyümölcs drágább, a hús a legdrágább. Bread is cheap, fruit is more expensive, meat is the most expensive.

A kis fiú bátor, a nagy fiú bátrabb, a legnagyobb fiú a legbátrabb. The little boy is brave, the big boy is braver, the biggest boy is the bravest.

1)

jóízű—delicious	jobb ízű—more delicious	legjobb ízű—most delicious
nagysikerű—highly successful	nagyobb sikerű—	legnagyobb sikerű
bőkezű—generous	bőkezűbb—more generous	legbőkezűbb—most generous
előkelő—illustrious, aristocratic	előkelőbb—	legelőkelőbb—

2) Irregular superlative. The following three adjectives have an irregular superlative form:

Positive	Comparative	Superlative
alsó	alsóbb	legalsó*
felső	felsőbb	legfelső*
utolsó	utolsóbb	legutolsó*

*there is no "-bb" in the superlative.

124

Compound adjectives:

felső bíróság—upper court — felsőbb bíróság—higher court — legfelső bíróság—supreme court

A vádlottat a felső bíróság elítélte. A felsőbb és a legfelső bírósághoz folyamodott.
The upper court condemned the defendant. He appealed to the superior and supreme court(s).

IV. Legfelső fok. The Intensified Superlative.

The intensified superlative is formed by placing "leges-" in front of the superlative.

legjobb—best   legeslegjobb—the best of all

Ő a legeslegjobb fiú a gyermekek között. He is the best boy of all among the children.

Ez a legeslegédesebb cukor az egész világon. This is the very sweetest sugar in the whole world.

Gyakorlatok. Exercises.

A) Put the following adjectives in comparative and superlative:

egyszerű, bátor, ifjú, könnyű, szép, bő, hű, vastag, nagy, szorgalmas, érdekes, fekete, jóízű, előkelő, sárga, forró, sok, kevés, első, alsó, felső iskola.

B) Egészítsük ki az üres helyeket. Fill in the blanks.

1. A magyar nyelv (simpler) ...., mint a német.
2. Barátom fia öt évvel (older) ...., mint az enyém.
3. Én olyan (tall) .... vagyok, mint te.
4. Az oroszlán (lion) a (strongest) .... állat.
5. Az elefánt (stronger) .... az oroszlánnál.
6. Az éjjelek tavasszal (shorter) ...., de télen a ....
   (shortest).
7. A mérnök (well-to-do) ...., de a fogorvos (dentist) még
   .... (more well-to-do).

8. Ez (small sized) .... város, de a másik .... (smaller sized)
9. A férfi (aristocratic) .... családból jött, de a feleség még .... (more aristocratic).
10. A piros ház (5 meters) .... hosszabb, mint a fehér.
11. Én (10 years) .... vagyok idősebb, mint a hugom.
12. Itt (more) .... süt a nap, mint nálatok.
13. Ma (fewer) .... házi feladatot kaptunk, mint tegnap.
14. Alaskában van a .... (coldest) tél.
15. A távolság (distance) Chicago és New York között (longer) ....
mint Boston és Washington között, de San Francisco és Miami között
a .... (longest).

C) Fordítsuk le magyarra, Translate into Hungarian.

1. My book is interesting, yours is more interesting, but I am now reading the most interesting book of all.
2. It is as long as a novel.
3. Today we got the shortest assignment of the year.
4. I am not as tall as my father, but I am taller than my brother.
5. My sister is the tallest in the family.
6. Yesterday we saw a better film than today, but the best will come tomorrow.
7. The horse is fast, the car is faster, but the airplane is the fastest of all.
8. Your uncle is more well-to-do than your cousin.
9. This performance will probably be cheaper than the best we saw this year.
10. Which is the largest city in Hungary?
11. My house is nicer than your large building.
12. Which is the shortest street in this city?
13. The smallest child likes candy.
14. Today's lesson was more difficult than last week's.
15. He has as much money as my teacher.
16. The older bread is more bitter than the new.
17. The lower grade is easier than the upper grade.
18. The supreme court did not change the sentence. (ítélet, nom. sing.)
19. I know the most aristocratic family in town.
20. The small river is swifter than the larger.
21. The ruler is two centimeters longer than the pencil.
22. My younger brother is 5 years younger than my older brother.
23. It is raining and snowing.
24. In winter the nights are longer and the days are shorter than in the spring.

25. In the summer there is often lightening.
26. In summer we have the most sun.
27. In Canada English and French are spoken.
28. Somebody bought the best book in this store.
30. The whole world talks about him. (róla)

D) Fordítsuk le magyarra. Translate into Hungarian.

1. Everybody says that I am the oldest boy in my class.
2. This summer I got the most interesting book and the smallest toy.
3. You and your friend will come to our home.
4. The teacher explained the newest lesson.
5. A noise can be heard in the street.
6. The Boys of Pál utca (A Pál utcai fiúk) is one of the best novels of Francis Molnár.
7. Every parcel is light, but this is the heaviest among them.
8. The largest table is in the dining room.
9. The new student is more faithful than the last one was.
10. He is the best boy in the school.
11. I got a more expensive gift for Christmas this year than last year.
12. You can see us better than you can see them.
13. In summer the days are longer than in winter.
14. The longest day is on the 21st of June.
15. The smaller sized car runs much faster than my larger (one).

E) Fordítsuk le angolra. Translate into English.

1. Több ajándékot kaptam karácsonyra, mint te.
2. Tegnap olyan sokat ettem, mint ön.
3. Ő kevés nyelvet tanult az iskolában, te kevesebbet, én a legkevesebbet.
4. Öcsém a legjobb fiú a családban.
5. A vacsora jó, de az ebéd jobb volt.
6. Nyáron és ősszel melegebb az idő, mint télen.
7. Tavasszal hosszabbak a napok, mint decemberben.
8. Májusban van a legtöbb eső.
9. Nyáron sokszor villámlik.
10. Én az alsó lakásban lakom, te a legfelsőben.

TIZENEGYEDIK LECKE. (11)

Az életben szorgalmasan kell dolgozni.

Állandóan lehet hallani ezt a közmondást: "Nem az iskola részére, hanem az élet részére tanulunk." Nagyon okosan mondták ezt a régi rómaiak és nekünk jól kell tudnunk ezt, ha sikeresen akarunk dolgozni munkahelyünkön. Ma már majdnem minden országban könnyen lehet iskolába járni, nem kell fizetni és olcsón lehet tanulni az egyetemeken is. Lehetőleg hosszabb ideig kell az iskolában maradni, mert, amíg valaki fiatal, jól és sikeresen tanul, ha szépen és komolyan dolgozik. Az élet bőven ad jutalmat a szorgalmasan végzett munkáért. Valahol olvastam a különbséget a jól és rosszul végzett munka között. Aki jobban dolgozik, szebb eredményt ér el. Lehetőleg kellemesen és inkább jókedvűen kell az időt tölteni, mint esztelenül viselkedni. Bátran és szabadon kell kiválasztani a tantárgyakat az iskolában. Ha gyengén tanulunk, nem leszünk sikeresek a munkában. Földrajzot, történelmet, számtant, mértant, fizikát, kémiát és nyelveket kell főleg tanulnunk. Milyen nyelveken akarnak önök jól beszélni? Mi kitünően akarunk beszélni: angolul, magyarul, franciául, németül, olaszul, oroszul, lengyelül, csehül, horvátul, görögül, törökül, románul, japánul, kínaiul, burmaiul, finnül, svédül, norvégül és eszperantóul. Lehetőleg minél több nyelvet akarok beszélni, de inkább kevesebbet és jól, mint többet, de rosszul. Te lassan beszéltél, de mindent kellőképen megmondtál. Valószínűleg máskor is lesz alkalmunk hosszan és érdekesen beszélgetni. Megigérem, hogy mindíg pontosan fogok dolgozni munkahelyemen: az iparban, a gyárban, az iskolában, a hivatalban vagy a farmon (mezőgazdaságban).

Kérdések. Questions.

1. Mikor lehet hallani a közmondást?
2. Miért kell ezt nekünk jól tudnunk?
3. Hogyan lehet tanulni az egyetemeken?
4. Hogyan tanul valaki, amíg fiatal?
5. Milyen munkáért ad az élet jutalmat?
6. Milyen eredményt ér el az, aki jobban dolgozik?
7. Hogyan kell az időt tölteni?
8. Milyen nyelveket tanul ön az iskolában?
9. Milyen nyelveket beszélnek ezekben az országokban: az Egyesült Államokban, Magyarországon, Franciaországban, Németországban, Romániában, Kínában, Burmában, Svédországban, Finnországban, Norvégiában és Horvátországban?

10. Hány nyelvet akarsz te beszélni?
11. Hogyan akarod beszélni ezeket a nyelveket?
12. Hogyan fogunk máskor beszélgetni?
13. Hogyan fogsz mindíg dolgozni?
14. Hány munkahelyet ismersz?
15. Hol van barátod munkahelye?

Szavak.

tizenegyedik—eleventh
szorgalmasan—diligently
dolgozni—to work
állandóan—constantly
közmondás—proverb
részére (postposition)—for
   (preposition)
okosan—prudently, wisely
régi—ancient, old
római—Roman
nekem kell—it is necessary for
   me
sikeresen—successfully
munkahely—working place
már—already
majdnem—almost
minden—every
könnyen—easily
olcsón—cheaply
is—too, also
különböző—different
különbség—difference
mert—because, for
amíg—until, as long as
lehetőleg—possibly
maradni—to remain, to stay
jutalom—reward
kellemesen—pleasantly
esztelenül—imprudently
végzett—finished, done
viselkedni—to behave
-ért (suffix)—for (postposition)
a végzett munka—the completed
   job
bátran—courageously, bravely
szabadon—freely
kiválasztani—to choose, to select

választani—to elect, to choose
gyengén—weakly
tanulás—study
főleg—mainly
mértan—geometry
nagyon—very
kellemetlenül—unpleasantly
elérni—to achieve, reach
érezni magát—to feel
   (reflexive in Hungarian)
külföld—foreign country
jól—well
kitűnően—excellently
inkább—rather
rosszul—badly
lassan—slowly
mint—as
kellőképen—necessarily
valószínűleg—probably
máskor—at an other time
alkalom—occasion, opportunity
hosszan—at length
érdekesen—interestingly
beszélgetni—to talk, to converse
beszélni—to speak
megigérni—to promise
mindig—always
pontosan—exactly
ipar—skill, trade, industry
gyár—factory
hivatal—office
farm—farm
mezőgazdaság—agriculture
mikor—when
miért—why
hogyan—how
katona—soldier

§ 63. *A határozók. The Adverbs.*

The adverbs determine the circumstances of an action, i.e. the time, place, manner and state of an action. Adverbs are mostly formed from adjectives *The formative suffixes* of adverbs formed from adjectives are: *-n, -an, -en, -ön, -l, -ul, -ül.*

A)

Adjectives	Adverbs	Formative suffixes
olcsó—cheap	olcsón—cheaply	-n
tiszta—clean	tisztán—cleanly	long vowel plus -n
drága—expensive, dear	drágán—expensively, dearly	long vowel plus -n
hülye—crazy	hülyén—in a crazy way, crazily	long vowel plus -n
fekete—black	feketén—in a black way (against the law)	long vowel plus -n
magas—high	magasan—highly	-an
bátor—brave	bátran—bravely	-an
szép—nice	szépen—nicely	-en
édes—sweet	édesen—sweetly	-en
rövid—short	röviden—shortly	-en
sikeres—successful	sikeresen—successfully	-en
szerencsés—lucky	szerencsésen—luckily	-en
nagy—great	nagyon—greatly	-on
szabad—free	szabadon—freely	-on
jó—good	jól—well	-l
rossz—bad	rosszul—badly	-ul
szemtelen—impertinent	szemtelenül—impertinently	-ül

B)   adjectives ending in *ó, ő, u, ú, ü, ű*

állandó—permanent	állandóan—permanently	-an
méltó—worthy	méltóan—worthly	-an
lassú—slow	lassan—slowly	-an
hosszú—long	hosszan—at length	-an
ifjú—young	ifjan—as a youth	-an

130

előkelő—aristocratic	előkelően—in an aristocratic manner	-en
könnyű—easy	könnyen—easily	-en
szörnyű—terrible	szörnyen—terribly	-en
valószínű—probable	valószínűen—probably	-en
or	valószínűleg — probably	-leg

NOTE:

bő—abundant	bőven—abundantly	-ven
hű—faithful	hűen—faithfully	-en
or	híven—faithfully	-ven

C) formative suffix: -lag, -leg

atyai—paternal	atyailag—paternally	-lag
költői—poetic	költőileg—poetically	-leg
lehető—possible	lehetőleg—possibly	-leg
külső—external	külsőleg—externally	-leg

D) names of nations and adjectives ending in: -talan, -telen, -tlan, -etlen

angol—English	angolul—in English	-ul
francia— French	franciául—in French	-ul
magyar—Hungarian	magyarul—in Hungarian	-ul
német—German	németül—in German	-ül
szerb—Serbian	szerbül—in Serbian	-ül
cseh—Czech	csehül—in Czech	-ül
kínai—Chinese	kínaiul—in Chinese	-ul
olasz—Italian	olaszul—in Italian	-ul
spanyol—Spanish	spanyolul—in Spanish	-ul

határtalan—limitless unlimited	határtalanul—to an unlimited extent	-ul
esztelen—foolish	esztelenül—foolishly	-ül
váratlan—unexpected	váratlanul—unexpectedly	-ul

§ 64. *A határozók fokozása. Comparison of adverbs.*

Adverbs which are derived from adjectives form their comparative and superlative by adding their formative suffix to the comparative and superlative endings of the adjectives.

Adjectives

Positive	Comparative	Superlative
a)		
olcsó	olcsóbb	legolcsóbb
cheap	cheaper	cheapest
állandó	állandóbb	legállandóbb
permanent	more permanent	most permanent
rövid	rövidebb	legrövidebb
short	shorter	shortest
b)		
jó	jobb	legjobb
good	better	best
rossz	rosszabb	legrosszabb
bad	worse	worst
c)		
atyai	atyaibb	legatyaibb
paternal	more paternal	most paternal
költői	költőiebben	legköltőibben
poetic	more poetic	most poetic

Adverbs

Positive	Comparative	Superlative
a)		
olcsón	olcsóbban	legolcsóbban
cheaply	more cheaply	most cheaply

állandóan	állandóbban	legállandóbban
permanently	more permanently	most permanently
röviden	rövidebben	legrövidebben
shortly	more shortly	most shortly

b)

jól	jobban	legjobban
well	better	best
rosszul	rosszabbul	legrosszabbul
badly	more badly	most badly

c)

atyailag	inkább atyailag	leginkább atyailag
paternally	more paternally	most paternally
költőileg	inkább költőileg	leginkább költőileg
poetically	more poetically	most poetically

Gyakorlatok. Exercises.

A) *Képezzünk határozókat a zárójelbe tett melléknevekből.*
Let us form adverbs from the adjectives in parentheses.

1. A kis fiú (szép) .... játszik.

2. A kis leány (édes) .... alszik.

3. A tanuló (bátor) .... beszél.

4. A tanárok (érdekes) .... magyaráznak. ....

5. A tanító felesége (tiszta) .... főz.

6. A színésznő (jó) .... énekel.

7. Az élet (bő) .... ad jutalmat a (szorgalmas) ....
végzett munkáért.

8. A madarak (magas) .... repültek.

9. (Olcsó) .... fogok venni autót.

10. (Rövid) .... meg akarom mondani, hogyan lehet az időt (kel-
lemes) .... tölteni.

11. (Valószínű) .... János fog tanulni (angol) .... (adv.)

12. Ön (könnyű) .... beszél (német) .... és (kínai) .... de ő (rossz) .... olvas (török) ....

13. Hol tanultatok ti (latin) .... és (görög) ....?

14. Ma (jóízű) .... ettük meg az ebédet.

15. (Lehető) .... minél többet és (állandó) .... kell írnunk és olvasnunk, ha (tökéletes) .... akarunk tudni idegen nyelveket.

B) *Tegyük az A gyakorlatot középfokba. Put exercise A into the comparative.*

C) *Fordítsuk le magyarra. Translate into Hungarian.*

1. In the fall we came back to the city where we live permanently.
2. In school I learn well, my brother learns better, and my elder sister learns the best.
3. This year I work easier and faster.
4. Occasionally I go to the theater.
5. I like it very much if they speak English, French, Spanish, German and Hungarian.
6. My friend studied most successfully at this university.
7. I live permanently in this great city.
8. In America newspapers write freely.
9. We know exactly how you study, most successfully.
10. I would rather speak pleasantly and prudently than imprudently and unpleasantly.

D) *Fordítsuk le angolra. Translate into English.*

1) A madár énekel a legszebben. 2) Mi a legmagasabb épületben lakunk a városban. 3) Ez az autó megy a leggyorsabban. 4) Jókai Mór kellemesebben írt, mint Szabó Dezső. 5) József szépen ír, János szebben ír, de Julianna ír a legszebben. 6) Én könnyen meg tudom ezt csinálni. 7) Ők valószínűleg sikeresen tanultak németül és franciául Svájcban. 8) Ki a legidősebb és ki a legfiatalabb ebben az iskolában? 9) A mi utcánk a leghosszabb a városban. 10) Ő a leghívebb katona.

TIZENKETTEDIK LECKE. (12)

A Hortobágyon.

Majdnem minden magyar ember ismeri a Hortobágyot és majdnem minden külföldi tudja, hol van a híres magyar puszta. Tudom, mikor indul a vonat Budapestről és jó lenne, ha vasárnap reggel elmehetnénk a hortobágyi csárdához. Hétfőn ismét dolgozhatnánk. A gyermekeknek szabad lenne játszani a pusztán. Nagybátyám beteg, de talán ő is bírna velünk utazni. Az utazás nyolc órától tizenegy óráig tartana. Egy óra előtt már a Hortobágyon lehetnénk. A puszta olyan sík, mint egy asztal. Forró nyáron délibábot is lehet ott látni. A pusztán lovak, tehenek, bikák és juhok legelnek. Pásztorok vigyáznak az állatokra. A csikósok jól tudnak lovagolni. Egy városi fiú nem volt képes felülni a lóra. Mindenkinek szabad lovagolni, ha tud. Szeretnék mindent látni. Megnézhetjük a halas tavat? Minden halat el bírnak adni a piacon. A Hortobágy közepén egy vendéglő van, amelyet csárdának hívnak. Ez egy modern étterem, vízvezeték is van benne. Ott lehet enni és emléktárgyakat venni. A hortobágyi csárda körülbelül 40 kilométerre van Debrecentől. Debrecen nagy alföldi város, van egyeteme és repülőtere. Az egyetem 1916 óta van ott. Tisza István egyetemnek hívták, ma Kossuth Lajos egyetem a neve. Este repülőgépen mehetnénk vissza Budapestre, ahová éjfél után érkezhetnénk meg. Várnálak téged is és szeretnélek látni nyolc órakor az állomáson. Ha ott lennél, együtt mehetnénk a Hortobágyra és Debrecenbe. Éjjel együtt jöhetnénk haza. Remélem, a kirándulás sikerülni fog.

Kérdések. Questions.

1. Ki ismeri a Hortobágyot? 2. Ki tudja, hol van a magyar puszta? 3. Mikor indul a vonat Budapestről? 4. Mi lenne jó vasárnap reggel? 5. Mit szabad csinálni a gyermekeknek a pusztán? 6. Ki bír talán velük utazni? 7. Meddig tart az utazás? 8. Mikor lehetnénk ott? 9. Milyen a puszta? 10. Mit lehet látni a pusztán nyáron? 11. Mik legelnek a pusztán? 12. Kik vigyáznak az állatokra? 13. Ki nem volt képes lóra ülni? 14. Kinek szabad lovagolni? 15. Hogyan hívják a modern vendéglőt a puszta közepén? 16. Mit lehet ott venni? 17. Hány kilométerre van a Hortobágy Debrecentől? 18. Mióta van egyetem Debrecenben? 19. Hogyan mehetnénk vissza Budapestre? 20. Hány órakor lehetnénk Budapesten?

Szavak.

tizenkettedik—twelfth
Hortobágy—Hortobágy (semiarid
  plains in Eastern Hungary)
majdnem—almost
puszta—semiarid prairie
-hatni or -hetni—to be able,
  to be permitted
elmehetni—to be able to go
csárda—roadside inn, village inn
ismét—again
szabad—free
nekem szabad—I may
a gyermekeknek szabad—the
  children may
beteg—ill, sick
talán—perhaps
bírni—to be able, (to be strong
  enough)
tartani—to hold, to last
-tól, -től—from
-ig—until
sík—level, even
forró—hot
délibáb—mirage
bika—bull
juh—lamb
lehet—it is possible

ismerni—to be acquainted with
  to know
külföldi—foreigner
híres—famous
legelni—to graze
képesnek lenni—to be able (to do
  something)
pásztor—shepherd
vigyázni—to watch
csikós—horseherder, cowboy
lovagolni—to ride a horse
halas tó—fish hatchery
hal—fish
eladni—to sell
közép—middle
étterem—dining hall
vízvezeték—water plumbing
  (aquaduct)
emléktárgy—souvenir
körülbelül—about, circa
alföldi—of plains (pertaining to
  plains)
repülőtér—airport
óta—since
repülőgép—airplane
remélni—to hope
sikerülni—to succeed

§ 65. A feltételes mód. The Conditional.

In Hungarian the conditional is used in both the main clause and the subordinate clause. It expresses the action, the fulfillment of which depends on a certain condition. It can also represent wish, mild command, doubt or uncertainty.

Formation of Conditional. The sign of the present conditional is: *-na, -ne,* or *-ná, -né.* We add the sign of the conditional to the infinitive stem of the verb.

Feltételes mód, jelen idő. Conditional mood, present tense.

lenni has two conditionals:

Infinitive	Inf. stem.	Present conditional	
lenni—to be	len-	lennék—I would be	volnék—I would be
		lennél—you would be	volnál
		lenne	volna
		lennénk	volnánk
		lennétek	volnátok
		lennének	volnának
		ön lenne	ön volna
		önök lennének	önök volnának

volnék from *"volt"*, *past tense* of to be.

NOTE: The law of vowel harmony is *not* applied to the *first person singular* (indefinite conjugation), *-ék* is the ending after both sharp and flat vowels.

A)

Indefinite (subjective) conjugation	Personal endings	Definite (objective) conjugation	Personal endings
adni—to give			
adnék—I would give	-k	adnám—I would give (it)	-m
adnál—you should give	-l	adnád	-d
adna	-	adná	-
adnánk	-nk	adnók or adnánk*	-k, -nk
adnátok	-tok	adnátok	-tok
adnának	-nak	adnák	-k
ön adna	-	ön adná	-
önök adnának	-nak	önök adnák	-k

*as in indefinite conjugation.

írni—to write

írnék—I would write	írnám—I would write (it)
írnál	írnád
írna	írná
írnánk	írnók or írnánk
írnátok	írnátok
írnának	írnák

Present Conditional *Indefinite conjugation* olvasni—to read	*Preseni Conditional* *Definite conjugation*
olvasnék—I would read olvasnál olvasna olvasnánk olvasnátok olvasnának	olvasnám—I would read (it) olvasnád olvasná olvasnók or olvasnánk olvasnátok olvasnák

látni—to see

látnék—I would see látnál látna látnánk látnátok látnának	látnám—I would see (it) látnád látná látnók or látnánk látnátok látnák

NOTE: látnálak—I would see you (see § 23. d) special endings -lak, -lek.)
kérni—to ask

kérnék—I would ask kérnél kérne kérnénk kérnétek kérnének	kérném—I would ask (it) kérnéd kérné kérnők or kérnénk kérnétek kérnék

NOTE: kérnélek—I would ask you.

várni—to wait (for) (to await)

várnék—I would wait (for) várnál várna várnánk várnátok várnának	várnám—I would wait for (it) várnád várná várnók or várnánk várnátok várnák

NOTE: várnálak—I would wait for you

küldeni—to send

küldenék—I would send	küldeném—I would send (it)
küldenél	küldenéd
küldene	küldené
küldenénk	küldenők or küldenénk
küldenétek	küldenétek
küldenének	küldenék

NOTE: küldenélek—I would send you (somewhere)

Present Conditional	*Present Conditional*
Indefinite conjugation	*Definite conjugation*
venni—to buy	

vennék—I would buy	venném—I would buy (it)
vennél	vennéd
venne	venné
vennénk	vennők or vennénk
vennétek	vennétek
vennének	vennék

NOTE: vennélek—I would buy you, megvennélek is better, the verbal prefix "meg-" expresses the perfective aspect, the finished action of the verb.

Indefinite Conjugation

jönni—to come	menni—to go
jönnék—I would come	mennék—I would go
jönnél	mennél
jönne	menne
jönnénk	mennénk
jönnétek	mennétek
jönnének	mennének

B) *Ikes verbs*

dolgozni	lakni	feküdni	aludni
to work	to dwell	to lie	to sleep
	to live		

dolgoznám—I would work	laknám	feküdném	aludnám
dolgoznál	laknál	feküdnél	aludnál
dolgoznék*	laknék	feküdnék	aludnék
dolgoznánk	laknánk	feküdnénk	aludnánk
dolgoznátok	laknátok	feküdnétek	aludnátok
dolgoznának	laknának	feküdnének	aludnának

*These forms are colloquial:

1st sing.

dolgoznék—I would work	laknék	feküdnék	aludnék

3rd sing.

dolgozna—he should work	lakna	feküdne	aludna

Present Conditional

Indefinite conjugation   *Definite conjugation*

enni—to eat

colloquial	*literary form*	*(Definite)*
ennék—I would eat	enném	enném—I would eat (it)
ennél	ennél	ennéd
enne	ennék	enné
ennénk	etc.	ennők or ennénk
ennétek		ennétek
ennének		ennék
ön enne		
	ön ennék	ön enné
önök ennének		önök ennék

Present Conditional

Indefinite conjugation   *Definite conjugation*

inni—to drink

colloquial	*literary form*	*(Definite)*
innék—I would drink	innám	innám—I would drink (it)
innál	innál	innád
inna	innék	inná
innánk	etc.	innók or innánk
innátok		innátok
innának		innák

NOTE: inná*lak*—I would drink you, ennélek—I would eat you

C) The conditional with the verb: hatni, hetni—to be able, to be permitted

a) látni—to see

Present Conditional

	Indefinite conj.	Definite conj.
látnék (indefinite)	láthatnék— I would be	láthatnám—I would be
látnám (definite)	able to see	able to see (it)
	láthatnál	láthatnád
	láthatna	láthatná
	láthatnánk	láthatnók or láthatnánk
	láthatnátok	láthatnátok
	láthatnának	láthatnák
	ön láthatna	ön láthatná
	önök láthatnának	önök láthatnák

NOTE: láthatnálak—I would be able to see you

kérni—to ask (for)

kérnék (indefinite)	kérhetnék—I would be	kérhetném—I would be
kérném (definite)	able to ask (for)	able to ask for (it)
	kérhetnél	kérhetnéd
	kérhetne	kérhetné
	kérhetnénk	kérhetnök or kérhetnénk
	kérhetnétek	kérhetnétek
	kérhetnének	kérhetnék
	ön kérhetne	ön kérhetné
	önök kérhetnének	önök kérhetnék

NOTE: kérhetnélek—I would be able to ask you (for).

b) Other verbs with -hatni, -hetni: enni-chetném, inni-ihatnám, venni-vchctnók or vehetném, írni-írhatnék or írhatnám

D) The use of the conditional in the definite conjugation and in the "ikes" conjugation.
We gave two forms for the first person plural of the definite present conditional:

adnánk (as in the indefinite form) and adnók—we should give (it)
írnánk   írnók—we should write (it)
vennénk   vennők—we should buy (it)

Today we use the indefinite form even in the definite conjugation. In literary style the definite form (adnók, írnók, vennők) is employed.

Conditional in the "ikes" conjugation.

enni—to eat

Present tense		Present conditional		
Indefinite	Definite	Indef.	Colloquial (indef.)	Definite
eszem	eszem	enném	ennék	enném
eszel	eszed	ennél	ennél	ennéd
eszik	eszi	ennék	enne	enné
eszünk	esszük	ennénk	ennénk	ennénk, ennők
esztek	eszitek	ennétek	ennétek	ennétek
esznek	eszik	ennének	ennének	ennék

NOTE: For the present conditional we use today the same personal endings as for in the indefinite conjugation

> first person singular: ennék (not enném)
> third person singular: enne (not ennék)

In other words in everyday life there is no strict distinction between the ikes and indefinite conjugations.

látni—to see

Present tense

Indefinite	Definite
látok—I see	látom—I see (it)
látunk—we see	látjuk—we see (it)

NOTE: lát*lak*—I see you

Present conditional:

látnék—I would see	látnám—I would see (it)
látnánk—we would see	látnánk or látnók—we would see (it)

NOTE:
> látná*lak*—I would see you
> nézné*lek*—I would watch you

Potential verb: hatni, hetni—to be able, to be permitted.

Present: láthatok—I can see   láthatom—I can see (it)
     I am permitted to see   I am permitted to see (it)

NOTE:
> láthatlak—I am able to see you
> nézhetek—I am able to watch   nézhetem—I am able to watch (it)

NOTE:
> nézhet*lek*—I am able to watch you

Indefinite	Definite

Present conditional:

láthatnék—I would be able to see	láthatnám—I would be able to see (it)

NOTE: láthatnálak—I would be able to see you
       nézhetnélek—I would be able to watch you

Past tense:

láttam—I saw	láttam—I saw (it)
láttunk—we saw	láttuk—we saw (it)

NOTE:

    láttalak—I saw you

Potential verb:

Past:

láthattam—I was able to see	láthattam—I was able to see (it)
láthattunk—we were able to see	láthattuk—we were able to see (it)

NOTE:

láthattalak—I was able to see you	
nézhettem—I was able to watch (it)	nézhettem—I was able to watch
nézhettünk—we were able to watch	nézhettük—we were able to watch (it)

NOTE:

nézhettelek—I was able to watch you

§ 66. *Az időhatározó. The Adverbs of Time.*

Adverbial suffixes and postpositions indicating time.

The adverbs of time can indicate a threefold possibility of time:
1) when an action is happening, happened or will happen,
2) when an action begins, began or will begin,
3) when an action ends, ended or will end.

The adverbs of time can be expressed:

a) *without changing the original form* (nominative):
minden nap—every day, vasárnap—Sunday or on Sunday
Vasárnap templomba megyünk. On Sunday we go to church.
A jó tanulók minden nap dolgoznak. The good pupils work every day.

b) *with suffixes:*
-ban, -ben—in
januárban—in January, novemberben—in November
1962-ben—in 1962
-ig—until
februártól októberig—from February until October
este—evening, estig—until evening.
Estig itt leszek. I shall be here until evening.
-tól, -től—from ....
reggeltől—from morning, márciustól—from March
8-tól 9-ig—from 8 to 9
-ra, -re—on, for.
hétfőre—on Monday
Hétfőre várom a külföldi diákot. On Monday I expect the foreign
student.
-n, -on, -en, -ön—on
hétfőn—on Monday, kedden—on Tuesday, csütörtökön—on Thursday
Csütörtökön este az egyetemen egy érdekes előadás lesz.
On Thursday evening there will be an interesting lecture at the
univrsity.
(BUT: Vasárnap este—on Sunday evening) nappal—during the day

c) *with postpositions:*
előtt—before
Öt óra előtt jött haza. He came home before five o'clock.
után—after
A magyar óra után hazamegyek. I go home after the Hungarian class.
óta—since
A háború óta van Amerikában. (az Egyesült Államokban.)
He (she) has been* in America (in the United States) since the war.
*NOTE: There is only one past tense in Hungarian, and therefore the
present tense is used in Hungarian instead of the progressive past tense.
múlva—after
Két hét múlva vakáció lesz. In two weeks there will be a vacation.

d) *adverbs of time:*
tavaly—last year, idén—this year, jövőre—next year,
ma—today, tegnap—yesterday, holnap—tomorrow,

este—in the evening (or evening), reggel—in the morning (or morning)
délben—at noon, délelőtt—before noon, délután—(in the) afternoon.

most—now, azonnal—immediately, mindíg—always, mindjárt—soon,
néha—sometimes, soha—never, időnként—from time to time.

Mikor? When?   *Mióta? Since when?*

Mikor jött János Amerikába?   Mióta van János Amerikában?*
When did John come to America?   For how long has John been in
    America?

Meddig? Until when?

Meddig lesz János Amerikában?
For how long will John be in America?

Hétfőn írt levelet.   Vasárnaptól volt itt.
He (she) wrote a letter on Monday. He (she) has been here since Sunday.
    Péntekig marad itt.
    He (she) stays here until Friday.

Mikor? When?	*Mióta? Since when?*	*Meddig? Until when?*
Ma kedd van.	Tegnap óta csik.*	Holnap szerda lesz.
Today is Tuesday.	It has been raining since yesterday.	Tomorrow will be Wednesday.
		Szerdáig itt lesz.
		He (she) will be here until Wednesday.

§ 67. *Note the difference between the following similar verbs:*

tudni—to know
ismerni—to be acquainted with
bírni—to be able, (to do something, to have the necessary strength)
képes lenni—to be able, (have ability)
hatni, hetni (potential verb)—to be permitted, to be able
szabad—free
nekem szabad—I am permitted, I may
a gyermeknek szabad olvasni—the child may read.

Tudom, hogy hallottátok a jó hírt. I know (that) you heard the good news.
Tudom a számtant és a földrajzot. I know mathematics and geography.
Tudunk vezetni autót. We know how to drive a car.
Ismerjük Kovács urat. We know (are acquainted with) Mr. Kovács.
Minden embert ismerek ebben a városban. I know every man in this city.
Tudok énekelni, de ma nem bírok, mert fáj a torkom. I know how to sing,
    but today I am not able to, because I have a sore throat.
Reggel nehezen bírok felkelni. In the morning I am hardly able to get up.
Öcsém nem volt képes nézni a boxmeccset. My younger brother was not
    able to watch the boxing match.
Bírna enni, ha éhes volna. He would be able to eat if he were hungry.
Az iskolában írhatom a leckét. I am permitted to write the lesson at
    school.
Ma autón mehetünk kirándulásra. Today we can make a trip by car.
Délután nem olvashatok újságot. In the afternoon I cannot read the
    newspaper.
Ma nem láthatlak. Today I am not able to see you.
Nekem minden nap szabad hallgatni a rádiót. I may listen to the radio
    every day.
    (Or *szabad hallgatnom* — with the possessive suffix after the in-
    finitive. See § 54.)
A gyermeknek szabad az udvaron játszani. The child may play in the
    yard.

Gyakorlatok. Exercises.

A)

Ragozzuk a következő igéket egyes és többes számban:
Conjugate the following verbs in singular and plural:

Present conditional of:
    Indefinite conj.   *Definite conj.*

a)   (Indicate both forms used
                                        in 1st person plural.)
        beszélni   írni
        adni   kérni

b)
"*ikes*" verbs
        dolgozni   enni
        inni   aludni
(Indicate both forms used in 1st and 3rd person singular.)

B) Tegyük a következő mondatokat a feltételes mód jelen idejébe.
   Put the following sentences in the present conditional.

1. Ha szép idő lesz, a Hortobágyra fogok menni.
2. Jól érzem magam, ha te is velem vagy.
3. Kellemes lesz, ha a vonat reggel nyolckor indul Budapestről.
4. A csárdában ebédelünk, amikor a Hortobágyon járunk.
5. A pusztán a tehenek legelnek és a pásztorok vigyáznak rájuk.
6. Szeretem látni a délibábot.
7. Mit gondol ön, hol van a halas tó?
8. A fiúk a csárdánál játszanak.
9. Hogyan hívja ön az éttermet?
10. A hortobágyi kirándulás sikerül, ha mindenki jön.

C) Fordítsuk le magyarra. Translate into Hungarian.
   (NOTE: In Hungarian the conditional is used in both the main clause and the subordinate clause.)

1. If I were rich I would travel.
2. I would write a letter if I bought a pen.
3. If you (sing.) saw a good book, you (sing.) would read more.
4. My sister should like to buy a new pair of shoes. (sing. in Hungarian)
5. If you came into the city I would see you. (sing.)
6. I know with whom you are acquainted in France. (plur.)
7. I am not able to talk with you, I have too much work.
8. He is not able to get up in the morning.
9. He may leave (go away) if he wishes.
10. Your friend can come to play with you.
11. His horse is able to run every day.
12. We know what time (when) the train departs.
13. Do you know the new Latin words?
14. The students know the city very well.
15. They may smoke in the room. (permitted)
16. I would be at home before five o'clock.
17. I never work from midnight until morning.
18. Sometimes after supper we would like to go to the movies.
19. I was in Hungary from May to September, but since October I have been at home.
20. You (plur.) should take me with you on Sunday or on Monday.

D) Fordítsuk le angolra. Translate into English.

1. Május óta esik az eső. 2. Reggeltől estig nem lennék otthon. 3. Mit ennél ebédre? 4. Kínai ételt szeretnék enni. 5. Mit enne (ennék) bará-

tod és mit ennénk mi? 6. Itt mindenki dohányozhat. Itt mindenkinek szabad dohányoznia. 7. Neki is szabadna, ha lenne cigarettája. 8. Mikor láthatnálak? Holnap este vagy csütörtök reggel? 9. Vasárnap Szegeden, hétfőn Debrecenben, kedden Kassán, csütörtökön a Tátrában, pénteken Győrött (Győrben), szombaton pedig otthon lennénk, ha vennénk egy új autót. 10. Mióta utazik ön? Dél óta vagy reggel óta? (Déltől vagy reggeltől?) 11. Meddig tart az előadás? Az előadás minden nap éjfélig tart. 12. Ismeritek ezt a könyvet? Tudjátok, mi van benne? 13. Tud ön magyarul? 14. Ő sokat bír enni, mert nagyon éhes. 15. Mi nem vagyunk képesek egy szép képet festeni.

TIZENHARMADIK LECKE. (13)

Meghívó.

Nagyapám és nagyanyám írtak egy szép levelet és meghívtak minket vacsorára. Azt írták, hogy szeretnék, ha velük lennénk egy este. Az egész család örömmel olvasta a levelet. János is szeretett volna elmenni, ha otthon lett volna. Nagyanyám (nagymamám) sok jó ételt készített. János is evett volna belőle, ha nem lett volna messze tőlünk. Olyan sok minden volt az asztalon, mintha egy vendéglőben ettek volna. Vacsora előtt beszélgettünk és mondtuk, hogy János is velünk lenne, ha nem utazott volna vakációra. Vacsora előtt a felnőttek ittak egy kevés italt. A gyermekek is szerettek volna kapni belőle. Az előétel után, amely sajtból és halból állott, levest, húst, burgonyát (krumplit) és salátát hoztak az ebédlőbe. A felnőttek bort ittak, a gyermekeknek tejet adtak. A gyermekek nem isznak bort, sört vagy likőrt. Torta, gyümölcs és fagylalt volt az utolsó fogás. Ebéd után a nappali szobában fekete kávé mellett beszélgettek a felnőttek, a gyermekek pedig az udvaron játszottak.

Öcsém azt mondta, hogy többet evett volna és ivott volna, ha éhesebb és szomjasabb lett volna. Ha nem esett volna az eső, még sokáig kint játszottak volna az udvaron. A szomszéd gyermekek is örültek volna, ha tovább lehettek volna velük. Nagybátyám is velünk akart volna lenni, ha kaphatott volna szabadságot. Küldött volna táviratot, vagy telefonált volna, ha el tudott volna jönni. Nagyapám és nagyanyám még sokáig ott szerettek volna tartani bennünket, ha nem kellett volna hazamennünk. A gyermekek szívesen ott aludtak volna. Mi is elfogadtuk volna ezt az ajánlatot, ha másnap nem kellett volna dolgoznunk. A kedves meghívás nélkül az este sokkal egyhangúbb lett volna.

Kérdések. Questions.

1. Mit írt nagyapa és nagyanya a szép levélben?
2. Hogyan olvasta a család a levelet?
3. Mit szeretett volna csinálni János?
4. Mit szerettek volna kapni a gyermekek vacsora előtt?
5. Mit evett volna János, ha velünk lett volna?
6. Mit ivott volna János?
7. Mit csinált volna öcséd, ha éhesebb lett volna?
8. Mikor játszhattak volna a gyermekek tovább az udvaron?
9. Hogyan lehetett volna nagybátyánk is velünk?
10. Mit szerettünk volna csinálni, ha nem kellett volna hazamennünk?
11. Hol akartak volna aludni a gyermekek?
12. Milyen lett volna az este a meghívás nélkül?

Szavak.

tizenharmadik—thirteenth
meghívó—invitation (card)
meghívás—invitation
nagyapa or nagyatya—grandfather
nagyanya or nagymama—grandmother
meghívni—to invite
egész—whole
család—family
öröm—pleasure, joy
otthon—at home
ital—drink
készíteni—to prepare
messze—far
mintha—as if, though
felnőtt—grown up
előétel—hors-d'oeuvre, savoury dish
sajt—cheese
hal—fish
állni valamiből—to consist of something
leves—soup
hús—meat
burgonya (krumpli, sing.)—potatoes

saláta—salad
hozni—to bring
ebédlő—dining room
bor—wine
tej—milk
sör—beer
likőr—liquor
torta—cake
fagylalt—ice cream
sokáig—for a long time
örülni—to be pleased
szabadság—holiday, freedom, liberty
távirat—telegram
telefonálni—to telephone
szívesen—willingly, gladly
elfogadni—to accept
nélkül—without
egyhangú—monotonous
megengedni—to allow, to permit
fogás—grab; course (meal)
éhes—hungry
szomjas—thirsty
ajánlat—offer

§ 68. A feltételes múlt. The Past Conditional.

The past conditional is a compound tense. It consists of the *past indicative of a verb plus "volna"*. (*"Volna"* is the 3rd person singular of the present conditional of the verb *"lenni"*, formed from the past tense *volt*—he (etc.) was, 3rd person singular.) In Hungarian we use past conditional in both the main clause and the subordinate clause.

Infinitive	Past tense	Past conditional
adni—to give	adtam—I gave	adtam volna—I should
	I have given	have given
	I have been giving	
kérni—to ask	kértem—I asked	kértem volna—I should
		have asked
festeni—to paint	festettem—I painted	festettem volna—I
		should have painted
aratni—to harvest	arattam—I harvested	arattam volna—I should
		have harvested

NOTE: festettelek volna—I should have painted your picture
        kértelek volna—I should have asked you

E.g., Adtam volna önnek egy könyvet, ha kért volna. I would have given you a book if you had had asked for it (one).

Jól beszéltem volna magyarul, ha többet tanultam volna. I should have spoken Hungarian well if I had studied more.

lenni—to be   voltam—I was, I have been   lettem volna—I should have
                                                        been

singular	*plural*
lettem volna	lettünk volna
lettél volna	lettetek volna
lett volna	lettek volna
ön lett volna	önök lettek volna

Ha lett volna időm, írtam volna neked egy levelet. If I had had time I would have written you a letter.

menni—to go	jönni—to come
mentem volna—I should have gone	jöttem volna—I should have come
mentél volna	jöttél volna
ment volna	jött volna
mentünk volna	jöttünk volna
mentetek volna	jöttetek volna
mentek volna	jöttek volna
ön ment volna	ön jött volna
önök mentek volna	önök jöttek volna

A)

Indefinite conjugation	*Definite conjugation*

adni—to give

adtam volna—I should have given	adtam volna—I should have given (it)
adtál volna	adtad volna
adott volna	adta volna
adtunk volna	adtuk volna
adtatok volna	adtátok volna
adtak volna	adták volna
ön adott volna	ön adta volna
önök adtak volna	önök adták volna

írni—to write

írtam volna—I should have written	írtam volna—I should have written (it)
írtál volna	írtad volna
írt volna	írta volna
írtunk volna	írtuk volna
írtatok volna	írtátok volna
írtak volna	írták volna

olvasni—to read

olvastam volna—I should have read	olvastam volna—I should have read (it)
olvastál volna	olvastad volna
olvasott volna	olvasta volna
olvastunk volna	olvastuk volna
olvastatok volna	olvastátok volna
olvastak volna	olvasták volna

érezni—to feel

éreztem volna—I should have felt	éreztem volna—I should have felt (it)
éreztél volna	érezted volna
érzett volna	érezte volna
éreztünk volna	éreztük volna
éreztetek volna	éreztétek volna
éreztek volna	érezték volna

Indefinite conjugation	Definite conjugation
látni—to see	
láttam volna—I should have seen	láttam volna—I should have seen (it)
láttál volna	láttad volna
látott volna	látta volna
láttunk volna	láttuk volna
láttatok volna	láttátok volna
láttak volna	látták volna
kérni—to ask	
kértem volna—I should have asked	kértem volna—I should have asked (it)
kértél volna	kérted volna
kért volna	kérte volna
kértünk volna	kértük volna
kértetek volna	kértétek volna
kértek volna	kérték volna
várni—to wait	
vártam volna—I should have waited	vártam volna—I should have waited for (it)
vártál volna	vártad volna
várt volna	várta volna
vártunk volna	vártuk volna
vártatok volna	vártátok volna
vártak volna	várták volna
küldeni—to send	
küldtem volna—I should have sent	küldtem volna—I should have sent (it)
küldtél volna	küldted volna
küldött volna	küldte volna
küldtünk volna	küldtük volna
küldtetek volna	küldtétek volna
küldtek volna	küldték volna

Indefinite conjugation	*Definite conjugation*

tudni—to know

tudtam volna—I should have known	tudtam volna—I should have known (it)
tudtál volna	tudtad volna
tudott volna	tudta volna
tudtunk volna	tudtuk volna
tudtatok volna	tudtátok volna
tudtak volna	tudták volna

ismerni—to know, to be acquainted with

ismertem volna—I should have known	ismertem volna—I should have known (it)
ismertél volna	ismerted volna
ismert volna	ismerte volna
ismertünk volna	ismertük volna
ismertetek volna	ismertétek volna
ismertek volna	ismerték volna

B)   *"Ikes" verbs*

dolgozni—to work

dolgoztam volna—I should have worked	dolgoztam volna—I should have worked (it)
dolgoztál volna	dolgoztad volna
dolgozott volna	dolgozta volna
dolgoztunk volna	dolgoztuk volna
dolgoztatok volna	dolgoztátok volna
dolgoztak volna	dolgozták volna

lakni—to dwell, to live, to inhabit

laktam volna—I should have dwelt	laktam volna—I should have inhabited (it)
laktál volna	laktad volna
lakott volna	lakta volna
laktunk volna	laktuk volna
laktatok volna	akltátok volna
laktak volna	lakták volna

Indefinite conjugation	Definite conjugation

enni—to eat

ettem volna—I should have eaten	ettem volna—I should have eaten (it)
ettél volna	etted volna
evett volna	ette volna
ettünk volna	ettük volna
ettetek volna	ettétek volna
ettek volna	ették volna

inni—to drink

ittam volna—I should have drunk	ittam volna—I should have drunk (it)
ittál volna	ittad volna
ivott volna	itta volna
ittunk volna	ittuk volna
ittatok volna	ittátok volna
ittak volna	itták volna

feküdni—to lie (in bed)

feküdtem volna—I should have
  lain
feküdtél volna
feküdt volna
feküdtünk volna
feküdtetek volna
feküdtek volna

aludni—to sleep

aludtam volna—I should have
  slept
aludtál volna
aludt volna
aludtunk volna
aludtatok volna
aludtak volna

C) Past Conditional with the potential verb "hatni, hetni"—to be able,
to be permitted

adni—to give

adhattam volna—I could have given	adhattam volna—I could have given (it)
adhattál volna	adhattad volna
adhatott volna	adhatta volna
adhattunk volna	adhattuk volna
adhattatok volna	adhattátok volna
adhattak volna	adhatták volna
ön adhatott volna	ön adhatta volna
önök adhattak volna	önök adhatták volna

NOTE: adhattalak volna—I could have given you

küldeni—to send

küldhettem volna—I could have sent	küldhettem volna—I could have sent (it)
küldhettél volna	küldhetted volna
küldhetett volna	küldhette volna
küldhettünk volna	küldhettük volna
küldhettetek volna	küldhettétek volna
küldhettek volna	küldhették volna

NOTE: küldhettelek volna—I could have sent you (... somewhere)

ehettem volna—I could have eaten   ihattam volna—I could have drunk
NOTE: ehettelek volna—I could have eaten you

§ 69. *A feltételes mód használata. The Use of the Conditional.*

The conditional sentences can be divided into three groups:

a) *The real condition (casus realis).*

Ha küldök levelet, kapok választ.
If I send a letter I get an answer. (Present tense)

Ha küldök levelet, fogok kapni választ.
If I send a letter I shall get an answer. (Future)

Ha küldök levelet, válaszolj.
If I send a letter, answer it. (Imperative)

b) *The possible condition (casus potentialis).* The action expressed can be carried out under certain conditions.

Ha küldenék levelet, kapnék választ.
If I sent a letter I would get an answer.

Ha dolgoznék, kapnék pénzt.
If I worked I would get money.

c) *The unfulfilled condition (casus irrealis).* The action expressed would have been carried out under non-existing conditions, if the conditions had existed.

Ha küldtem volna levelet, kaptam volna választ.
If I had sent a letter I would have got an answer.

Ha dolgoztunk volna, kaptunk volna pénzt.
If we had worked we would have earned money.

NOTE: In Hungarian the conditional mood is used both in the main clause and the subordinate clause. The subordinate clause is separated from the main clause by a comma.

§ 70. *Hiányos igék. The defective verbs.*

Some verbs do not have a complete conjugation. They omit some persons in singular and plural.

A)   E.g., gyere—come along, exists only in the following forms:

1)   Singular

1   — — —

e—come along   Gyere ide! Come here!
. — — —   Gyerünk moziba! Let us go into the movies.
                   Este nyolc órakor gyertek haza. Come home
                   at eight o'clock in the evening.

155

Plural
1. gyerünk—let us go
2. gyertek—come along
3. — — — —

2) jer—come (sing. fam.) jertek—come (plur. fam.)

B) Negative of: *van* (is): *nincs—is not* The contraction exists only in
present tense.
of: *vannak* (are): *nincsenek—are not*

nem—not plus *van*—is = *nincs*
nem—not plus *vannak*—are = *nincsenek*

A magyar könyvem nincs itt. My Hungarian book is not here.
A magyar könyveim nincsenek itt. My Hungarian books are not here.
A tanuló nincs az iskolában. The student is not in school.
A tanulók nincsenek az iskolában. The pupils are not in school.

BUT: In past tense: A magyar könyvem *nem volt* itt.
My Hungarian book was not here.

future tense: A magyar könyvem *nem lesz* itt.
My Hungarian book will not be here.

C) nekem nincs—I do not have, I don't have.
(Compare: nekem van—I have)

Nincs könyvem. I have no book. Nincsenek könyveim. I have no books.
Nincs lovam. I have no horse. Nincsenek lovaim. I have no horses.
Nincs új autóm. I do not have a new car. Nincsenek új autóim. I do not
have new cars.
Nekem nincs házam, de neked van kettő. I have no house but you have
two (of them).
Bátyámnak van szép kalapja. My brother has a nice hat.
Bátyámnak nincs szép kalapja. My brother does not have a nice hat.
Bátyámnak nincsenek szép kalapjai. My brother has no nice hats.

D) *Sincs*—nothing is, or neither has
Sincs is contraction of *sem* plus *nincs* (sem—neither)
Sincsenek—sem plus *nincsenek* (plur.) nothing are, neither have.

Nekem sincs lovam. I don't have a horse either.
Nekem sincs új könyvem. I don't have a new book either.
Az új tanuló sincs itt. The new pupil is not here either.
Bátyámnak sincs háza. My brother has no house either.
Nekem sincsenek lovaim. I have no horses either.
Nekem sincsenek új könyveim. I have no new books either.
Bátyámnak sincsenek házai. My brother has no houses either.

NOTE: Nincs itt senki.
      No one is here.

BUT: *Senki sincs* itt.
      No one is here either.

Nincs semmi időm.
I have no time at all.
Neki nincsenek házai.
He has no houses.

Semmi időm sincs.
I haven't any time at all either.
Neki sincsenek házai.
He has no houses either.

E) *eredj* and *eredjetek* — from the verb: eredni—to originate
with the following meaning: eredj—go (like: menj, sing. fam.)
This verb is used only in the imperative in the 2nd person singular and
    plural.

F) *fájni*—to hurt, to ache, to grieve
This verb is used only in the 3rd person.

Nekem fáj a rossz hír. The bad news hurts me.
Fáj a fejem. I have head ache.
Neki fájna, ha tudná a valóságot. It would hurt him, if he knew the truth.

G) *szokni*—to get used to, or accustomed to
This verb is used only in the past tense.

Sok könyvet szoktam olvasni, amikor iskolába jártam. I used to read many
books when I attended school.

A gyermekek mindíg szoktak játszani, amikor együtt voltak. The children
always used to play when they were together.

A nyáron a Balatonhoz szoktunk menni. In summer we used to go to the
Balaton.

Gyakorlatok. Exercises.

A) Ragozzuk a következő mondatokat feltételes múltban.
Conjugate the following verbs in past conditional:

Indefinite conjugation   Definite conjugation

beszélni   írni
adni   kérni

"ikes" verbs
enni   inni
dolgozni   aludni

B) Tegyük a következő mondatokat feltételes jelenből feltételes múltba.
Change the present conditional in the following sentences into past
conditional:

1. Ha János ott lenne, velem ennék (enne colloquial).
2. Nagyon örülne, ha velünk lehetne.
3. Sokat ennénk, ha éhesek lennénk.
4. Játszanánk, ha sütne a nap.
5. Nagybátyám telefonálna, ha kapna szabadságot.
6. Többet tudnék mondani, ha látnálak
7. Ha szomjasak lennétek, tobbet innátok.
8. Szeretném, ha megismernéd jó barátomat.
9. Szívesen beszélnék onnel, ha együtt utaznánk.
10. A gyermekek nagyszülciknél aludnának, ha megengednénk nekik.

C) Fordítsuk le magyarra. Translate into Hungarian.

1. John would have gone if they had invited him.
2. The children would have eaten more if they had been hungry.
3. My uncle would have telephoned if he had been on vacation.
4. We would have liked to drink more.
5. If the supper had been last night my uncle could have been with us.
6. I could have played with my friend if there had not been rain.
7. You would have slept (plural) at grandfathers (house) if your parents
   had not worked in the morning.
8. You (plural, polite) would have spoken Hungarian if you had known
   the language for ten years.
9. I never would have worked on Sunday if I had had the money.
10. I would have known Europe if I had traveled with you.

D) Fordítsuk le angolra. Translate into English.

1. Ha a Hortobágyon lettem volna, a csárdában ebédeltem volna.
2. Ha elutaztunk volna Debrecenbe, megnéztük volna az egyetemet.
3. Ha János ment volna vakációra, velünk ehetett volna.
4. Ön szeretett volna kirándulni vasárnap.
5. Ha jobban beszéltem volna magyarul, kellemesebben töltöttem volna az időt Debrecenben, Szegeden, Komáromban, Budapesten és Magyarországon.
6. Ha nem esett volna (az eső), a gyermekek korán keltek volna fel.
7. Dohányoztam volna, ha vettem volna cigarettát.
8. Ha előbb írtál volna, láttalak volna a kiránduláson.
9. Ha nem dolgoztam volna sokáig, korábban feküdtem volna le.
10. Ha tudtam volna címedet, küldtem volna egy szép levelet Magyarországról.

TIZENNEGYEDIK LECKE. (14)

Ép testben ép lélek.

A régi latin közmondás szerint csak egészséges testben volt egészséges a halhatatlan lélek is. A beteg ember gondolkodása sokszor érthetetlen. Az emberi test fő részei: a fej, a törzs és a végtagok. A fejet haj takarja, amely különböző színű lehet. Az arc részei: a homlok, a szem, a fül, az orr, a száj, az ajak és az áll. Hány szeme van egy embernek? Egy embernek két szeme van. Hogyan mondják magyarul, ha valakinek hiányzik az egyik szeme? Az az ember félszemű. Akinek nincs szeme, az vak. A szem felett van a szemöldök. A szájban találjuk a nyelvet. Aki nem tud beszélni, az néma, aki nem hall, az süket. A fej és a törzs között van a nyak. Melyek a végtagjaink? A kéz és a láb. Akinek egy keze van, az félkezű, akinek egy lába van, az féllábú. A kéz részei: a kar, a könyök és a kézfej. Mindegyik kezünkön öt ujj van. A hüvelyk ujj, a mutató ujj, a középső ujj, a gyűrűs ujj és a kis ujj. Az ujjak végén köröm nő. A láb részei: a comb, a térd, a lábszár, a boka, a lábfej, a sarok és a lábujjak. Testünket bőr fedi. Miért van egészséges eszed? Azért van egészséges eszed, hogy értelmesen gondolkozzál. Miért van szemed? Azért van szemem, hogy nézzek és olvassak vele. Úgy nézz, hogy láss is. Miért van fülünk? Azért van fülünk, hogy halljunk és hallgassunk vele. Miért van önnek szája? Azért van önnek szája, hogy beszéljen, egyék (egyen) és igyék (igyon) vele. Miért van nekik orruk? Azért van nekik orruk, hogy szagoljanak és lélegezzenek vele. Miért van kezed? Azért van kezed, hogy dolgozzál, fogóddzál, írj és fess vele. Mivel érzitek a hideget és a meleget?

A hideget és a meleget az ujjunkkal és az egész testünkkel érezzük. Mit kell, hogy csináljatok a lábatokkal? A lábunkkal kell, hogy járjunk, fussunk, ugorjunk vagy ússzunk. Érintsd meg az ujjaddal a falat. Menj iskolába és hadd menjen öcséd is veled. Adjatok időt, hadd írjam meg az újságcikket. Ne írjátok meg nekik a levelet, hadd várjanak rá. Hidd el, barátom, és higgyék el, uraim, hogy a könyv a legjobb barát. Vegyetek új ruhát és új cipőt és vigyétek haza. Légy mindíg jó fiú és legyetek szorgalmas tanulók. Egyél és igyál, ha meg akarsz nőni. Siessünk, együnk és igyunk, ne maradjunk itt. Nagyanyád az idén megöregedett. Vigyázzatok, ne dolgozzatok sokat, ne öregedjetek meg. Menjetek el hazulról, hogy megnézhessétek a futballmeccset. Szabadjon felelnem a kérdésre: Itt tilos a dohányzás. Lehetséges, hogy ő kérdezzen egy kérdést? Akarom, hogy jól tanulj. Akkor megengedem, hogy nyáron elmenj a campre (táborba).

Imádkozzál és dolgozzál.

Kérdések. Questions.

1. Mit csináljak az értelmes eszemmel?
2. Mit csinálj a szemeddel?
3. Mit tegyen a fülével?
4. Miért van szánk?
5. Milyen könyv kell, hogy jól tanulhass?
6. Akarod, hogy fiad jól dolgozzék (dolgozzon)?
7. Lehetséges, hogy úgy írjon, mint az apja?
8. Lehetséges, hogy olyan gyorsan fussatok, mint mi?
9. Ugorjanak magasabbra, uraim!
10. Miért ne kérdezze, hol voltunk?
11. Mit olvassunk?
12. Melyik filmet nézzék meg, ha moziba mennek?
13. Mit csináljunk, hogy ne öregedjünk meg olyan hamar?
14. Akarod, hogy alkudjunk, ha drága lesz a bútor?
15. Óhajtod, hogy én tanítsalak?

Szavak.

tizennegyedik—fourteenth	csak—only
ép, egészséges—healthy	halhatatlan—immortal
test—body	beteg—sick, ill
lélek—soul	gondolkodás—thinking
szerint—according to	érthetetlen—unintelligible

sokszor—many times
fő rész—main part, principal part
törzs—trunk
végtag—limbs (sing. in Hung.)
haj—hair
takarni—to cover
arc—face
homlok—forehead
szem—eye
fül—ear
száj—mouth
ajak—lips (sing. in Hungarian)
áll—chin
félszemű—one-eyed (half-eyed)
szemöldök—eyebrow
vak—blind
nyelv—tongue, language
néma—dumb
hallani—to hear
süket—deaf
találni—to find
nyak—neck
láb—leg or foot
lábfej—foot
félkezű—one-handed
   (half-handed)

féllábú—one-legged (half-legged)
kar—arm
könyök—elbow
kézfej—hand (back of)
ujj—finger, toe
köröm—fingernail, toenail
nőni—to grow
lábujj—toe
kézujj—finger
comb—thigh
térd—knee
lábszár—shin
sarok—heel
boka—ankle
bőr—skin, leather
fedni—to cover
ész—mind
értelmes—intelligent
gondolkodni—to think
óhajtani—to wish
imádkozni—to pray
kérem, tessék—please
alkudni—to bargain
hüvelykujj—thumb
megérinteni—to touch

§ 71. *A felszólító mód. The Subjunctive mood.*

The subjunctive mood (sometimes called the imperative) has only one tense: the present. Generally the subjunctive is found in the subordinate clause introduced by "hogy" (that) after a verb expressing: will, desire, command, consent, regret, possibility, impossibility, necessity.

The sign of the subjunctive is: *-j* (-ja, -je), which is added to the infinitive stem.

NOTE: The subjunctive is used much more infrequently in English than in Hungarian.

Infinitive	adni—to give

Inf. stem.	*Subjunctive*
ad-	adj—give, that you may give, that you might give, in order to give, you ought to give
ír-	írni—to write írj—write, that you may write, in order to write, you ought to write
kap-	kapni—to get kapj—get, that you may get, etc.
vár-	várni—to wait várj—wait, that you may wait, etc.
kér-	kérni—to ask kérj—ask, that you may ask, etc.
küld-	küldeni—to send küldj—send, that you may send, etc.
ebédel-	ebédelni—to lunch, to dine ebédelj—lunch, that you may lunch, etc.
indul-	indulni—to depart, to set out indulj—set out, that you may set out, etc.
tud-	tudni—to know tudj—know, that you may know, etc.
hall-	hallani—to hear hallj—hear, that you may hear, etc.
dolgoz-	dolgozni—to work dolgozzál—work, that you may work, etc.

(ő dolgozik — "ikes" verb — he (she, it) works)

A.   *The Subjunctive Conjugation.*

Indefinite conjugation	*Definite conjugation*
adni—to give	
adjak—that I may give	adjam—that I may give (it)
adj	adjad or add
adjon	adja
adjunk	adjuk
adjatok	adjátok
adjanak	adják

mondani—to say

mondjak—that I may (might) say	mondjam—that I may (might) say (it)
mondj	mondjad or mondd
mondjon	mondja
mondjunk	mondjuk
mondjatok	mondjátok
mondjanak	mondják

írni—to write

írjak—that I may (might) write	írjam—that I may (might) write (it)
írj	írjad or írd
írjon	írja
írjunk	írjuk
írjatok	írjátok
írjanak	írják

kapni—to get, to obtain

kapjak—that I may (might) get	kapjam—that I may (might) get (it)
kapj	kapjad or kapd
kapjon	kapja
kapjunk	kapjuk
kapjatok	kapjátok
kapjanak	kapják

várni—to wait

várjak—that I may (might) wait	várjam—that I may (might) wait for (it)
várj	várjad or várd
várjon	várja
várjunk	várjuk
várjatok	várjátok
várjanak	várják

kérni—to ask

kérjek—that I may (might) ask   kérjem—that I may (might)
                                               ask (it)
kérj   kérjed or kérd
kérjen   kérje
kérjünk   kérjük
kérjetek   kérjétek
kérjenek   kérjék

küldetni—to send

küldjek—that I may send   küldjem—that I may send (it)
küldj   küldjed or küldd
küldjön   küldje
küldjünk   küldjük
küldjetek   küldjétek
küldjenek   küldjék

tudni—to know

tudjak—that I may know   tudjam—that I may know (it)
tudj   tudjad or tudd
tudjon   tudja
tudjunk   tudjuk
tudjatok   tudjátok
tudjanak   tudják

hallani—to hear

halljak   that I may hear   halljam—that I may hear (it)
hallj   halljad or halld
halljon   hallja
halljunk   halljuk
halljatok   halljátok
halljanak   hallják
ön halljon   ön hallja
önök halljanak   önök hallják

ebédelni—to dine

ebédeljek—that I may dine
ebédelj
ebédeljen
ebédeljünk
ebédeljetek
ebédeljenek

a) 1. In the subjunctive of the definite conjugation the 2nd person singular (familiar form) has two forms: a long form, e.g. *adjad* and a shorter one: *add,* mondjad or mondd, írjad or írd, kapjad or kapd, várjad or várd, küldjed or küldd, tudjad or tudd, halljad or halld. These shorter forms are derived from the longer ones by dropping the "j" sign of the subjunctive and the vowel: adjad and add, kérjed and kérd.

a) 2. Note: adja*lak*—that I may give you (to sb.)
várja*lak*—that I may wait for you
küldje*lek*—that I may send you (somewhere)

b) The "j" sign of the subjunctive changes or assimilates if the stem of a verb ends in one of the following consonants:

1. -s — olvasni—to read   inf. stem: olvas-
2. -sz — halászni—to fish   "   " halász-
3. -z — főzni—to cook   "   " főz-
4. -dz — fogódzni—to cling   "   " fogódz-
5. -t — hallgatni—to listen   "   " hallgat-
6. -szt — választani—to choose   "   " választ-
7. -st — festeni—to paint   "   " fest-

1. -s — assimilates the "j" of the subjunctive, e.g.,
olvasni, olva*s*-plus *j* — olva*ss*—read, that you may read, etc.
mosni—to wash, mo*s*-plus *j* — mo*ss*—wash, that you may wash, etc.
ásni—to dig, á*s*-plus *j* — á*ss*—dig, that you may dig, etc.
2. -sz — assimilates the "j" of the subjunctive. Note *double szsz is ssz.*
halászni—to fish, halá*sz*-plus *j* — halá*ssz*unk—let us fish, that we may fish, etc.
mászni—to crawl, má*sz*-plus *j* — má*ssz*unk—let us crawl, that we may crawl, etc.
3. -z — főzni—to cook, fő*z*-plus *j* — fő*zz*—cook, that you may cook, etc.
fő*zz*ünk—let us cook, that we may cook, etc.
húzni—to pull, hú*z*-plus *j* — hú*zz*—pull, that you may pull, etc.

4. -dz — fogódzni—to cling, fogódz-plus *j* — fogóddzunk—let us cling, that we may cling, etc.
   edzeni—to train, to drill, edz-plus *j* eddzünk—let us train, that we may train, etc.
5. a) short vowel before -t
   hallgatni—to listen, hallgat-plus *j* gives -*ss*,
      hallgass—listen, that you may listen
   szeretni—to love, szeret-plus *j* gives szeress—love, that you may love

Exception in this group:

látni—to see, lát- (there is long vowel in front of -t) *láss*—see, that you may see
megbocsátani—to forgive, megbocsát- megbocsáss—that you may forgive
   bocsáss meg—forgive (imperative)

5. b) long vowel before -t
   tanítani—to teach, tanít-plus *j* — taníts—teach, that you may teach
   fordítani—to translate, fordít-plus *j* — fordítsunk—let us translate, that we may translate
6. -szt — osztani—to divide, oszt-, -*t* is dropped, *sz* plus *j* gives *ssz.*
   ossz—divide, that you may divide
   akasztani—to hang, akaszt-, -*t* dropped, *sz* plus *j* gives *ssz*
   akassz—hang, that you may hang
7. -st — festeni—to paint, fest-, -*t* dropped, *s* plus *j* gives *ss*
   fess—paint, that you may paint, fessünk—let us paint, that we may paint

   tetszeni—to be pleased — tessék—please, beg pardon
   látszani—to seem — lássék—that it may seem

B.   *Subjunctive conjugation*

Indefinite conjugation   *Definite conjugation*

B) 1. olvasni—to read

olvassak—that I may read	olvassam—that I may read (it)
olvass	olvassad or olvasd
olvasson	olvassa
olvassunk	olvassuk
olvassatok	olvassátok
olvassanak	olvassák
ön olvasson	ön olvassa
önök olvassanak	önök olvassák

B) 2. halászni—to fish (*ikes* verb, ő halászik—he fishes)
kihalászni—to fish out (something)

halásszam (halásszak)—that I
  may fish
halásszál
halásszék (halásszon)
halásszunk
halásszatok
halásszanak

kihalásszam—that I may fish (it)
  out
kihalásszad or kihalászd
kihalássza
kihalásszuk
kihalásszátok
kihalásszák

B) 3. vigyázni—to watch, to be careful, to guard

vigyázzak—that I may watch
vigyázz
vigyázzon
vigyázzunk
vigyázzatok
vigyázzanak

vigyázzam—that I may watch (it)
vigyázzad or vigyázd
vigyázza
vigyázzuk
vigyázzátok
vigyázzák

B) 4. edzeni—to train, to drill, to develop, to coach

eddzek—that I may train
eddz
eddzen
eddzünk
eddzetek
eddzenek

eddzem—that I may train (it)
eddzed or eddzd
eddze
eddzük
eddzétek
eddzék

B) 5a. szeretni—to love

szeressek—that I may love
szeress
szeressen
szeressünk
szeressetek
szeressenek

szeressem—that I may love (it)
szeressed or szeresd
szeresse
szeressük
szeressétek
szeressék

NOTE: szeresselek—that I may love you   Szeresselek? Should I love you?
    Kell, hogy szeresselek. It is necessary to love you.

Indefinite conjugation	*Definite conjugation*

B) 5a. *Exception:* látni—to see

lássak—that I may see	lássam—that I may see (it)
láss	lássad or lásd
lásson	lássa
lássunk	lássuk
lássatok	lássátok
lássanak	lássák

B) 5b. tanítani—to teach

tanítsak—that I may teach	tanítsam—that I may teach (it)
taníts	tanítsad or tanítsd
tanítson	tanítsa
tanítsunk	tanítsuk
tanítsatok	tanítsátok
tanítsanak	tanítsák

NOTE: Akarod, hogy tanítsalak? Do you wish me to teach you?

B) 6. osztani—to divide, deal cards

osszak—that I may divide	osszam—that I may divide (it)
ossz	osszad or oszd
osszon	ossza
osszunk	osszuk
osszatok	osszátok
osszanak	osszák

B) 7. festeni—to paint

fessek—that I may paint	fessem—that I may paint (it)
fess	fessed or fesd
fessen	fesse
fessünk	fessük
fessetek	fessétek
fessenek	fessék

NOTE: fesselek—that I may paint you
       lássalak—that I may see you

Akarod, hogy fesselek a képre? Do you wish me to paint you in the picture?

C. *"Ikes" verbs in the subjunctive.*

Verbs of the "ikes" group in colloquial Hungarian have in the 1st person of the singular the same personal endings as the indefinite conjugation. (Játszani—to play Present indicative: játsz*om*—I play, játsz*ol*, játsz*ik*, játszunk, játszotok, játszanak, colloquial: játszok.)

The personal ending of the 2nd person singular for ikes verbs in subjunctive is: -ál, -él.

Subjunctive

Indefinite conjugation   *Definite conjugation*

játszani

játssz*am* (játsszak) — that I may játsszam—that I may play (it)
   play
játssz*ál*   játsszad or játszd
játssz*ék* (játsszon)   játssza
játsszunk   játsszuk
játsszatok   játsszátok
játsszanak   játsszák

NOTE: játszunk—we play
      játsszunk—that we may play

mászni—to crawl, to creep

másszam (másszak)—that I may   megmásszam—that I may crawl
   crawl   up (it)
másszál   megmásszad or megmászd
másszék (másszon)   megmássza
másszunk   megmásszuk
másszatok   megmásszátok
másszanak   megmásszák

NOTE: There are two forms for the 1st and 3rd person of the singular, (indef. conj.). Colloquial Hungarian shows a trend towards elimination of the "ikes" conjugation, and simply uses the personal endings of the indefinite conjugation.

D. *Verbs ending in ó or ő: fő, lő, sző, ró.*
lőni—to shoot, szőni—to weave, róni—to scold, to blame, to scribble,
főni—to be cooked.
In the original stem of these verbs there was the "v" letter. This original
"v" has remained in the present tense: lövök, lősz, lő, lövünk, lőtök, lőnek.
(Note the shortening of the vowel in the 1st person sing. and plural.)

Subjunctive: lőjek—that I may shoot   lőjem—that I may shoot (it)
      lőj   lőjed or lődd
      lőjön   lője
      lőjünk   lőjük
      lőjetek   lőjétek
      lőjenek   lőjék

      szőjek—that I may weave   szőjem—that I may weave (it)
      rójak—that I may scold   rójam—that I may scold (it)

E. *Remember these seven irregular verbs.*

    lenni—to be, tenni—to do, to put, venni—to buy, vinni—to carry,
to take, hinni—to believe, enni—to eat, inni—to drink.

These verbs originally had "v" in their stem but it was changed to an *"sz"*
in the present tense: teszek, veszek, viszek, hiszek or hiszem, iszom, eszem.
NOTE: present of *lenni*—vagyok—I am
      future of *lenni*—leszek —I shall be

The subjunctive of these verbs:

lenni—to be

legyek—that I may be
légy or legyél
legyen
legyünk
legyetek
legyenek

Indefinite conjugation   *Definite conjugation*

tenni—to put, to do

tegyek—that I may put   tegyem—that I may put (it)
tégy or tegyél   tegyed or tedd
tegyen   tegye
tegyünk   tegyük
tegyetek   tegyétek
tegyenek   tegyék

171

Indefinite conjugation	*Definite conjugation*

venni—to buy, to take

vegyek—that I may buy	vegyem—that I may buy (it) take (it)
végy or vegyél	vegyed or vedd
vegyen	vegye
vegyünk	vegyük
vegyetek	vegyétek
vegyenek	vegyék

vinni—to carry, to take

vigyek—that I may carry	vigyem—that I may carry (it)
vigyél	vigyed or vidd
vigyen	vigye
vigyünk	vigyük
vigyetek	vigyétek
vigyenek	vigyék

hinni—to believe

higgyek—that I may believe	higgyem—that I may believe (it)
higgyél or higgy	higgyed or hidd
higgyen	higgye
higgyünk	higgyük
higgyetek	higgyétek
higgyenek	higgyék

Two "ikes" verbs: enni and inni.

enni—to eat

egyem (egyek)—that I may eat	egyem—that I may eat (it)
egyél	egyed or edd
egyék (egyen)	egye
együnk	együk
egyetek	egyétek
egyenek	egyék

inni—to drink

igyam (igyak)—that I may drink	igyam—that I may drink (it)
igyál	igyad or idd
igyék (igyon)	igya
igyunk	igyuk
igyatok	igyátok
igyanak	igyák

172

F. *ugrani—to jump*, the verb changes the basic vowel.
(Present: ugrom—I jump, ő ugrik—he, she, it jumps "ikes" verb.)

Subjunctive:

ugorjam (ugorjak)—that I may jump	átugorjam—that I may jump over (it)
ugorjál	átugorjad or átugord
ugorjék (ugorjon)	átugorja
ugorjunk	átugorjuk
ugorjatok	átugorjátok
ugorjanak	átugorják

G. Some verbs originally belonged to the "v" stem verbs, but in the present tense "sz" was added. E.g., aludni—to sleep, noun: alvás—sleeping still has the original "v". (pres. alszom, alszol, alszik, etc.)
aludni—to sleep ("ikes" verb, ő alszik—he, she, sleeps).

Present	Past	Cond. pres.	Subj.
alszom— I sleep	aludtam— I slept	aludnám (aludnék)	aludjam (aludjak)
alszol	aludtál	aludnál	aludjál
alszik	aludt	aludnék (aludna)	aludjék (aludjon)
alszunk	aludtunk	aludnánk	aludjunk
alszotok	aludtatok	aludnátok	aludjatok
alszanak	aludtak	aludnának	aludjanak

öregedni—to get old	öregedtem	öregedném	öregedjem
öregszem—I am getting old		(öregednék)	

H. botlik, csuklik, fénylik, izlik.

Infinitive stem

botlani—to stumble	botl-	plus "j", this would be hard to pronounce,
csuklani—to hiccough	csukl-	therefore a connecting vowel is
fényleni—to shine	fényl-	added in the subjunctive of these
ízleni—to taste	ízl-	verbs.

botoljam (botoljak)—that I may
   stumble
botoljál
botoljék (botoljon)
botoljunk
botoljatok
botoljanak

similarly:

csukoljam (csukoljak)—that I may
   hiccough

fényeljenek—that they may shine
ízeljen (ízeljék)—that it may taste

I. The subjunctive of the potential verb: *-hatni, -hetni* — to can, to be
    able.
    adhatni—to can give

Indefinite conjugation

A)
adhassak—that I could give
adhass
adhasson
adhassunk
adhassatok
adhassanak

Definite conjugation

adhassam—that I could give (it)
adhassad or adhasd
adhassa
adhassuk
adhassátok
adhassák

NOTE: adhassalak—that I could give you (to someone)

Similarly groups B) 1-7

olvashassak—that I could read

halászhassunk—that we could
   fish

főzhessetek—that you could cook

fogódzhassanak—that they could
   cling

hallgathassak—that I could listen

választhass—that you could choose

festhessünk—that we could paint

olvashassam—that I could read (it)

kihalászhassuk—that we could
   fish (it) out

főzhessétek—that you could cook (it)

hallgathassam—that I could listen
   to (it)

választhassad or választhasd—that
   you could choose (it)

festhessük—that we could paint (it)

NOTE: hallgathassalak—that I could hear you
      választhassalak—that I could choose you

"Ikes" verbs.

ehessem—that I could eat	ehessem—that I could eat (it)
ehessél	ehessed or ehesd
ehessék (ehessen)	ehesse
ehessünk	ehessük
ehessetek	ehessétek
ehessenek	ehessék

Indefinite conjugation   *Definite conjugation*

lenni—to be

lehetni—to be able to be
lehessek—that I could be
lehess
lehessen
lehessünk
lehessetek
lehessenek

tenni—to put

tehessek—that I could put	tehessem—that I could put (it)
tehess	tehessed or tehesd
tehessen	tehesse
tehessünk	tehessük
tehessetek	tehessétek
tehessenek	tehessék

NOTE: tehesselek—that I could put you (somewhere)

venni—to buy

vehessek—that I could buy	vehessem—that I could buy (it)
etc.	etc.

vinni—to carry
vihessek—that I may carry	vihessem—that I may carry (it)
etc.	etc.

NOTE: vihesselek—that I could carry you

hinni—to believe
hihessek—that I could believe	hihessem—that I could believe (it)
etc.	etc.

F.
ugrani—to jump
ugorhassak—that I could jump   átugorhassam—that I could jump
                                                (it) over

átugorni—to jump over
átugorhassak—that I could jump over

NOTE: átugorhassalak—that I could jump you over

G.
aludni—to sleep (ikes verb)
aludhassam—that I could sleep
      etc.

§ 72. *hadd—let;* is an uninflected word, which derives from the verb
hagyni—to let, to leave. Verbs in the Imperative are always used without
personal pronouns. We express command with the *Imperative,* which has
only the following forms:

1)

1 — — — —		
2nd person Singular	adj	adjad or add
3 — — — —		
1st person Plural	adjunk	adjuk
2nd person Plural	adjatok	adjátok
3 — — — —		

Imperative

Indefinite   *Definite*

adni—to give
Sing. adj—give   adjad or add—give (it)
Plur. adjunk—let us give   adjuk—let us give (it)
       adjatok—give   adjátok—give (it)

olvasni—to read
Sing. olvass—read   olvassad or olvasd—read (it)
Plur. olvassunk—let us read   olvassuk—let us read (it)
       olvassatok—read   olvassátok—read (it)

enni—to eat (ikes)

Sing.	egyél—eat	egyed or edd—eat (it)
Plur.	együnk—let us eat	együk—let us eat (it)
	egyetek—eat	egyétek—eat (it)

lenni—to be

Sing.	légy—be
Plur.	legyünk—let us be
	legyetek—be

festeni—to paint

Sing.	fess—paint	fessed or fesd—paint (it)
Plur.	fessünk—let us paint	fessük—let us paint (it)
	fessetek—paint	fessétek—paint (it)

hinni—to believe

Sing.	higgy—believe	higgyed—or hidd—believe (it)
Plur.	higgyünk—let us believe	higgyük—let us believe (it)
	higgyetek—believe	higgyétek—believe (it)

2) *Hadd—let.* We can use *hadd* as a substitute for the non-existing persons of the Imparative.

1st person of Singular
3rd   "   "   "
3rd   "   Plural with *hadd* plus the subjunctive form of the verb.

Imperative

hadd adjak—let me give	hadd adjam—let me give (it)
adj—give	adjad or add—give (it)
hadd adjon—let him, her, it give	hadd adja—let him, her, it give (it)
adjunk—let us give	adjuk—let us give (it)
adjatok—give	adjátok—give (it)
hadd adjanak—let them give	hadd adják—let them give (it)

We can similarly add the word "hadd" to every verb in the Imperative in those three persons, e.g., hadd adjunk.

§ 73. *The verbal prefix in the Subjunctive mood.*

(See § 27. — the negative and § 57. 57.a) — verbal prefixes.)

As we have seen, the usage of the verbal prefixes is one of the most delicate problems of the Hungarian language.

I. Without verbal prefixes:

A) *Affirmative sentences.*   *Interrogative sentences.*

1. Ma láttam egy szép filmet.   2. Láttál ma egy szép filmet?
   Today I saw a nice film.   Did you see a nice film today?

   Negative sentences.   *Double negation.*

3. Ma nem láttam egy szép filmet.   4. Ma sem láttam egy szép filmet.
   I did not see a nice film today.   I did not see a nice film today
                                       either.

1. Ma szép idő van.   2. Szép idő van ma?
   (Affirmative)   (Interrogative)
   Today the weather is beautiful.   Is the weather beautiful today?

3. Ma nincs szép idő.   4. Ma sincs szép idő.
   (Negative)   (Double negation)
   Today the weather is not   Neither is the weather beautiful
   beautiful.   today.

1. Ők jó gyermekek voltak.   2. Jó gyermekek voltak ők?
   They were good children.   Were they good children?

3. Ők nem voltak jó gyermekek.   4. Ők sem voltak jó gyermekek.
   They were not good children.   Neither were they good children.

1. Ma vendégeim vannak.   2. Vannak ma vendégeim?
   Today I have guests.   Have I guests today?

3. Ma nincsenek vendégeim.   4. Ma sincsenek vendégeim.
   Today I do not have guests.   I have no guests today either.

B) *Negative sentences.*   *Prohibitive sentences.*

nem—no, not   *ne*—do not
sem—neither, also not   *se*—either not, also not

Ma nem írsz. You do not write   Ma ne írj! Do not write today!
   today.

Ma sem írsz. Yo do not write   Ma se írj. Do not write today either.
   today either.

178

II. With verbal prefixes.

A)

Affirmative: Ma ti elmentek a városba. Today you go to town.
Negative: Ma ti nem mentek el a városba. Today you do not go to town.

Interrogative:
Elmentek ti ma a városba? Do you go to town today?
Ma mentek ti el a városba? Do you go to town today?
(emphasis on *"ma"*)

Interrogative negative:
Nem mentek el ma ti a városba? Don't you go today to town?

Prohibitive:
Ma ne menjetek el a városba. Do not go to town today.

In Hungarian the predicate is the most important part of the sentence. If we want to put special emphasis on the predicate, it should be the first word of the sentence. If some other part of the sentence has to be emphasized, it must be before the predicate. The other parts of a sentence are arranged according to their relative importance.

E.g. János megírt egy leckét. John wrote (finished it) a lesson.
Emphasis on "meg".
János írt meg egy leckét. John (not somebody else) wrote a lesson.
Emphasis on "János".

Verbal prefixes before the verb.
1) *Affirmative:*
Ma is elment a városba.
He also went to town today.

2) *Augmentative*
Sokszor elmentünk a városba.
We went to town many times.

3) *Summarizing:*
A jó gyermekek mindíg elmennek a városba.
The good children always go to town.

Verbal prefixes after the verb.
1) *Negative:*
Ma nem ment el a városba.
He did not go to the city today.

2) *Double negative:*
Ma sem ment el a városba.
He did not go to the city today either.

3) *Diminutive:*
Separative:
Sohasem ment el a városba.
He never went to the city.
4) *Imperative:*
Menj el a városba.
Go to town.
5) *Prohibitive:*
Ne menj el a városba.
Do not go to town.

B) If there is a double emphasis on the verb, the verbal prefix always stands in front of the verb.

Ma ismét elmegyünk a városba. Today we go to town again.
Mindenki mindíg megírja a feladatot. Everybody always writes his exercise(s).

Gyakorlatok. Exercises.

A) Írjuk le felszólító módban a következő igéket: (alanyi és tárgyas ragozásban.)
Write the following verbs in the subjunctive: (indefinite and definite conj.)

írni, várni, vásárolni, járni, ásni, sózhatni, vacsorázni, hallgatódzni (to keep listening), sikkasztani (to defraud, to misappropriate), segíteni (to help), vezetni (to lead).

B) Tegyük felszólító módba a következő igéket:
Put the following verbs in the subjunctive:

1)
2nd person singular: indefinite conjugation and *2nd person singular: definite* conjugation (this has two forms).

mondani, kérni, edzeni, fűteni (to heat), küldeni, szántani (to plough), olvashatni (to be able to read).

2) ikes verbs:
1st and 3rd person singular, indefinite conjugation (both persons have two forms).
játszani, aludni.

3) Tegyék a -lak vagy -lek végződéseket a következő igékhez: (az első személy hat a másodikra egyes számban).
Put the endings -lak or -lek on the following verbs: (1st person acts on the 2nd singular).

tenni, vinni, szerethetni, lőni, tanítani.

C) Egészítsük ki: (használjunk felszólító módot)
Supply the subj. form for the following verbs:

1. Gyermekek (lefordítani) .... a feladatot.

2. István (látni) .... engem.

3. István (látni) .... őt.

4. Kell, hogy sokat (aludni) .... (2nd plur.)

180

5. Akarom, hogy Te is (elmehetni) .... a városba.

6. Lehetséges, hogy a fiúk este sokat (tanulni) ....

7. Venni .... (2nd plur.) kenyeret, hogy ma pontosan délben (ebédelni) .... (1st plur.)

8. János (megmutatni) .... (2nd sing.) az új autódat.

9. Késő éjjel van, (lefeküdni) .... (2nd plur.)

10. Éjfélkor (lenni) .... (2nd sing.) otthon.

D) *Fordítsuk le angolra. Translate into English.*

1. Mutasd meg a hüvelyk ujjadat.
2. Vágjuk le a körmünket a lábujjunkon.
3. Menjünk ki a kertbe és hadd jöjjenek a kis fiúk is velünk.
4. Kérem, itt senki se dohányozzon (dohányozzék)!
5. Tessék megkérdezni, hogy mit tanítsunk földrajzból a harmadik osztályban.
6. Olvass sokat magyarul, hogy jól tudj beszélni!
7. Fessünk új képeket és akasszuk fel a falra.
8. Szeressétek a könyveket.
9. A vonatban fogóddzatok meg jól, mielőtt megáll.
10. A hús még kemény, hadd főjön még egy kevés ideig.
11. Az iskolában legyetek mindíg szorgalmasak.
12. Higgyétek el, hogy a könyv a legjobb barát.
13. Vegyetek jegyet a futballmeccsre.
14. Csináljatok valamit, hogy jobban tanuljatok.
15. Együnk, mielőtt lemegyünk, hogy hamarabb odaérhessünk.
16. Dolgozzál minden nap és egyél sokat.

E) *Fordítsuk le magyarra. Translate into Hungarian.*

1. I got money to go to the movies.
2. We came to school to study.
3. Go home and bring me a pencil.
4. Drink water in order that you may not be thirsty.
5. He wants me to carry you.
6. Be good students and study well (2nd plur.)
7. Do not travel to Debrecen today to meet your friend from **America.**
8. Buy a new table for me and bring it home (2nd sing.)
9. Let us invite our colleagues tonight.

10. Let them play in the garden.
11. Mother does not want them to eat too much before dinner. (Does not want that they eat.)
12. My sister wants them to wash the windows.
13. Father said that the horse should stay at home.
14. The teacher does not want us to speak.
15. Let us pray and work.
16. She walked to the store to see the bus.
17. Telephone Anne in order that she may know you are coming.
18. Please give me the vocabulary in order that I may find a new word.
19. Wait until I buy a hat.
20. I did not depart with my car in order that he may come with us.

TIZENÖTÖDIK LECKE. (15)

Evőeszközök, konyhaedények.

Már sokat olvastunk ételekről, italokról, de még nem ismerjük a konyhaedények és evőeszközök neveit.

Ancsi: Juliska, szeretnéd-e tudni, hogyan hívják magyarul az evőeszközöket?

Juliska: Édesanyám mindíg mondta, hogy tanuljam meg azokat az új szavakat, mert azok szükségesek a mindennapi élet számára.

Ancsi: Megmondjam-e mire való a kés?

Juliska: Mondd meg, hadd tudjam.

A: Késsel vághatjuk a húst.

J: Mivel esszük a levest minden nap?

A: A levest kanállal esszük.

J: A kis kanál vagy kávés kanál arra való, hogy megkeverjük vele a kávét vagy a teát.

A: A tányérra tesszük az ételt, a leveses tányérba a levest.

J: Mibe öntjük a vizet, a bort, vagy a sört?

A: Az italokat a pohárba öntjük.

J: Honnan való ez a porcelán?

A: Ez herendi porcelán Magyarországról.

J: Hová tegyem ezt a kristályt?

A: Az a kristály a vitrinbe való.

J: Hány tányért hozzak ide?

A: Öten fogunk ebédelni, öt tányérra lesz szükségünk.

J: Mire való a csésze?

A: A csészéből isszuk a kávét.

J: Szeretném tudni, hogy a nagy tál a konyhában van-e?

A: A konyhában csak a konyhaedények vannak.
J: Milyen konyhaedényeket használtok ti leginkább?
A: Mi lábast, fazekat és tortasütőt használunk majdnem minden nap.
J: Mivel gyújtjátok meg a tüzet?
A: Gyufával gyújtjuk meg a gázt. Ma már nem kell tüzet rakni fával és papírral.
J: Vacsora után fogok segíteni edényt mosogatni.
A: Nem kértem Juliskát, hogy segítsen a ház körül való munkában (a ház körüli munkában).
J: Szeretném tudni, hogy minden gyermek szeret-e segíteni otthon?
A: Mi úgy tanítjuk a gyermekeket, hogy szeressenek segíteni a konyhában és a ház körül.
J: Vajjon hol szokás adni borravalót?
A: Borravalót vendéglőben szoktunk adni, ha ott eszünk.
J: Szoktatok-e adni útravalót, ha a gyermekek elmennek nyári vakációra a hegyekbe vagy a tengerpartra?
A: Küldünk nekik mindent, amire szükségük van.
J: Szívesen hallgatnám, ha még sok mondanivalód lenne.

Kérdések. Questions.

1. Minek a nevét nem ismerjük még?
2. Mit csinálunk az evőeszközökkel?
3. Miért kell megtanulni az új szavakat?
4. Mivel vágunk?
5. Mit csinálunk a kanállal és a kis kanállal?
6. Miből iszunk?
7. Hol gyártanak porcelánt Magyarországon?
8. Milyen konyhaedényeket ismersz?
9. Mire való a gyufa?
10. Mit szokás adni a pincérnek?
11. Mit kapnak a gyermekek, ha elmennek hazulról?
12. Mit hallgatnék meg szívesen?

Szavak.

tizenötötdik—fifteenth
evőeszköz—silverware
konyhaedény—crockery, kitchen ware
szükséges—necessary
mindennapi—everyday (adj.)
számára—for (prep.)

valamire való—fit for something, good for something
mire való—what is it good for
való—real, true
kés—knife
vágni—to cut
hús—meat

leves—soup
kanál—spoon
kis kanál or kávés kanál—teaspoon (not coffeespoon)
keverni, megkeverni—to stir
tányér—plate
leveses tányér—soup bowl
étel—food
önteni—to pour
víz—water
bor—wine
sör—beer
ital—drink
Herend—town in Hungary
kristály—crystal (ware)
vitrin—china cabinet
szükségem van valamire—I need something
csésze—cup
tál—platter
leginkább—mostly
lábas—pan
fazék—pot
tortasütő—cake pan
majdnem—almost

meggyújtani—to light
tűz—fire
gyufa (sing.)—matches
gáz—gas
tüzet rakni—to make a fire
fa—wood
edényt mosogatni—to wash dishes
körül—around
konyha—kitchen
vajjon or vajon—whether
szokás—custom
borravaló—tip
útravaló—provisions
hegy—mountain
tenger—sea
part—shore
szívesen—gladly
mondanivaló—something to say
pincér—waiter
pincérnö—waitress
még—still (adv.)
csont—bone
pohár—drinking glass
virág—flower

§ 74. *Kérdőszócska "-e"*. *Interrogative particle "-e"*.

The English "whether" has two equivalents in Hungarian:
1. vajjon (interr. conjunction)
2. -e (interr. word)

The interrogative particle "-e" is always joined to the preceding word with a hyphen. It is added to the predicate of the sentence (which can be a verb, noun, adjective in Hungarian).

Akarom tudni, szereted-e az almát? I want to know whether you like apples?

Akarom tudni, vajjon szereted az almát? I want to know whether you like apples?

Mondja meg, kérem, édes-e az alma? Please tell me if the apple is sweet?

Mondja meg, kérem, vajjon édes az alma? (or vajjon édes-e az alma?)
    Tell me please whether the apple is sweet?

Megírtátok-e a házi feladatot? Did you do the homework?
El kellett volna-e mennünk Európába? Should we have gone to Europe?
Ki ez? Tanár-e, orvos-e? Who is it? A professor or a doctor?

NOTE: Ki ez? Tanár-e vagy orvos? Who is it? A professor or a doctor?
With "vagy"—or the "-e" is used only once.

NOTE: Attach the "-e" always to the verb, never to the verbal prefix:

Írd meg a levelet. Write the letter. (Imperative)
Megírod-e a levelet? Are you going to write the letter? ("-e" is not attached to "meg", the verbal prefix.)

§ 75. *"ugye"*.

The expression "ugye" has two translations in English:
1) If we expect an affirmative answer in English we repete the verb in the negative:
1) Ő kicsi, ugye? He is small, isn't he?
Mi nem szeretünk olvasni, ugye? We do not like to read, do we?

§ 76. *"való"*—*being*, present adjectival participle of van=is, from
  lenni=to be. (3rd person sing., present tense)
"való" has many uses in Hungarian.

1) A hazáért való munka. Work for the fatherland.
BUT: if we change the word order we can drop "való". E.g., Munka a hazáért. Work for the fatherland.

2) A hegyekbe való kirándulás. Excursion into the mountains.
BUT: Kirándulás a hegyekbe. Excursion into the mountains.

3) Nagy a football iránt való lelkesedés. The enthusiasm for football is great.
BUT: Nagy a football iránti lelkesedés. The enthusiasm for football is great. (We use *iránti* instead of *iránt* and "való" is dropped.

4) "való" is used after suffixes:
  E.g.
Ez a kenyér reggelire való. This bread is for breakfast.
Kire való ez a kabát? For whom is this coat (for whom fits)?
Mire való ez a papír? Ez a papír írásra való. What is this paper for? This paper is for writing.

Ez cipőnek való bőr. This leather is for shoes.
Ez a könyv neked való. This book is for you.
Ez a fiú egyetemre való. This boy is prepared for the university.
Az az autó Amerikából való. That car is from America.
Az új tanuló közétek való. The new student belongs among you.

5) with postpositions:

Ez tavasz után való munka. This work is to be done after spring.
Ez vacsora előtt való ital. This drink should be taken before supper.

6) Mondanivalóm van. I have something to say.
Sok nevetnivaló volt a filmen. There was much laughing in the film.

7) Hol?
Honnan?   plus "való"
Hová?

A kertben való tanulás kellemes. (But: A tanulás a kertben kellemes.)
Studying in the garden is agreeable.

Ez Magyarországról való bor. This wine is from Hungary.
Az Olaszországból való kép. That is a picture from Italy.
Ez Amerikába való autó. This car suits America.
Az Magyarországra való ruha. That suit is suitable for Hungary.

8) "való" is used in expressions:

jóravaló—good, honest
feljebbvaló—superior in rank
fülbevaló—earrings
borravaló—tip
útravaló—provisions for a trip

Egy jóravaló lány vett egy fülbevalót az anyjának útravalóul.
An honest girl bought earrings (sing. in Hungarian) for her mother as
    a gift for the trip.

A katona üdvözli feljebbvalóját. The soldier greets his superior.

§ 77. *Numbers with possessive suffixes.*

a) Definite numerals.
    E.g., kettőnk or mindkettőnk—we two, both of us
    similarly: hármunk—we three, the three of us
        négyünk—we four, the four of us
        ötünk—we five ,the five of us
        etc.

Ez kettőnk háza. This is the house of both of us.
Hármunknak volt autója a kiránduláson. We three had a car on the
    excursion.

b) Indefinite numerals.
    E.g., mindnyájunk—we all, all of us
        sokunk—many of us
        többünk—more of us

Ő mindnyájunk kedves tanára. He is the favorite teacher of all of us.
Ez többünk legjobb könyve. This is the best book of more of us. (Most of
    us prefer this book.)

Gyakorlatok. Exercises.

A) Fordítsuk le angolra. Translate into English.

1. Van mindhármatoknak evőeszköze?
2. Mit csinálnak ők öten a ház körül?
3. Kinek van sok mondanivalója?
4. A kávét ma mindnyájan új csészéből fogjuk inni.
5. Tudod-e, ki jött ma hozzánk?
6. Meg akarod-e nézni az új hidat?
7. Ez levesnek való csont.
8. Te szeretsz tanulni, ugye?
9. Ő nem tanul jól, ugye?
10. Vajjon menjek-e el a tengerpartra?

B) Fordítsuk le magyarra. Translate into Hungarian.

1. You give tips in restaurants, don't you?
2. We do not light a fire, do we?
3. Where may I put the crystal and the porcelan? In the china cabinet
   or in the kitchen.
4. We use soup bowls for soup, and plates for meat.

5. When we eat I have a spoon, a tea spoon, a fork, and a knife on the table.
6. I would like to help you with the dishes.
7. I want you to do only the cups.
8. How many glasses do we need?
9. What is the pot good for?
10. What are the nice flowers for?
11. Many of us like excursions.
12. We five attend the same school.
13. This is work for after school.
14. This small horse is for you.
15. Please tell me whether the museum is nice in this town?

TIZENHATODIK LECKE. (16)

A kereskedelmi utazó.

Molnár Sándor úr ügynök. Budapesten lakik családjával együtt, de Magyarország északnyugati részén ő a cég fő utazója. Néha keletre is kell mennie, de a déli rész nem az ő kerülete. Sokszor utazott el a részére kijelölt vidékre, hogy felajánlja az eladó árut. Minden városban volt neki állandó szállodája, ahol annyi napot töltött, amennyi ideig ott kellett tartózkodnia. Budapesttől ilyenkor körülbelül száz kilométernyi távolságra járt. A vonatban mindíg saját íróasztalán írt és a nemdohányzó kocsiban utazott. A megírt leveleket azon az állomáson adta fel, ahol a menő vonat megállt. Az étkezőkocsiban szokott enni és a hálókocsiban szokott aludni, amikor hosszú útra ment. Sohasem ivott sört vagy bort, amikor úton volt. A vonatban jó ívóvizet lehet kapni. Molnár úr szeret festeni és a táskájában hordozza festőkészletét. Ha szép tájat lát, azonnal lefesti és a festett képeket drágán eladja. Molnár úr szerető férj és apa. A keresett pénzt hazaviszi családjának. A cég bankszámlája javára írja, amit keres. Vevőihez kedves, mert ő udvarias és tanult férfi. Hajlandó türelmesen beszélgetni vevőivel, ami nagyon fontos egy kereskedelmi utazónál. Molnár úr kitűnő társalgó, aki ismert helyeit évente többször felkeresi. El is tudja adni könnyen eladó áruját.

Kérdések. Questions.

1. Mi Molnár úr foglalkozása?
2. Hol lakik és melyik az ő kerülete?
3. Milyen árut ajánl fel vevőinek?
4. Milyen szállodája van minden városban?
5. Mennyire volt ilyenkor Budapesttől?

6. Milyen kocsiban szokott utazni a vonaton?
7. Hol szokott enni és hol szokott aludni.
8. Mit ivott mindíg a vonatban?
9. Mit hordozott a táskájában?
10. Mit adott el drágán?
11. Milyen férj és apa Molnár úr?
12. Mit visz haza családjának?
13. Hová teszi a cég a pénzt, amelyet keres?
14. Milyen férfi ő? Mit keres fel évente?
15. Mit tud könnyen eladni?

Szavak.

tizenhatodik—sixteenth
kereskedelmi—commercial
utazó—traveler
ügynök—agent
észak—north
dél—south
kelet—east
nyugat—west
rész—part
fő—main, chief
kerület—district
kijelölt assigned, marked
kijelölni—to assign, to mark
felajánlani—to offer
eladó—for sale, or salesman
áru—merchandise
állandó—permanent
szálloda, szálló—hotel
annyi ideig—for as long
    (at such a time)
tartózkodni—to stay
távolság—distance
vonat—train
mindíg—always
saját—own
íróasztal—writing desk
dohányzó—smoker, for smokers
kocsi—coach
megírt—written
levelet feladni—to mail a letter
menő—going

étkezőkocsi—dining car
hálókocsi—sleeping car
ivóvíz drinking water
táska—bag
hordozni—to carry
festőkészlet—painting set
táj—scenery
szeretö—loving
keresett pénz—earned money
férj—husband
cég—firm, company
bankszámla—bank account
javára írni—to put sth. on
    someone's credit
keresni—to seek, to earn money
vevő—buyer, consumer
udvarias—courteous
tanult—learned, educated
férfi—man
hajlandó—willing
türelmes—patient, tolerant
fontos—important
kitűnő—excellent
társalgó—conversationalist
évente—yearly
felkeresni—to visit, to call on
elfogadni—to accept
szaladni—to run
foglalkozás—occupation
részére—for him, her, it

§ 78. *Igenevek. Participles.*

The Hungarian language makes a distinction between adjectival and adverbial participles. These forms are expressed by different formative suffixes.

a) *A melléknévi igenevek. The adjectival participles.*
A jelenidejű melléknévi igenevek. Present adjectival participles.
Formative suffix: *-ó, -ő,* added to the infinitive stem.

Infinitive   *Present participle What kind of?*

írni—to write   író—writing   az író ember—the writing man
olvasni—to read   olvasó—reading   az olvasó gyermek—the reading child
tanulni—to study tanuló—studying a tanuló leány—the studying girl
festeni—to paint festő—painting   a festő készlet—the painting set
menni—to go   menő—going   a menő tömeg—the going crowd
szeretni—to love szerető—loving   a szerető anya—the loving mother
dolgozni—to work dolgozó—working a dolgozó ember—the working man

With the present adjectival participle one can indicate that a person or an object is doing something or is in a certain state. In many cases they become independent nouns:
az író—the writer, a tanuló—the student, az olvasó—the reader, a festő—the painter, a szerető—the lover, a dolgozó—the worker.

b) In the course of the language's development the present adjectival participle has obtained a wider meaning. E.g.,
hálószoba—bedroom, evőkanál—eating spoon (soup spoon), ivóvíz—drinking water.

NOTE the difference:

Az *író* fiúnak papírt adok.   Az *írónak* papír adok.
  (participle)   (substantive)
I give paper to the writing boy.   I give paper to the writer.

A *festő* ember dolgozik.   A *festő* dolgozik.
The painting man is working.   The painter is working.

The adjectival participles resemble adjectives because they denote the quality of things. They can be expressed by subordinate clauses:
Az író fiúnak papírt adok. A fiúnak, aki ír, papírt adok.
I give paper to the boy who writes.

§ 80. A *múltidejű melléknévi igenevek*. **The past adjectival participles.**

Formative suffix: -*t*, or -*tt* (after vowels), added to the infinitive stem.

Infinitive	*Past participle*	*What kind of?*
megírni—to write (finish it)	megírt—written	a megírt lecke—the written exercise
elolvasni—to read (finish it)	elolvasott—read	az elolvasott köny—the read book
ismerni—to know	ismert—known	az ismert személy—the known person
tanulni—to learn, to study	tanult—learned	a tanult szó—the learned word
festeni—to paint	festett—painted	a festett kép—the painted picture
szeretni—to love	szeretett—loved	a szeretett gyermek—the loved child

The past adjectival participle expresses the end or termination of an action. Sometimes it can express the duration of a feeling. It resembles the 3rd person singular past of the indefinite conjugation. E.g., Szeretett gyermekem. My beloved child. Ő szeretett. He (she) loved.

The past participle can be changed into a subordinate clause. E.g., A szeretett gyermek. The loved child.
A gyermek, akit szeretnek. The child whom one loves (they love).

§ 81. *Jövőidejű melléknévi igenevek*. **The future adjectival participles.**
    (Gerundive)

This form is very seldom used in modern Hungarian. It has survived in only a few words which express an action that will take place in the future.
Formative suffix: -*andó*
                  -*endő*

Infinitive	*Future participle (obsolete)*	*What kind of?*
írni—to write	irandó—to be written	az irandó levél—the letter to be written
eljönni—to come	eljövendő—(he) is to come	az eljövendő óra—the hour is to come
festeni—to paint	festendő—to be painted	a festendő kép—the picture to be painted

191

In everyday conversation this form is not used. It can be found occasionally in official language, e.g., in legal works. It has been retained in certain works which have since acquired a different meaning.

állandó—permanent, steady, hajlandó—willing

The future participle is commonly replaced by the verb *"kelleni"—to be necessary.*

A feladatot meg kell írni. It is necessary to write the assignment. Instead of — A feladat megirandó. The assignment is to be written.

§ 81a. *"kelleni" plus infinitive.*

Nekem kell and én kellek (see § 43.b.). I need something and I am needed. After the verb "kelleni"—to be necessary, the infinitive is used in Hungarian. Kell sietni. It is necessary to hurry. Nem kell dohányozni. It is not necessary to smoke. Senkinek sem kell dohányozni. Nobody has to smoke.

Possessive suffixes may be added to the infinitive after the verb "kelleni", see § 54.

Kell sietnem. I must hurry.

§ 82. *-nyi formative suffix. (-nyi képző.)*

méter—meter   méternyi—meter long (in length)

mennyi?—how much, how many? mennyire?—for how much? for how many? how far?

Mennyire van Debrecen Budapesttől? How far is Debrecen from Budapest?

Debrecen 222 kilométernyire van Budapesttől. Debrecen is 222 km. from Budapest.

Hány kilométernyire van ide a legközelebbi falu? How many kilometers is it from here to the nearest village?

Mennyire szereti az anya a fiát? How much does the mother love her son?

ennyi, annyi—as much   ennyire, annyira—so much

több—more   többnyire—mostly

Többnyire sok diák van az iskolában. Most likely there are many students in the school.

§ 83. *javára—for, for the benefit of, for the good of.*

A legutóbbi magyar-angol footballmeccs eredménye 6:2 (hat:kettő) volt a magyarok javára. The score of the last Hungarian-English football match was 6-2 for the Hungarians.

A bankban javamra írtak száz dollárt. In the bank they credited me with
$100.

A ti javatokra lesz, ha szorgalmasan fogtok tanulni. It will benefit you
if you will study industriously.

Irregular participles.
Irregular verbs, see lesson 14.

Infinitive	Pres. participle	Past participle	Future participle
lenni—to be	lévő—being	lett—been	not used
enni—to eat	evő—eating	evett—eaten	not used
inni—to drink	ivó—drinking	ivott—drunk	not used
tenni—to do	tévő—doing	tett—done	teendő—to be done
lőni—to shoot	lövő—shooting	lőtt—shot	not used
hinni—to believe	hivő—believing	hitt—believed	not used

Gyakorlatok. Exercises.

A)

Form participles using the following verbs and write down the English
meanings:

Infinitive	Pres. Participle	Past Participle	Future Participle
osztani			
fájni			
játszani			
tudni			
ebédelni			
küldeni			
kérni			
várni			
kapni			
adni			
mondani			
járni			
nézni			
látni			
felelni			

B) *Fordítsuk le angolra. Translate into English.*

1) Ki javára akarod írni a pénzt? 2) Hány méternyire van ide a fal? 3) Mennyire szereted az iskolát? 4) A felelő diák jól tudja a leckét. 5) A járt úton menjetek haza. 6) Fájó szívvel néztük a filmet. 7) A várt vendég megérkezett. 8) Megtartotta az adott szót. 9) A küldött levelet megkapta. 10) A szeretett író új könyvet írt. 11) A szomszéd háza eladó. 12) Az utazó hajlandó volt önnel beszélni. 13) Sok a teendőm ezen a héten. 14) A felajánlott szolgálatot nem fogadta el. 15) A megirandó feladat nagyon nehéz. A feladat, amelyet meg kell írni, nagyon nehéz.

C) *Fordítsuk le magyarra. Translate into Hungarian.*

1) He is the speaking boy. 2) I am the buyer for your car. 3) The running horse is fast. 4) The seen film was interesting. 5) The serving girl is my cousin. 6) I found the shot bird. 7) The found dress is mine. 8) The coming person is a new man. 9) The looked-at book is valuable. 10) The travelling people saw much of Europe. 11) How far is New York from Washington? 12) If you will be educated it will be to your benefit. 13) This has to be done today. 14) It is not necessary to smoke in this room. 15) They are willing to play with us.

TIZENHETEDIK LECKE. (17)

Az orvosi rendelőben.

Egy idősebb falusi orvos egész nap dolgozott és este már fáradt volt. Mielőtt aludni ment, a széken ülve olvasott egy keveset. Éppen aludni akart menni, amikor valaki csengetett az utcai ajtónál. Sohasem hagynak békében — gondolta magában. Reggeltől fogva úgyszólván megállás nélkül járt a faluban. A könyvet kezében tartva nyitotta ki az ajtót. Az ajtó csak este van bezárva, nappal nyitva van. Egy asszony kérve-kérte az orvost, hogy segítsen a fián.

Az orvos hallván a sírást az autóból megkérdezte, ki van ott és mi a baj? Egy elemi iskolás fiú feküdt a kocsiban. Édesanyja fekve találta meg a gyermeket, miután leesett a kerékpárról (bicikliről). Este sötét lévén a kis fiú nem látta az árkot és beleesett. A gyermek édesanyja a kezében hozva fiát belépett a rendelőbe. Nem kellett ülve várni a váróteremben, mert senki sem volt ott. Az orvos megvizsgálta a beteget és megállapította, hogy a lába el van törve. Nagyon nagy volt az esés. Nyilván be kellett őt vinni a városi kórházba. Az orvos egy kis ideig sem habozván azonnal telefonált a városba és megmondta, hogy rögtön beviszik

194

a beteget. A szülők a folyosón állva várták, amíg gipszbe tették az eltört csontot. A törés hat hét mulva teljesen meggyógyult. A fiú tanulással töltötte az időt a kórházban.

A kis fiú nem félt az orvostól, mert már többször volt nála. Az ápolónő szokta megkérdezni tőle, mi a neve, mikor született, hányadik osztályba jár? Mindíg meg szokta mérni, milyen magas és hány kiló (kilogramm). Azt is meg szokta kérdezni, hogy fáj-e a torka, a füle, a szeme vagy a gyomra. Az eddigi látogatások mindíg kellemesebbek voltak reá nézve. Sokkal jobb az iskolában, mint a kórházban. Néha nem ízlik a tanulás, de a lábtörés nagyon fájdalmás. A kis fiú saját kárán tanulva elhatározta, hogy ezután vigyázva, óvatosan fogja hajtani kerékpárját.

Kérdések. Questions.

1. Mit csinált az orvos egész nap?
2. Hogyan olvasott?
3. Mit akart csinálni, amikor a csengő szólt?
4. Hogyan dolgozik az orvos reggeltől estig?
5. Hogyan ment az ajtóhoz?
6. Zárva van az ajtó egész nap?
7. Ki volt az autóban?
8. Hogyan és hol találta meg fiát egy édesanya?
9. Miért esett a kis fiú az árokba?
10. Hogyan lépett be az anya a rendelőbe?
11. Mit állapított meg az orvos?
12. Hová vitték a beteget?
13. Hogyan vártak a szülők a folyosón?
14. Mivel töltötte a fiú az időt a kórházban?
15. Mit szokott az ápolónő kérdezni a betegektől?
16. Mit határozott el a fiú saját kárán tanulva?
17. Milyen magas vagy?
18. Hány kiló vagy?
19. Milyenck voltak az eddigi látogatások az orvosnál?
20. Hogyan fogja hajtani a fiú a kerékpárt?

Szavak

tizenhetedik—seventeenth
orvos—doctor, physician
rendelő—examination room, office
falusi—villager, of a village, pertaining to a village

fáradt—tired
mielőtt—before (conj.)
csengetni—to ring the bell
a csengő szól—the bell rings
békében hagyni—to leave alone, (in peace)

úgyszólván—so to speak
megállás—stop, stopping
kinyitni—to open
bezárni—to close, to lock up
nyitva—open
zárva—closed, locked
nappal—during the daylight
asszony—woman
kérve-kérni—to ask impatiently
fia valakinek—son of somebody
sírás—weeping
megkérdezni—to ask
mi a baj?—what is the matter?
elemi iskola—elementary school
kocsi—coach, wagon
édesanya, anya—mother
feküdni—to lie, to recline
fekve—lying
megtalálni—to find
miután—afterwards (conj.)
    when
leesni—to fall off
kerékpár (bicikli)—bicycle
kerék—wheel
pár—pair
sötét—dark
árok—ditch
beleesni—to fall in
belépni—to enter
váróterem—waiting room
megvizsgálni—to examine
megállapítani—to ascertain,
    to establish
eltörni—to break
el van törve—is broken

esés—fall
nyilván—obviously
bevinni—to carry in
kórház—hospital
habozván—hesitatingly
azonnal, rögtön—immediately
beteg—sick, ill
gipsz—plaster
csont—bone
meggyógyulni—to heal
tanulás—studying
félni—to be afraid
ápolónő—nurse
születni—to be born
hányadik osztályba jár?—what
    grade is sb. in
fájni—to hurt
torok—throat
fül—ear
szem (sing.)—eyes (plur.)
gyomor—stomach
megmérni—to measure
reá nézve—for him (her)
néha—sometimes
ízleni—to taste
lábtörés—breaking of the leg
fájdalmas—painful
kár—damage
saját kárán—at sb's own cost
elhatározni—to decide
vigyázva—with attention
óvatosan—carefully
hajtani—to drive
puska—rifle
miután—after

§ 84. *A határozói igenevek. The Adverbial Participles.*

The adverbial participle expresses the mood or state of an action without suffixes or postpositions. The function is similar to that of adverbs, therefore they are called adverbial participles. They have two tenses: present and past.

196

A jelenidejü melléknévi igenevek. The Present Adverbial Participles.

a)   Today a situation, a lasting state or condition can be expressed by the present adverbial participle. Formative suffix -va, -ve.

Infinitive   *Infinitive stem:*
beszélni—to speak   beszél— plus-ve = beszélve

Present adverbial participle   *How?*

beszélve—while speaking,
    while talking   A tanár beszélve ment az iskolában.
                                    The professor walked in the school while
                                        talking.

olvasni—to read   Olvasva evett az asztalnál. He (she) was
olvasva—while reading   eating at the table while reading.

menni—to go   A festő menve festett. The painter
menve—while going   painted while walking.
    while walking

ülni—to sit   A baba ülve játszik. The baby plays while
ülve—while sitting   sitting.

énekelni—to sing   A leány énekelve dolgozik. The girl works
énekelve—while singing   while singing.

tartani—to hold   A könyvet a kezünkben tartva futunk. We
tartva—holding   run while holding the book in our hand.

b)   In modern Hungarian the use of the participles is avoided as much as possible. The sentences given above are expressed in everyday speach by a subordinate clause construction.

A tanár beszélt, amikor ment. The professor was talking, while he was
    walking.
Amikor az asztalnál evett, olvasott.
Amikor futunk, a könyvet a kezünkben tartjuk.
A festő festett, amikor ment.
A baba ül, amikor játszik.
A leány énekel, amikor dolgozik.

NOTE: The main clause is separated from the subordinate clause by a comma.

c)   The Hungarian present adverbial participle also frequently corresponds to the English past adjectival participle.

varrni—to sew

varrva—while sewing, sown   Ez a ruha egészen jól van varrva. This dress is quite well sown.

BUT: Varrva eszik. He (she) eats while sewing.

tenni—to put

téve—while putting   A könyv a padra volt téve. The book was put on the table.

írni—to write

írva—while writing   Egy cikk lesz róla írva az újságban. An article will be written about him (her) in the paper.

zárni—to close, to lock

zárva—while closing, closed   Holnap az üzletek zárva lesznek. Tomorrow the stores will be closed.

d)   In modern Hungarian the present adverbial participle had a wide meaning.

1)   It can be used as a postposition:

kezdve—from, starting (from the verb: to begin)

Holnaptól kezdve meleg lesz. It will be warm starting tomorrow.

fogva—since then (fogni—to hold)

Mától fogva ő jobb gyermek. Since today he (she) is a better child.

múlva—after (múlni)

Öt perc múlva kezdődik az előadás. The performance will start in five minutes.

nézve—for, to (nézni—to look)

Ez szerencse az utazóra nézve. This is luck for the traveller.

2)   *szájtátva*—with open mouth

Szájtátva néztétek a versenyt. You watched the competition with open mouth.

szívdobogva—with beating heart

Szívdobogva hallgatták a híreket. They were listening to the news with beating heart.

e)   The use of the present adverbial participle in modern Hungarian is limited to expressing a mood, a state, a condition. The verb *lenni—to be* in its different tenses: van, vannak, volt, voltak, lesz, lesznek, lenne, lennének, legyen, legyenek, etc. is most frequently used with it.

A magyar határ nyitva van külföldiek számára. The Hungarian border is open to foreigners.

f) *Hungarism: Hungarianism:*

kérni—to ask, kérve—while asking.

BUT: **Kérve-kértem** a szállodát, hogy adjon éjjelre szobát. I asked the hotel impatiently to give me room for the night.

kapni—to get, kapva—while getting

BUT: **Kapva-kaptam** az alkalmon. I accepted the chance without thinking.

NOTE: In such expressions the same verbs are separated by a hyphen.

g) *Irregular present adverbial participles:*

lenni—to be	léve—(not used)
enni—to eat	éve—(not used)
inni—to drink	iva—(not used)
tenni—to put	téve—while putting, put
lőni—to shoot	lőve—while shooting, shot
szőni—to weave	szőve—while weaving, woven
hinni—to believe	hive—(not used)

meglőni—to shoot
A nyúl meg van lőve. The rabbit is shot.
A szövet jól van szőve. The material is well woven.

h) Note the position of the verbal prefixes in the expressions using present adverbial participles:

befejezni—to finish
megválasztani—to elect
leírni—to write down
megtanulni—to learn

A könyv be van fejezve. The book is finished.
Az elnök meg van választva. The president is elected.
A lecke le van írva. The lesson is written down.
A vers meg van tanulva. The poem is learned.

§ 85. *A múltidejű határozói igenevek. The past adverbial participles.*

The past adverbial participle is more seldom used in Hungarian than the present adverbial participle, it can be found in the literary language. It is usually replaced by a subordinate clause. Formative suffix *-ván, -vén.*

a)

Infinitive	*How?*
olvasni—to read	*Inf. stem:* olvas- plus -ván = olvasván

olvasván—having read	Az újságot olvasván nevetni kezdett. He (she) started to laugh having read the paper.
menni—to go	
menvén—having gone	Hazamenvén látta a levelet az asztalon. Having gone home, he (she) saw the letter on the table.

b) Sometimes it is translated into English by the present participle:

hallani—to hear	
hallván—having heard	Hallván a hírt el akart menni a városba. Hearing the news, he (she) wanted to go to the city. (More exact: Having heard ...)
érezni—to feel	
érezvén—having felt	Érezvén a hideget, meleg teát ivott. Feeling the cold, he (she) drank hot tea. (Having felt ...)

c) In modern Hungarian the past participles are avoided, a subordinate clause construction is used instead.
Miután az újságot elolvasta, nevetni kezdett. NOTE: "miután" is a conjunction expressing an action which happened earlier than that of the main clause.

Miután hazament, látta a levelet az asztalon.
Miután hallotta a hírt, el akart menni a városba.

NOTE: The main clause is separated from the subordinate clause by a comma.

d) In modern Hungarian the past adverbial participle has a wider meaning.

úgyszólván—so to speak, practically
    Úgyszólván semmit sem láttam a kiállításból. I saw practically nothing of the exhibition.

nyilván—obviously, evidently

Barátom nincs itt, nyilván beteg. My friend is not here, obviously he is ill.

(nyilvánvaló (adj.)—obvious, evident)
habozván—hesitatingly

e) *Irregular past adverbial participles:*
(Compare § 82.g))

lenni	lévén—having been
enni	evén—having eaten
inni	iván—having drunk
tenni	tevén—having put
lőni	lővén—having shot
szőni	szővén—having woven
hinni	hivén—having believed

Lévén szeretve a gyermek örült. Having been loved, the child was pleased.
Evén és iván a vendégek elmentek. Having eaten and drunk, the guests left.

§ 86. *Igei főnév. Gerund. Verbal Noun.*

Nouns in Hungarian can be formed from verbs by the addition of various suffixes. The formative suffix: *ás, -és* corresponds to the English verbal noun.

Infinitive	*Gerund*	*Examples*
olvasni—to read	az olvasás—the reading	Szeretem az olvasást. I like reading. Olvasom a szép írást.
írni—to write	az írás—the writing	I read the nice writing.
énekelni—to sing	az éneklés—the singing	Halljátok az éneklést? Do you hear the singing?
tanulni—to study	a tanulás—the studying	A komoly tanulás ma kezdődik. The serious studying starts today.

Irregular Gerunds

lenni—to be	a levés—the being	Az evés és ivás öt napig
enni—to eat	az evés—the eating	tartott.
inni—to drink	az ivás—the drinking	The eating and drinking
tenni—to do	a tevés—the doing	lasted for five days.
lőni—to shoot	a lövés—the shooting	
szőni—to weave	a szövés—the weaving	Nem hallom a lövést.
hinni—to believe	a hivés—the believing	I do not hear the shooting.

A szövés jó mesterség.
Weaving is a good trade.

§ 87. *Édesapa, édesanya* these are affectionate expressions peculiar to Hungarian used addressing one's parents.

édesapám—my father, édesanyám—my mother
apa or atya—father, anya—mother, édes—sweet

In addressing a friend one says:
Kedves Barátom—My dear Friend, kedves—dear, barát—friend

Similarly: Kedves Édesapám—My dear Father
Kedves Édesanyám—My dear Mother

NOTE: the possessive suffix after barát, édesapa or édesanya.

Gyakorlatok. Exercises.

A)   Képezzünk határozói igeneveket és igei főneveket a köv. igékből:
Form participles and gerunds from the following verbs:

Participles

Verbs	*adjectival*			*adverbial*		*Gerunds*
	present	past	future	present	past	
dolgozni						
látni						
keresni						

vinni
elhatározni
tölteni
szólni
kérdezni
érezni
hajtani

B)   Fordítsuk le angolra. Translate into English

1) Édesanyám úgyszólván megállás nélkül kereste leányát a városban.
2) A gyermekek szájtátva nézték az új lovat. 3) Egész nyáron nyitva tartottuk az ablakot. 4) Holnaptól kezdve három hónapig szünet lesz. 5) Fekve szoktad nézni a televíziót? 6) A tanár felállván a gyermekek hazamentek. 7) Úgyszólván minden pénzt édesapjától kapott. 8) A kórházban ülvén hallották, hogy a fiú meggyógyult. 9) Mielőtt beteg volt, sokszor eljött hozzánk. 10) Az új lecke holnapra leírandó. 11) Az evés és ivás két napig tartott. 12) A jó érzés sokáig megmaradt benne. 13) Az írás és olvasás a legfontosabb az elemi iskolában. 14) A hús jól meg van főzve. 15) Egy másik puskával pontosabb lenne a lövés. (puska—rifle, gun)

C)   Fordítsuk le magyarra. Translate into Hungarian.

1) Entering the home, she started to talk. 2) Having sent a letter to his friend, he got the wanted news from him. 3) The work is to be finished at half past five this afternoon. 4) The examination lasted for a long time. 5) Smoking is not healthy. 6) The new plate fell on the floor, and it is broken. 7) Having waited for us for an hour, the car left before our arrival. 8) The doors of our house are closed all night. 9) Travelling by bicycle is agreeable in summer. 10) My mother impatiently asked the nurse to help her sick child.

TIZENNYOLCADIK LECKE. (18)

János vitéz.

Petőfi Sándor, a kiváló magyar költő, új irányt nyitott és nyittatott másokkal is a magyar irodalomban ezzel a versben írt tündérmeséjével. Egy egyszerű pásztor a hőse, akinek szerelmi kalandjai örökszép költői alkotást irattak a költővel. Petőfi művészi rangra emelte a népmesét. A nép képzelete, mesélő képessége nem szövethetett volna szebb tündérmesét senkivel sem. A költő elviteti olvasóit abba a világba, ahol mindenki úgy érez, ahogy a költő beszélteti a hősöket.

Kukorica Jancsi pásztorfiúval őrizteti gazdája a nyáját. Jancsi azonban inkább Iluskát, a szép árvaleányt nézi. Ez alatt az idő alatt a nyáj fele elmegy messze. Jancsi világgá megy és sok kalandot él át. A költő ügyesen átélteti olvasóival a fiú érzelmeit. Jancsi zsiványokkal találkozott egy erdőben. Sok bort itatott velük, hogy elmehessen tőlük. Beállt huszárnak és a francia király seregében harcolt a törökök ellen. Ő mentette meg a francia királyleányt. Egy griffmadár szárnyán vitette magát haza, de későn érkezett, mert Iluska már nem élt. Az óriások segítségével eljuthatott Tündérországba, ahol egy rózsát dobott be az élet tavába, amelyet Iluska sírjáról hozott magával. Erre a tóból kijött Iluska. Jancsi és Iluska Tündérország boldog fejedelmei még ma is, ha meg nem haltak.

Ma a János vitézt színpadon is játszák. Az operett zenéjét Kacsóh Pongrác szerezte.

Kérdések. Questions.

1. Ki volt Petőfi Sándor?
2. Milyen irányt nyittatott más költőkkel?
3. Ki volt a költemény hőse?
4. Mi iratta Petőfivel ezt az örökszép alkotást?
5. Hová vitette a költő olvasói képzeletét?
6. Mit dolgoztatott a gazda Jancsival?
7. Mi történt a nyájjal, amíg Jancsi Iluskát nézte?
8. Mit éltet át a költő az olvasókkal?
9. Mit itatott Kukorica Jancsi a zsiványokkal?
10. Ki ellen harcolt?
11. Hogyan ment haza?
12. Miért érkezett haza későn?
13. Kikkel vitette magát Jancsi Tündérországba?
14. Hol játszák ma a János vitézt?
15. Ki szerezte az operett zenéjét?

Szavak

tizennyolcadik—eighteenth
János vitéz—Childe John
vitéz—warrior, hero, valiant
Sándor—Alexander
kiváló—excellent
költő—poet
költői—poetic
irány—direction
nyitni—to open,
nyittatni—to have (something) opened
irodalom—literature
vers—verse
tündérmese—fairy tale
egyszerű—simple
szeretni—of love, love (adj.)
történet—story
kaland—adventure
örök—eternal
alkotás—creation
iratni—to have (something) written
népmese—folk tale
művészi—artistic
rang—rank
emelni—to lift
képzelet—imagination
mesélő készség—narrative ability
szövetni—to have (something) woven
elvitetni—to have (something) carried
olvasó—reader
világ—world
ahogy—as
hős—hero
beszéltetni—to have (someone) speak
Kukorica Jancsi—Johnny Corncob
kukorica—corn
őriztetni—to have (something) guarded

gazda—landowner, farmer
mesét szőni—to create a tale
nyáj—sheep
azonban—however
inkább—rather
árva—orphan
messze—far
világgá menni—to go out into the world
átélni—to live through, to experience
ügyesen—skillfully
átéltetni—to make (someone) survive
érzelem—feeling, emotion
zsivány—outlaw, highwayman
találkozni—to meet
itatni—to make (someone) drink
beállni—to stand in, to join
huszár—cavalryman
sereg—troop
harcolni—to fight
megmenteni—to save
királyleány, hercegnő—princess
hazavitetni—to have (something) carried home
griffmadár—griffon
szárny—wing
későn—late (adv.)
óriás—giant
segítség—help, aid
élet tava—lake of life
bedobni—to throw in
rózsa—rose
sír—tomb, grave
sírni—to weep
boldog—happy
Tündérország—Fairyland
fejedelem—duke
színpad—stage
zenét szerezni—to compose music
operett—operetta

§ 88. *A müveltető igék. The Causative Verbs.*

In the Hungarian language *new verbal roots* can be formed by the addition of formative suffixes consisting of one or more syllables. In other languages this is expressed by circumlocution or by compound verbs. The causative verbs show that sb. or sth. is made to do something. Causative verbs can be formed from transitive verbs. *Formative suffix: -at, -et or -tat, -tet.*

A)   *-at, -et*

1.

Infinitive	Present indicative 3rd person sing.	Causative verbs	Infinitive
adni—to give	ő ad—he (etc.) gives	ő adat—he (etc.) has sb. give	adatni—to have sb. give
írni—to write	ő ír—he (etc.) writes	ő irat—he (etc.) has sb. write	iratni—to have sb. write
mosni—to wash	ő mos—he (etc.) washes	ő mosat—he (etc.) has sb. wash	mosatni—to have sb. wash
verni—to beat	ő ver—he (etc.) beats	ő veret—he (etc.) has sb. beat	veretni—to have sb. beat
nézni—to look	ő néz—he (etc.) looks	ő nézet—he (etc.) has sb. look	nézetni—to have sb. look
főzni—to cook	ő főz—he (etc.) cooks	ő főzet—he (etc.) has sb. cook	főzetni—to have sb. cook

2.   *ikes verbs.*

játszani— to play	ő játszik—he (etc.) plays	ő játszat—he (etc.) has sb. play	játszatni—to have sb. play
mászni— to climb	ő mászik—he (etc.) climbs	ő mászat—he (etc.) has sb. climb	mászatni—to have sb. climb

3.   monosyllabic words ending in -t (there is a consonant before -t) in the 3rd person singular, present tense:

festeni— to paint	ő fest—he (etc.) paints	ő festet—he (etc.) has sb. paint	festetni—to have sb. paint
tartani— to hold	ő tart—he (etc.) holds	ő tartat—he (etc.) has sb. hold	tartatni—to have sb. hold
szántani— to plow	ő szánt—he (etc.) plows	ő szántat—he (etc.) has sb. plow	szántatni—to have sb. plow

hajtani— to drive	ő hajt—he (etc.) drives	ő hajtat—he (etc.) has sb. drive	hajtatni—to have sb. drive
választani— to choose	ő választ—he (etc.) chooses	ő választat—he (etc.) has sb. choose	választatni—to have sb. choose
sejteni— to guess	ő sejt—he (etc.) guesses	ő sejtet—he (etc.) has sb. guess	sejtetni—to have sb. guess

4. *Irregular verbs.* "v" stem (see lesson 14.)

lőni—to shoot, lövök—I shoot, ő lő—he (etc.) shoots, ő lövet—he (etc.)
has sb. shoot, lövetni—to have sb. shoot

szőni—to weave, szövök—I weave, ő sző—he (etc.) weaves, ő szövet—he
(etc.) has sb. weave, szövetni—to have sb. weave

B) *-tat, -tet*

1.

beszélni— to speak	ő beszél—he (etc.) speaks	ő beszéltet—he (etc.) has sb. speak	beszéltetni—to have sb. speak
kirándulni— to take a trip	ő kirándul—he (etc.) takes a trip	ő kirándultat— he (etc.) has sb. to take a trip	kirándultatni— to have sb. to take a trip
figyelni—to pay attention	ő figyel—he (etc.) pays attention	ő figyeltet—he (etc.) has sb. to to pay attention	figyeltetni—to have sb. pay attention
olvasni— to read	ő olvas—he (etc.) reads	ő olvastat—he (etc.) has sb. read	olvastatni—to have sb. read

2. *ikes verbs*

dolgozni— to work	ő dolgozik— he (etc.) works	ő dolgoztat—he (etc.) has sb. work	dolgoztatni— to have sb. work
hazudni—to lie (tell a lie)	ő hazudik—he (etc.) lies	ő hazudtat—he (etc.) has sb. to lie	hazudtatni—to have sb. lie
változni— to change	ő változik—he (etc.) changes	ő változtat—he (etc.) has sb. to change	változtatni— to have sb. change

3. *polysyllabic words* ending in -t, (in the 3rd person singular, present tense there is a vowel before -t.)

nevetni—	ő nevet—	ő nevettet—	nevettetni—to
to laugh	he laughs	he has sb. laugh	have sb. laugh
fordítani—to	ő fordít—he	ő fordíttat—	fordíttatni—to
translate, to turn	translates	he has sb. translate	have sb. translate
építeni—	ő épít—	ő építtet—he	építtetni—to have
to build	he builds	has sb. build	sb. build
tanítani—	ő tanít—	ő taníttat—he	taníttatni—to
to teach	he teaches	has sb. teach	have sb. teach

4. *monosyllabic words* ending in -t in the 3rd person singular present tense (there is a vowel before -t.)

nyitni—	ő nyit—	ő nyittat—he	nyittatni—to
to open	he opens	has sb. open	have sb. open
sütni—	ő süt—	ő süttet—he	süttetni—to
to bake	he bakes	has sb. bake	have sb. bake
vetni—	ő vet—	ő vettet—he	vettetni—to
to sow	he sows	has sb. sow	have sb. sow
fűteni—	ő fűt—	ő fűttet—he	fűttetni—to
to heat	he heats	has sb. heat	have sb. heat

5. *Irregular verbs*, "v" stem (see lesson 14.)

Infinitive	*Gerund*	*3rd. sing. pres.*	*Causative*	*Infinitive*
tenni—	tevés—	ő tesz—	ő tetet—he	tetetni—to
to do	doing	he does	has sb. do	have sb. do
vinni—	vivés—	ő visz—	ő vitet—he	vitetni—to have
to carry	carrying	he carries	has sb. carry	sb. carry
enni—	evés—	ő eszik—	ő etet—he	etetni—to have
to eat	eating	he eats	has sb. eat	sb. eat
inni—	ivás—	ő iszik—	ő itat—he has	itatni—to have
to drink	drinking	he drinks	sb. drink	sb. drink
hinni—	hivés—	ő hisz—he	ő hitet—he has	hitetni—to have
to believe	believing	believes	sb. believe	sb. believe

6. Several monosyllabic and ikes verbs

lépni— to step	ő lép— he steps	ő léptet **he has** sb. step	léptetni—to hav esb. step
aludni— to sleep	ő alszik— he sleeps	ő altat—**he has** sb. sleep	altatni—to have sb. sleep
gyónni— to confess	ő gyónik— he confesses	ő gyóntat—**he** has sb. confess	gyóntatni—to have sb. confess
szopni— to suck	ő szopik— he sucks	ő szoptat—**he** has sb. suck	szoptatni—to have sb. suck
kopni—to get worn	ő kopik—**he** gets worn	ő koptat—**he has** sb. get worn	koptatni—to have sb. get worn
feküdni— to lie, to recline	ő fekszik— he lies	ő fektet—**he** lays, he puts	fektetni— to lay

§ 89. Conjugation of causative verbs.

Indefinite conjugation   *Definite conjugation*

1)   P r e s e n t   t e n s e

dolgoztatni—to have sb. work	dolgoztatom—I have sb. work
dolgoztatok—I have sb. work	(at it)
dolgoztatsz	dolgoztatod
dolgoztat	dolgoztatja
dolgoztatunk	dolgoztatjuk
dolgoztattok	dolgoztatjátok
dolgoztatnak	dolgoztatják

(NOTE: dolgozik—he works is an "ikes" verb, but in the causative form it is not "ikes".)

főzetni—to have sb. cook

főzetek—I have sb. cook	főzetem—I have sb cook (it)
főzetsz	főzeted
főzet	főzeti
főzetünk	főzetjük
főzettek	főzetitek
főzetnek	főzetik

Indefinite conjugation	*Definite conjugation*
etetni—to have sb. eat	
etetek—I have sb. eat	etetem—I have sb. eat (it)
etetsz	eteted
etet	eteti
etetünk	etetjük
etettek	etetitek
etetnek	etetik
lövetni—to have sb. shoot	
lövetek—I have sb. shoot	lövetem—I have sb. shoot (it)
lövetsz	löveted
lövet	löveti
lövetünk	lövetjük
lövettek	lövetitek
lövetnek	lövetik

Present tense

nyittatni—to have sb. open	
nyittatok—I have sb. open	nyittatom—I have sb. open (it)
nyittatsz	nyittatod
nyittat	nyittatja
nyittatunk	nyittatjuk
nyittattok	nyittatjátok
nyittatnak	nyittatják

2) Past tense

dolgoztattam—I have sb. work	dolgoztattam—I had sb. work (at it)
dolgoztattál	dolgoztattad
dolgoztatott	dolgoztatta
dolgoztattunk	dolgoztattuk
dolgoztattatok	dolgoztattátok
dolgoztattak	dolgoztatták

Indefinite conjugation	*Definite conjugation*
főzettem—I had sb. cook	főzettem—I had sb. cook (it)
főzettél	főzetted
főzetett	főzette
főzettünk	főzettük
főzettetek	főzettétek
főzettek	főzették
etettem—I had sb. eat	etettem—I had sb. eat (it)
etettél	etetted
etetett	etette
etettünk	etettük
etettetek	etettétek
etettek	etették
lövettem—I had sb. shoot	lövettem—I had sb. shoot (it)
lövettél	lövetted
lövetett	lövette
lövettünk	lövettük
lövettetek	lövettétek
lövettek	lövették
nyittattam—I had sb. open	nyittattam—I had sb. open (it)
nyittattál	nyittattad
nyittatott	nyittatta
nyittattunk	nyittattuk
nyittattatok	nyittattátok
nyittattak	nyittatták

3)   F u t u r e   t e n s e

dolgoztatni fogok—I shall have sb. work	dolgoztatni fogom—I shall have sb. work (at it)
dolgoztatni fogsz	dolgoztatni fogod
dolgoztatni fog	dolgoztatni fogja
dolgoztatni fogunk	dolgoztatni fogjuk
dolgoztatni fogtok	dolgoztatni fogjátok
dolgoztatni fognak	dolgoztatni fogják

4) Present conditional

dolgoztatnék—I would have sb.
  work
dolgoztatnál
dolgoztatna
dolgoztatnánk

dolgoztatnátok
dolgoztatnának

dolgoztatnám—I would have sb.
  work (at it)
dolgoztatnád
dolgoztatná
dolgoztatnánk, dolgoztatnók
  (see Pres. Cond.)
dolgoztatnátok
dolgoztatnák

etetnék—I would have sb. eat
etetnél
etetne
etetnénk
etetnétek
etetnének

etetném—I would have sb. eat (it)
etetnéd
etetné
etetnénk, etetnők
etetnétek
etetnék

5) Past conditional

dolgoztattam volna—I would have
  had sb. work
dolgoztattál volna
dolgoztatott volna
dolgoztattunk volna
dolgoztattatok volna
dolgoztattak volna

dolgoztattam volna—I would have
  had sb. work (at it)
dolgoztattad volna
dolgoztatta volna
dolgoztattuk volna
dolgoztattátok volna
dolgoztatták volna

etettem volna—I would have
  had sb. eat
etettél volna
etetett volna
etettünk volna
etettetek volna
etettek volna

etettem volna—I would have had
  sb. eat (it)
etetted volna
etette volna
etettük volna
etettétek volna
etették volna

dolgoztassak—that I may have
  sb. work
dolgoztass
dolgoztasson
dolgoztassunk
dolgoztassatok
dolgoztassanak

dolgoztassam—that I may have
  sb. work (at it)
dolgoztassad or dolgoztasd
dolgoztassa
dolgoztassuk
dolgoztassátok
dolgoztassák

etessek—that I may have sb.
  eat
etess
etessen
etessünk
etessetek
etessenek

etessem—that I may have sb.
  eat (it)
etessed or etesd
etesse
etessük
etessétek
etessék

nyittassak   etc.
lövessek   etc.

nyittassam   etc.
lövessem   etc.

7)   *with -lak, -lek*

1st person acts on the 2nd person.

dolgoztatlak—I make you work
főzetlek—I make you cook
etetlek—I make you eat
lövetlek—I make you shoot
nyittatlak—I make you open

§ 90. *Causative verbs with the potential verb: -hatni, -hetni*

1)

dolgoztathatni—to be able to make sb. work
főzethetni—to be able to make sb. cook
etethetni—to be able to make sb. eat
lövethetni—to be able to make sb. shoot
nyittathatni—to be able to make sb. open (it)

2) Present tense

Indefinite conjugation

dolgoztathatok—I am able to
  make sb. work
dolgoztathatsz
dolgoztathat
dolgoztathatunk
dolgoztathattok
dolgoztathatnak

főzethetek—I am able to make
  sb. cook
főzethetsz
főzethet
etc.

Definite conjugation

dolgoztathatom—I am able to
  make sb. work (at it)
dolgoztathatod
dolgoztathatja
dolgoztathatjuk
dolgoztathatjátok
dolgoztathatják

főzhetem—I am able to make
  sb. cook (it)
főzetheted
főzetheti
etc.

3) Past tense

dolgoztathattam—I was able to
  make sb. work
dolgoztathattál
dolgoztathatott
dolgoztathattunk
dolgoztathattatok
dolgoztathattak

etethettem—I was able to make
  sb. eat
etethettél
etethetett
etc.

dolgoztathattam—I was able to
  make sb. work (at it)
dolgoztathattad
dolgoztathatta
dolgoztathattuk
dolgoztathattátok
dolgoztathatták

etethettem—I was able to make
  sb. eat (it)
etethetted
etethette
etc.

4) Future tense

etethetni fogok—I shall be able
  to make sb. eat
etethetni fogsz
etethetni fog
etethetni fogunk
etethetni fogtok
etethetni fognak

etethetni fogom—I shall be able
  to make sb. eat (it)
etethetni fogod
etethetni fogja
etethetni fogjuk
etethetni fogjátok
etethetni fogják

5) Present conditional

Indefinite conjugation

dolgoztathatnék—I would be able
   to have sb. work
dolgoztathatnál
dolgoztathatna
dolgoztathatnánk
dolgoztathatnátok
dolgoztathatnának

Definite conjugation

dolgoztathatnám—I would be able
   to have sb. work (at it)
dolgoztathatnád
dolgoztathatná
dolgoztathatnánk
dolgoztathatnátok
dolgoztathatnák

6) Past conditional

dolgoztathattam volna—I would
   have been able to have sb. work
dolgoztathattál volna
dolgoztathatott volna
dolgoztathattunk volna
dolgoztathattatok volna
dolgoztathattak volna

dolgoztathattam volna

dolgoztathattad volna
dolgoztathatta volna
dolgoztathattuk volna
dolgoztathattátok volna
dolgoztathatták volna

7) Present subjunctive

dolgoztathassak —that I may be
   able to have sb. work
dolgoztathass
dolgoztathasson
dolgoztathassunk
dolgoztathassatok
dolgoztathassanak

dolgoztathassam

dolgoztathassad or dolgoztathasd
dolgoztathassa
dolgoztathassuk
dolgoztathassátok
dolgoztathassák

8) with -lak, -lek

dolgoztathatlak—I am able to have you work
főzethetlek—I am able to have you cook
etethetlek—I am able to have you eat
lövethetlek—I am able to have you shoot

9) *Participles*

A)

Adjectival — Adverbial Adjectival — Adverbial Adjectival — Adverbial

Present	*Present*	*Past*	*Past*	*Future*	
dolgoztató	dolgoztatva	dolgoztatott	dolgoztatván	dolgoztatandó	None
főzető	főzetve	főzetett	főzetvén	főzetendő	
etető	etetve	etetett	etetvén	etetendő	
építtető	építtetve	építtetett	építtetvén	építtetendő	

10) *Gerund*
dolgoztatás, főzetés, etetés, építtetés

Műveltető igék. — Causative verbs.

In sentences featuring causative verbs, the person or thing made to perform the action of the verb is treated differently depending on whether the object of the verb is known or unknown, stated or unstated.

A) If the object of the verb is known, whether stated or not, the person or thing made to perform the action of the verb acquires the suffix: *-val, -vel.*
A tanár olvastatja a diákokkal a leckét. A tanár olvastat a diákokkal valamit. The teacher has the students read the lesson. The teacher has the students read something.
A tanár olvastat a diákokkal egy leckét. A tanár olvastat a diákokkal. The teacher has the students read a lesson. The teacher has the students read.

B) If the object of the verb is not known, the person or thing made to perform the action of the verb acquires the accusative suffix: *-t.*
A tanár a diákot olvastatja.   (olvastatta—had read)
The teacher has the students read.
A tanár diákokat olvastat.   (olvastatott—had read)
The teacher has students read.

Gyakorlatok. Exercises.

A) Adjuk meg a következő igék műveltető igenevét.
Give the causative infinitive for the following verbs.

szeretni, beszélni, enni, aludni, énekelni, utazni, megmenteni, kiadni, kötni, elmesélni.

216

B) Ragozzuk a következő igéket a megadott személyben és időben.
Conjugate the following verbs in the given persons and tenses.

Infinitive	Tenses	Person	Indefinite	Definite conj.
kérdezhetni	Present	3rd sing.		
hallgathatni	Past	2nd plur.		
nézetni	Future	1st sing.		
vitetni	Pres. cond.	2nd sing.		
repültetni	Past cond.	3rd plur.		
futtatni	Pres. subj.	1st plur.		

C) Fordítsuk le angolra. Translate into English.

1. A gazda a pásztorokkal őriztette a nyájat.
2. Idehozattalak a vonattal, hogy láthassalak.
3. Sejtetnünk kellene a tanulókkal, mikor lesz a vizsga.
4. Ma jó ebédet főzhetnétek, megjöttek a vendégek.
5. A tanár új leckét irat a diákokkal.
6. Ők elhihetnék, amit mondok.
7. Ők mindent elhihetnének, amit mondok.
8. Könnyű lett volna a babát elaltatni.
9. A rossz gyermek követ dobatott az ablakba a kis fiúval.
10. Holnap a testvéremmel fogok süttetni kenyeret.
11. Építtetnék házat, ha lenne pénzem.
12. Kértem, hogy itasd meg a lovakat.
13. Jó lett volna, ha taníttatta volna a fiát az egyetemen.
14. Holnap a testvéremmel fogok főzetni ebédet.
15. Vitessétek magatokat haza sofőrömmel.

D) Fordítsuk le magyarra. Translate into Hungarian.

1. The shepherd made a dog run.
2. The neighbor has the farmer sow corn.
3. It is easy to make a child sleep.
4. They would make him work all day.
5. Let us have her bake for us.
6. You should let them build the new house.
7. A good father makes his children read every day.
8. The film made me laugh.
9. We shall make them work.
10. A soldier had the boys shoot the birds in the forest.

217

TIZENKILENCEDIK LECKE. (19)

Méltóztassék bemenni a színházba.
(An extremely polite form of address.)

A Magyar Nemzeti Színház épülete Budapest egyik legforgalmasabb helyén, a Rákóczi út és a Nagykörút sarkán állt. A Nemzeti Színház közadakozásból építtetett fel. A tizenkilencedik század első felében sokat fejlődött a magyar irodalom. A nemzet politikai vezetői, a tudományos élet képviselői, az írók és a költők Pestet akarták kifejleszteni az ország központjává. Magyarország fővárosa akkor még Pozsony volt, ahol az országgyűlés tartotta üléseit Bécs közelsége miatt. Magyarország királya Ausztria császára is volt egy személyben, aki Bécsben székelt. Buda és Pest csak 1872-ben egyesült, addig két különálló város volt a mai Budapest helyén. Először az irodalmi és gazdasági élet központja lett Pest. Később 1848-ban a politikai vezetés is odaköltözött. A bécsi kormány minden erővel meg akarta akadályozni ezt a fejlődést.

A magyar színművészetnek nem volt saját háza Pesten. A magyar közönség a budai német színházat volt kénytelen látogatni. A magyar színészek, akik vidékről mentek játszani az ország központjába, a német színházat szokták kibérelni Budán. Az 1830-i pozsonyi országgyűlés foglalkozott egy állandó magyar színház felépítésének tervével Pesten. A pesti Nemzeti Színház, így hívták először a színházat, közadakozásból állíttatott fel. A telket egy hazafias érzésű földbirtokos adományozta. Az ország vágya valóra vált és a színház 1837. augusztus 22-én nyílt meg ünnepélyes külsőségek között. A ruhákat a magyar iparosok önzetlen és nagylelkű munkája hozta létre. A színház a magyar nyelv ápolásának helye, a nemzeti műveltség terjesztője és a közeli német lakosság megmagyarosodásának kezdeményezője lett. Az ország kiváló színészei, színésznői és művészei játszottak benne. A közönség ízlése és igénye finomult. Később a magyar országggyűlés támogatást szavazott meg a színház számára. Ma Magyar Nemzeti Színháznak hívják. Így indult meg a 19-ik század második felében az irodalmi fejlődés. (The original building of the Hungarian National Theatre completed in 1837 recently was demolished as a result of the excavations for the new subway system.)

Kérdések. Questions.

1. Hol áll ma a Magyar Nemzeti Színház?
2. Milyen pénzből építették fel a színházat?
3. Hol volt a főváros a 19. század első feléig?
4. Kik akarták a fővárost Pestre tenni?
5. Mikor egyesült Pest és Buda?
6. Minek a központja lett először Pest?

7. Mikor lett Pest az ország politikai fővárosa?
8. Milyen nyelvű színház volt Budán?
9. Milyen magyar színtársulat játszott Pesten?
10. Ki adományozta a telket?
11. Mikor nyitották meg a színházat?
12. Kik készítették a ruhákat a színház részére?
13. Miért volt fontos a színház a magyar műveltség szempontjából?
14. Kik játszottak a színpadon?
15. Mire volt hatással az új színház?

Szavak.

tizenkilencedik—nineteenth
méltóztatni—to be pleased
színház—theater
nemzeti—national
épület—building
forgalmas—busy (with traffic)
körút—boulevard
sarok—corner
közadakozás—public donation
felépíteni—to build up
század—century
fejlődni—to develop, to expand
fejleszteni—to cultivate, to develop
irodalom—literature
vezető—leader
tudományos—scientific
képviselő—representative
központ—center
főváros—capital city
országgyűlés—parliament
ülés—session
Bécs—Vienna
közelség—nearness, vicinity
miatt—because of
király—king
császár—emperor
székelni—to reside
egyesülni—to unite
különálló—separate
gazdasági—economic
vezetés—leadership

odaköltözni—to move there
kormány—government
erő—strength, power
megakadályozni—to prevent
fejlődés—evolution
színművészet—theatrical art
közönség—audience
kénytelen—obliged
látogatni—to visit
vidék—country
színész—actor
színésznő—actress
kibérelni—to rent
tervvel foglalkozni—to consider a plan
felépítés—developing
először—first
felállítani—to erect
telek—lot, site
hazafias—patriotic
érzés—feeling
földbirtokos—landowner
adományozni—to donate
vágy—desire
valóra válni—to be realized
megnyílni—to open
ünnepélyes—solemn
külsőség—formality, ceremony
ruha—suit, dress
iparos—tradesman
önzetlen—unselfish
nagylelkű—magnanimous

létrehozni—to bring into
existence
ápolni—to nurse, to cultivate
műveltség—culture
terjesztő—propagator
közeli—nearby
lakosság—population
megmagyarosodás—the process
of becoming Hungarian
kezdeményező—initiator
művész—artist
ízlés—taste
igény—demand, claim,
requirement

finomulni—to become more
refined
támogatás—support
megszavazni—to vote for
megindulni—to start
fejlődés—development
pénz—money
színtársulat—theater group,
company
szempont—viewpoint
hatás—effect
vadász—hunter
városbíró—mayor
polgármester—mayor

§ 91. *A szenvedő igék. The Passive Verbs.*

When an action is not accomplished by the subject of a sentence but by
somebody or something else it can be expressed by the passive. The pas-
sive verbs are the "ikes" forms of the causative verbs. The passive verbs
in Hungarian are always "ikes" verbs. Passive verbs can be formed from
any transitive verbs, but not from intransitive, impersonal and reflexive
verbs.

Formative suffix: -atik, -etik, -tatik, -tetik. (Causative formative suffixes
see § 88.)

A) The passive verbs have a separate conjugation in Hungarian. They
are conjugated the same way as the other verbs ending in -t in the in-
finitive stem (there is a vowel before the -t).
The passive voice in modern Hungarian is used very seldom. It is usually
avoided and replaced by the active voice. It is applied mostly in official
language where the action is impersonal in style.

Infinitive	*3rd person sing.*	*Causative*	*Passive*
adni—to give	ad—he (etc.) gives	adat—he (etc.) has sb. give	adatik—is given
olvasni—to read	olvas—he (etc.) reads	olvastat—he (etc.) has sb. read	olvastatik—is read
küldeni—to send	küld—he (etc.) sends	küldet—he (etc.) has sb. send	küldetik—is sent

220

Active	Causative	Passive
A tanító olvas egy könyvet	A tanító olvastat egy könyvet.	A könyv olvastatik.
The teacher reads a book.	The teacher has sb. read a book.	The book is read.

Past passive	Future passive
A könyv olvastatott.	A könyv olvastattatni fog.
The book was read.	The book will be read.

B)   The use of the passive voice in Hungarian.

It is not incorrect to use passive verbs in Hungarian. They were widely applied until the 18th century but today Hungarian avoids the passive voice as much as possible. There are some passive verbs in general use but their passive nature is not felt. E.g.,

születni—to be born (szülni—to bear)

Tíz évvel ezelőtt születtem. I was born 10 years ago.
A barátom fia tegnap született. The son of my friend was born yesterday.
A gyermek holnap fog születni. The child will be born tomorrow.

méltóztatni—to be gracious   (very polite and formal address.)
Méltóztassék leülni, Szabó úr. Be so kind and sit down, Mr. Szabó.

dicsértetni—to be praised
Dicsértessék az Úr neve. The name of the Lord be praised.

In official texts of laws.

tudtára adatni—to be informed

Tudtára adatik mindenkinek. Everybody is informed.
     It is being made known to everybody.

In official use.

A jegyzőkönyv felvétetett. The minutes were recorded.

In the Bible.

Megmértettél és könnyűnek találtattál. You were measured and found wanting.

Passive is used in the poetic language. (licentia poetica)

C) *How to avoid the passive voice and how to change the passive to the active.*

A.

Passive	Active
Levél küldetik az igazgató által. A letter is being sent by the principal.	Az igazgató levelet küld. The principal sends a letter.
Levél küldetett az igazgató által. A letter was sent by the principal.	Az igazgató levelet küldött. The director sent a letter.
Levél fog küldetni az igazgató által. A letter will be sent by the principal.	Az igazgató levelet fog küldeni. The principal will send a letter.
Az új ház eladatik az apám által. The new house is being sold by my father.	Atyám eladja az új házat. My father sells the new house.
A katona dícsértetik a tiszttől. The soldier is being praised by the officer.	A tiszt dicséri a katonát. The officer praises the soldier.

By is translated in Hungarian: *által* (postposition) or *-tól, -től* (suffix).

B.

Active: Az igazgató levelet küld.
        subject   object   (active verb)

Passive: Levél küldetik az igazgató által.
      subject (passive)   (expressed with "by")
Levél küldetik az igazgatótól.

   A katona dícsértetik a tiszttől.
A katona dícsértetik a tiszt által.

C.

It is not allowed to use reflexive verbs instead of passive verbs in Hungarian because the reflexive verbs have a completely different meaning. Similarly participles cannot replace the passive voice in Hungarian. (endings: -va, -ve, adverbial present participles.) The adverbial participles express a certain state of affairs, and the passive verbs have a different meaning.

A fiú szerettetik szülei által. The boy is loved by his parents. (passive)
A fiút szeretik szülei. His parents love the boy. (active)
A fiú szeretve van. The boy is loved. (Adv. participle)
A fiú szereti magát. The boy loves himself. (reflexive)

D.

Formation of passive verbs.

Since the passive verbs are the "ikes" forms of the causative verbs their construction is similar. See § 88. -89. -90.

Infinitive	Present tense 3rd person sing.	Causative	Passive
írni—to write	ír—he (etc.) writes	irat—he has sb. write	iratik—is being written
főzni—to cook	főz—he cooks	főzet—he has sb. cook	főzetik—is being cooked
festeni—to paint	fest—he paints	festet—he has sb. paint	festetik—is being painted
szőni—to weave	sző—he weaves	szövet—he has sb. weave	szövetik—is being woven
fordítani—to translate	fordít—he translates	fordíttat—he has sb. translate	fordíttatik—is being translated
enni—to eat	eszik—he eates	etet—hé has sb. eat	etetik—is being eaten

§ 92. *A szenvedő igék ragozása. Conjugation of the passive verbs.*
     (Modern Hungarian does not use the passive voice.)

Indefinite conjugation

adatni—to be given   dicsértetni—to be praised

Present

adatom—I am given	dicsértetem—I am praised
adatol	dicsértetel
adatik	dicsértetik
adatunk	dicsértetünk
adattok	dicsértettek
adatnak	dicsértetnek

Past

adattam—I was given	dicsértettem—I was praised
adattál	dicsértettél
adatott	dicsértetett
adattunk	dicsértettünk
adattatok	dicsértettetek
adattak	dicsértettek

Future

adatni fogok—I shall be
given
adatni fogsz
adatni fog
adatni fogunk
adatni fogtok
adatni fognak

dicsértetni fogok—I shall be
praised
dicsértetni fogsz
dicsértetni fog
dicsértetni fogunk
dicsértetni fogtok
dicsértetni fognak

Present Conditional

adatnám—I would be given
adatnál
adatnék
adatnánk
adatnátok
adatnának

dicsértetném—I would be praised
dicsértetnél
dicsértetnék
dicsértetnénk
dicsértetnétek
dicsértetnének

Past Conditional

adattam volna—I would have
been given
adattál volna
adatott volna
adattunk volna
adattatok volna
adattak volna

dicsértettem volna—I would have
been praised
dicsértettél volna
dicsértetett volna
dicsértettünk volna
dicsértettetek volna
dicsértettek volna

Present Subjunctive

adassam—that I may be
given
adassál
adassék
adassunk
adassatok
adassanak

dicsértessem—that I may be
praised
dicsértessél
dicsértessék
dicsértessünk
dicsértessetek
dicsértessenek

Religious greeting in Hungary:

Dicsértessék a Jézus Krisztus
Laudetur Jesus Christus.
Christ be praised

§ 93. *Névutók. Postpositions.*

The postposition follows the noun (with or without suffixes).

a)   Without suffixes:

mellett—beside
   Az iskola mellett park van. There is a park beside the school.
alatt—under
   A kutya az asztal alatt van. The dog is under the table.
felett—above
   Az óra felett lámpa van. There is a lamp above the clock.

The following postpositions may take personal endings: mellettem—beside me, melletted—beside you, mellette—beside him, mellettünk—beside us, mellettetek—beside you, mellettük—beside them.
alattam—under me, felettem—above me, etc. See § 34.
miattam—because of me, irántam—toward me, nélkülem—without me

Családja miatt csinálta ezt. He did it because of his family.
Kalap nélkül ment az utcára. He went without a hat on the street.
Tanulás végett megyünk iskolába. We go to school for the purpose of
   studying.

b)   With suffixes:
   Some postpositions are added to nouns which have suffixes.

suffix	*postposition*	
-n, -on,	innen	A stadion a városon innen van. The stadium is on this side of the city.
-en, -ön,	túl	Az erdőn túl tehenek vannak. There are cows beyond the forest.
	kívül	Ezen kívül nincs más ruhája. He (she) has no other suit besides this one.
	belül	A falon belül nincs szél. Inside the wall there is no wind.
	át	A hajó a Dunán megy át. The boat goes across the
	keresztül	Danube.

innen—on this side of, from here, túl—beyond, kívül—outside
belül—inside, át, keresztül—across

suffix	postposition

-val, -vel   együtt—together, with
          Öcsémmel együtt megyek kirándulásra. I go for an
          excursion together with my younger brother.
          János velem együtt szaladt haza. John ran home
          together with me.

-hoz, -hez,   közel—near, képest—in comparison with
-höz   A csárdához közel van a tó. The lake is near the
          roadside inn.
          Te közel ültél hozzám a moziban. You sat near me
          in the movies.
        képest — in comparison
         Amerikához képest Svájc kis állam. In comparison
         with America Switzerland is a small country.

-tól, -től   fogva—since
          Mától fogva jól tanulok. Since today I have been
          studying well.

Other postpositions:

gyanánt—as, for   A halat hús gyanánt adta el a kereskedő. The merchant
sold fish as meat. (dishonestly)

Gyakorlatok. Exercises.

A) Alakítsuk át a következő mondatokat szenvedő alakból cselekvő alak-
ká. — Change the following sentences from passive to active.

E.g., A kereskedő levelet ír. Levél iratik a kereskedő által.

1. Az új egyetem ebben az évben állíttatik fel.
2. Az országgyűlés ülése tegnap tartatott.
3. Az új főváros terve megakadályoztatik.
4. A budai német színház magyar közönség által is látogattatott.
5. A német színház a magyar színészek által béreltetik ki.
6. A Nemzeti Színház részére telek adományoztatott.
7. A kapu este nyolc órakor nyittatik ki.
8. A ruhák önzetlen munkával hozattak létre.
9. Nagyobb kultúrélet fog kezdeményeztetni a színház által.
10. Az épület Nemzeti Színháznak hívatik.

B) Fordítsuk le angolra. Translate into English.

1. A hír mindenkinek tudtára adatik.
2. Ma este másik darab játszatik a Nemzeti Színház által.
3. A város irodalmi központtá tétetik.
4. Iluska megtaláltatik János vitéz által.
5. A nyáj János által őriztetett.
6. Új étel főzetik a konyhában.
7. A kutya meglövetik a vadász által.
8. A levélre válasz kéretik.
9. Szép kép festetik a festő által.
10. Szüleitől szerettetik a baba.

C) Fordítsuk le angolról magyarra. Translate from English into Hungarian.

1. This house is built by the railroad.
2. The aunt is loved by everybody.
3. A new law is being proclaimed today.
4. Madam, be so kind and wait here.
5. The bird was shot by the boy.
6. Many flowers were sold in the store.
7. Interesting books are published in our country.
8. The theater was opened by the mayor.
9. A dress is given to the little girl by her parents.
10. The work of the students is praised by the teacher.

D) Fordítsuk le magyarra. Translate into Hungarian.

1. The theater is on this side of the city.
2. Beyond the river there is a forest.
3. Besides this house he has an other one.
4. Inside the city walls there are five churches.
5. It is good for you.
6. He goes to Europe together with his family.
7. In comparison with his other work this is better.
8. Your garden is near the lake.
9. The Hungarians had good horses since the old days.
10. He sent him an old dictionary as a new book.

Egy napon otthon.

Ha este korán fekszem le, akkor reggel korán kelek fel. Tegnap este a gyermekeket is akkor fektették le, amikor én mentem aludni. Reggel, amikor felébredek, néhányszor kinyújtózkodom és utána felkelek. Első utam a hálószobából a fürdőszobába vezet, ahol megborotválkozom. Nem szeretem, ha a borbély borotvál. Hideg vagy langyos vízben szappannal mosakodom. Fürödni meleg vízben szoktam. Hajamat is mindíg meleg vízben mosom meg. A kis babát is meleg vízben fürösztik vagy mossák meg. Tiszta törülközővel törülközöm meg, azzal szoktam hajamat is megtörülni. A tükör előtt fésülködöm. Ha a borbély fésül engem, akkor nincs szükségem tükörre meg fésűre. Olyan gyorsan tudok öltözködni, mint vetkőzni. Ha viszket a tenyerem, megvakarom. Társaságban nem illik vakarózni. A reggelit szokás szerint az asztalon találom. Kávét reggelizem vajas kenyérrel. Reggeli után el szoktam olvasni a reggeli újságot. Munkahelyemre magammal viszem az irattáskámat. Munkahelyemen nem vonakodom a munkától. Éppen ellenkezőleg viselkedem, mindíg jól végzem a munkát. Délben sohasem megyek haza ebédelni, mert egy közeli vendéglőben szoktam találkozni barátaimmal. Ha a gyermekek jól viselik magukat, elviszem őket egy cukrászdába. Tegnap nagyon szépen viselkedtek. Délután, amikor bevégzem a napi munkát, bemegyek a városba. Az üzletekben veszek valamit, ha kell. Néha sétálni megyünk a parkba, ahol térzenét lehet hallgatni minden héten egyszer. Szoktunk hajókirándulást tenni a Dunán meleg nyári délutánokon. Ha egyenesen hazamegyek, akkor a kertben dolgozom, meg a ház körül csinálok valamit. A gyermekek szeretnek segíteni egy kicsit, meg játszani közben a zöld füvön. Ők jó gyermekek, sohasem verekednek. Ha jó műsor kezdődik a televízión, akkor bemennek a nappali szobába és bekapcsolják a televíziós készüléket. Ha feleségem elkészíti a vacsorát, mindenkit behív az ebédlőbe. Vacsora közben beszélgetünk, mindenki mond néhány újságot. Vacsora után el kell mosogatni az edényeket. Az esték különbözőképen szoktak eltelni. Ha otthon maradunk, jól érezzük magunkat és olvasunk. Néha vendégek szoktak jönni hozzánk. Máskor vagy színházba megyünk, vagy hangversenyt (koncertet) hallgatunk meg, vagy egy jó filmet nézünk meg valamelyik moziban. Éjfél tájban szoktunk lefeküdni, de a gyermekeket korábban fektetjük le. Majdnem minden nap másként szoktuk beosztani időnket.

Kérdések. Questions.
1. Mikor kelek fel korán reggel?
2. Mikor fektették le a gyermekeket este?
3. Mit csinálok reggel, amikor felébredek?
4. Mit csinálok a fürdőszobában?
5. Milyen vízben mosakodom?
6. Milyen vízben mossák és fürösztik a kis babát?
7. Mivel törülközöl?
8. Mit csinálok a tükör előtt?
9. Mikor nincs szükség fésűre?
10. Mit tudok gyorsabban csinálni: öltözködni vagy vetkőzni?
11. Hol nem illik vakarózni?
12. Mit reggelizem?
13. Mit olvasok reggeli után?
14. Mi történik délben a vendéglőben?
15. Mikor viszem el a gyermekeket a cukrászdába?
16. Mit nem csinálnak a gyermekek soha?
17. Hol nézik a gyermekek a televíziót?
18. Mit csinálunk vacsora közben?
19. Mit kell tenni vacsora után?
20. Mikor szoktunk lefeküdni?
21. Mit csinálunk korábban a gyermekekkel?

Szavak.

huszadik—twentieth
korán—early
lefeküdni—to lie down, to go to bed
felkelni—to get up
lefektetni—to lay down, to put to bed
felébredni—to wake up
néhányszor—several times
kinyújtózkodni—to stretch out
hálószoba—bedroom
fürdőszoba—bathroom
megborotválkozni—to shave oneself (refl.)
borbély—barber
borotválni—to shave
hideg—cold
langyos—lukewarm
szappan—soap
mosakodni—to wash oneself (refl.)

fürödni—to bathe oneself, to take a bath. (refl.)
haj—hair
mosni, megmosni—to wash
füröszteni—to give a bath
törülköző—towel
törülközni—to dry oneself (refl.)
törülni—to wipe
tükör—mirror
fésülködni—to comb oneself (refl.)
fésülni—to comb (so. else)
fésű—comb
szükségem van valamire—I need sth.
öltözködni—to dress oneself (refl.)
vetkőzni—to undress oneself (refl.)
viszketni—to itch
tenyér—palm (of the hand)

vakarni— megvakarni—to scratch
nem illik—it is not proper, not suitable
vakarózni—to scratch oneself (refl.)
reggeli—breakfast
szokás—custom
reggelizni—to take breakfast
vajas kenyér—bread and butter
vaj—butter
irattáska—brief case
vonakodni—to hesitate
ellenkezőleg—on the contrary
viselkedni—to behave (refl.)
munkát végezni—to do the work
ebédelni—to take lunch
találkozni—to meet
viselkedni or viselni magát—to behave (refl.)
bevégezni—to finish
cukrászda—sweetshop
sétálni—to take a walk
térzene—open air music
hajókirándulás—boat excursion

egyenesen—directly
verekedni—to fight each other (reciprocal)
műsor—program
kezdődni—to begin, to start (refl.)
nappali szoba—living room
bekapcsolni—to put on, to connect
készülék—appliance
feleség—wife
elkészíteni—to make, finish, complete
behívni—to call in
ebédlő—dining room
mosogatni, elmosogatni—to wash dishes
különbözőképen—differently
eltelni—to pass (time), to elapse
éjfél tájban—around midnight
időt beosztani—to plan one's time
tisztulni—to become clean
bemutatkozni—to introduce oneself (refl.)
ellenség- -enemy
Duna—Danube

§ 94. *A visszaható igék. The Reflexive Verbs.*

The reflexive verb expresses an action which reflects back upon the subject. The reflexive formative suffixes may also denote reciprocal actions. Often verbs formed with reflexive formative suffixes do not keep their original meaning and simply limit the action to the acting person. Frequently reflexive pronouns are used instead of reflexive verbs. Reflexive verbs are always "ikes" verbs.

Formative suffixes:

I. a) *-ódik, -ödik*

Infinitive	Present tense 3rd person sing.	Reflexive
húzni—to pull	húz—pulls	húzódni—to stretch húzódik—he stretches
kezdeni—to begin	kezd—begins	kezdődni—to begin (refl. in Hungarian) kezdődik—it begins

b) *ózik, -özik*

nyújtani—to stretch, to expand	nyújtózkodni—to stretch
nyújt—he stretches	nyújtózkodik—he (she) stretches
férni—to have room, to fit	férközni—to weave in (as in a crowd)
mérni—to measure	mérközni—to compete

c) *-kodik, -kedik, -ködik*

Noun	Infinitive	Reflexive
ruha—dress, suit	ruházni—to provide w. clothes	ruházkodni—to provide oneself with clothes
fésü—comb	fésülni—to comb	fésülködni—to comb oneself

Adj.

ügyes—adroit, dextrous		ügyeskedni—to prove oneself adroit
	rakni—to put	
	rakodni—to load	rakodni—to load oneself

d) *-kozik, -kezik, -közik*

borotva—razor	borotválni—to shave	borotválkozni—to shave oneself
	vetni—to sow, to put down	vetközni—to undress
	védeni—to defend	védekezni—to defend oneself
	törülni—to dry, to wipe	törülközni—to dry oneself

e) *-ódzik, -ödzik*

	vakarni—to scratch	vakaródzni—to scratch oneself
	dörgölni—to rub	dörgölödzni—to rub oneself

f) Some verbs have a similar meaning to that of the reflexive verbs but they are not "ikes" verbs:

Formative suffix: -ul, -ül

Infinitive	*Reflexive*
nyomni—to press, to squeez	nyomulni—to advance
ámítani—to amaze	ámulni—to amaze oneself

II.

Infinitive	*Reciprocal verbs*
ölelni—to embrace	ölelkezni—to embrace each other
verni—to beat	verekedni—to fight each other
találni—to find	találkozni—to meet each other
csókolni—to kiss	csókolózni—to kiss each other
tegezni—to address sb. familiarly (to use "te") thouing form	tegeződni—to address one another with "te". (refl.)

III. The exterior form of the verb is reflexive but the sense is not reflexive.

váltani—to change	változni—to turn oneself into sth. to become
vonni—to draw, to pull	vonakodni—to hesitate
alkalmazni—to employ	alkalmazkodni—to accommodate oneself

IV. Sometimes it is permissible to employ reflexive pronouns instead of reflexive verbs.

viselni—to bear, to wear	viselkedni, or viselni magát—to behave
festeni—to paint	festeni magát—to paint oneself

NOTE: In Hungarian reflexive verbs cannot replace passive verbs as in other languages.

§ 95. *Reflexive verbs with potential verbs (-hatni, -hetni).*

kezdődhetni	kezdődhet—it can begin
ruházkodni	ruházkodhatnak—they may provide themselves with clothes
csókolózni	csókolózhattok—you may kiss each other

§ 96. *Conjugation of the reflexive verbs.*

Present

borotválkozom—I	fésülködöm—I	Past: borotválkoztam
shave myself	comb myself	Fut.: borotválkozni fogok
borotválkozol	fésülködöl	Cond. pres.: borotválkoznám
borotválkozik	fésülködik	(ikes verb)
borotválkozunk	fésülködünk	
borotválkoztok	fésülködtök	Cond. past: borotválkoztam volna
borotválkoznak	fésülködnek	Subj.: borotválkozzam

(The other tensees are modeled after the "ikes" verbs.)

§97. *és, meg—and* these conjunctions have the same meaning.

a) Their use is optional.

A ház és az udvar a város szélén van. The house and the backyard are on the edge of the city.

A ház meg az udvar a város szélén van.

A lovak és a tehenek az utcán vannak. The horses and the cows are in the street.

A lovak meg a tehenek az utcán vannak.

b) In addition *meg* is employed.

Kettő meg kettő az négy. Two and two is four.

Öt meg öt az tíz. Five and five is ten.

c) For expressing contrast *meg* is used.

Én magyar vagyok, ő meg amerikai. I am Hungarian, and he is American.

Ez füzet, az meg könyv. This is a notebook, and that is a book.

A folyó ott van, az erdő meg itt van. The river is there, and the forest is here.

Gyakorlatok. Exercises.

A) Képezzünk visszaható igéket a következő igékből és főnevekből:

Let us form reflexive verbs from the following verbs and nouns:

felemelni—to lift

kefélni—to brush

csukni—to close

nyitni—to open

költözni—to move

barát—friend

színész—actor

bemutatni—to show, to introduce

B) Fordítsuk le angolra. Translate into English.

1. A víz még nem tiszta, de már tisztul.
2. Mosd meg a kezedet, fiam.
3. A kis gyermek még nem tud egyedül mosakodni.
4. Fésülje meg a hajam, kérem. Én nem tudok fésülködni.
5. A rossz fiúk szeretnek verekedni.
6. Ők addig csókolóztak, amíg valaki szólt valamit.
7. A könyv mára készült el.
8. Fürödjünk most a Dunában, a víz elég meleg.
9. Délben segítettem edényt törülni, reggel a fürdőszobában törülköztem.
10. Aki sokat vakarózik, nem viselkedik szépen.
11. A közönség ámult a szép játékon.
12. Legjobban egyedül borotválkozom, eddig mindíg a borbély borotvált.
13. A diákokat is a borbély borotválta.
14. A kis babát minden nap meg kell fésülnöm.
15. Az ellenség a kaput benyomta és benyomult a városba.

C) Fordítsuk le magyarra. Translate into Hungarian.

1. The children go to bed at eight o'clock.
2. They get up at seven o'clock in the morning, and wash themselves with a piece of soap.
3. When they are older they will shave.
4. I met my friend last night.
5. Today the girls dressed quickly.
6. Yesterday we went to bed late.
7. I raise my hand and then I rise.
8. I introduce myself and then I introduce my friend.
9. My father woke up at half past six this morning.
10. He dressed in five minutes and went to his car in the street.

HUSZONEGYEDIK LECKE. (21)

A sportélet Magyarországon.

A testnevelés és a sportélet minden modern államban magas fokon áll. A testnevelés kötelező tantárgy az iskolákban. Minden iskolában van tornaterem, ahol különböző tornaszerek találhatók. Azt hiszem, a gyermekek szeretik a sportokat. Különböző vidékeken más és más sport van kifejlődve. A folyók és tavak mellett az úszás, csónakázás és vitorlázás a népszerű sport. Télen a hegyekben sízni és szánkázni szoktak. A nyár kirándulásra vagy hegymászásra alkalmas. Korcsolyázni mindenütt lehet télen, ha hideg van. Európában más sportokat űznek az emberek, mint

Amerikában. Néhány országban a kerékpározás (biciklizés) népszerű. Egész Európában a labdarúgás a nemzeti sport. Az amerikai rugby football nem ismerik az európai szárazföldön. A kosárlabda és röplabda kezd elterjedni Magyarországon is. A kardvívás és ökölvívás hagyományos magyar sport a vízipóló mellett.

A magyar atléták majdnem minden sportágban jók. Az olimpiai versenyeken hosszú évtizedeken keresztül a harmadik helyen volt Magyarország csapata. Minden vasárnap sok ember nézi a különféle sportversenyeket a sportpályákon és stadionokban. A nemzetközi versenyek és serlegmérkőzések hozzájárulnak a népek kölcsönös megértéséhez és a baráti szellem kifejlesztéséhez.

Kérdések. Quetstions.

1. Milyen fokon áll a sportélet minden modern országban?
2. Mi kötelező tantárgy az iskolákban?
3. Hol találhatók a tornaszerek?
4. Hol van kifejlődve az úszás és sízés?
5. Mikor lehet korcsolyázni?
6. Mi a népszerű sport Hollandiában?
7. Mi a nemzeti sport Európában?
8. Ki tudja, melyek a hagyományos magyar sportok?
9. Hányadik volt Magyarország csapata sokáig az olimpiai versenyeken?
10. Hol vannak a sportversenyek minden vasárnap?

Szavak.

huszonegyedik—twenty first
sportélet—sport life
testnevelés—physical education
állam—state
fok—degree, grade, standard
magas fokon áll—it stands on a high level
kötelező—compulsory
tornaterem—gymnasium
tornaszer—gymnastic equipment
található—can be found
különböző—various
vidék—region
más—other, different
van kifejlődve—is developed
hegy—mountain
sízni—to ski

szánkázni—to ride in a sleigh
hegymászás—mountain climbing
alkalmas—suitable
népszerű—popular
korcsolyázni—to skate
mindenhol, mindenütt everywhere
sportot űzni—to cultivate (practice) a sport
labdarúgás, futball—football (soccer)
szárazföld—continent
majdnem—almost
sportág (sing.)—types of sport
olimpiai verseny—Olympic competition
keresztül—through

évtized—decade
csapat—team
kosárlabda—basket ball
röplabda—volley ball
újabban—recently
elterjedni—to spread, to gain
    ground
kardvívás—fencing
ökölvívás—boxing
nemzetközi—international
serleg—cup, prize
mérkőzés—competition
vízipóló—water polo

hozzájárulni—to contribute sth.
sportpálya—athletic field
stadion—stadium
kölcsönös—mutual
megértés—understanding
baráti—friendly
szellem—spirit
nekem illik—it suits me
engem illet—I have a right to it
ami azt illeti—what concerns it,
    sofar as it goes
hagyományos—traditional

§ 98. *A gyakorító igék. The frequentative verbs.*

The frequentative verb denotes an action which lasts for a notable period
of time and is repeated or continued.

Basic verb	Formed verb	Formative suffix
olvas—he reads	olvasgat—he reads frequently	-gat
ír—he writes	írogat—he writes repeatedly	-gat o conn. vowel
beszél—he speaks	beszélget—he talks, he talks on	-get
néz—he looks	nézeget—he looks around	-get e conn. vowel
szalad—he runs	szaladgál—he runs around	-gál
kap—he gets	kapkod—he snatches at sth.	-kod
lép—he steps	lépked—he steps frequently	-ked
köp—he spits	köpköd—he spits repeatedly	-köd
áll—he stands	álldogál—he hangs around	-dogál
él—he lives	éldegél—he lives quietly	-degél
ül—he sits	üldögél—he sits around	-dögél
fut—he runs	futkos—he runs around	-kos

§ 99. *Mozzanatos igék. Intensives.*

These verbs denote an intense, single, emphatic action which happens
only once, suddenly and lasts for a short period of time.

csörög—it clatters	csörren—it clangs (once)	-n
csavar—he twists	csavarint—he twirls	-int
súg—he whispers	sugall—he suggests (once)	-ll a conn. vowel

§ 100. *Kezdő igék. Inceptives or Inchoatives.*

They indicate the beginning of an action.

él—he lives	éled—it comes to life	-d
szól—he speaks	szólal—he begins to speak	-l
mozog—he moves	mozdul—he sets in motion	-dul
cseng—it rings	csendül—it sounds (once)	-dül

§ 101. nekem illik—it suits me
     engem illet—it is for me (I have a right to it)
     ami azt illeti—what concerns it

Az új ruha illik nekem. The new suit fits me.
Az örökség őt illeti. The heritage is for him. (has right)
Ami azt illeti, ő jó tanuló. As far as that goes, he is a good student.

Gyakorlatok. Exercises.

A) Fordítsuk le angolra. Translate into English.

1. Ami azt illeti, Magyarországon sok sportot űznek.
2. Az európai szárazföldön más sportokat ismernek, mint Amerikában.
3. A gyermekek szeretik a vízipólót és a hegymászást.
4. A kardvívás és ökölvívás hagyományos magyar sport.
5. A sportélet minden országban éledni kezd.
6. Az emberek vasárnap egész nap a stadionban üldögélnek.
7. Az asszonyok is beszélgetnek a sportról.
8. A kis fiúk sokat futkosnak.
9. Az öreg emberek nyugodtan éldegélnek.
10. Az utcán nem szabad köpködni.

B) Fordítsuk le magyarra. Translate into Hungarian.

1. I have a right to this old house.
2. The people stand around and watch the football game.
3. I am reading repeatedly this book. (I often read in this book.)
4. This student begins to talk at four o'clock in the morning.
5. The new hat suits you very well.
6. In the gymnasium we run around every day.
7. Where will you go to skate?
8. There are athletic games in the stadium every week.
9. Volley ball is beginning to be popular in Hungary.
10. The Hungarian team was third at the Olympic games.

HUSZONKETTEDIK LECKE. (22)

A legnagyobb magyar.

A magyar reformnemzedék vezető államférfiai között a legjelentősebb Széchenyi István (1791-1860) volt. Széleskörű európai műveltséggel rendelkezett és több idegen nyelven beszélt. Többször utazott Nyugat-Európába, Angliába, Franciaországba, Németországba és Olaszországba. Magyarországon dolgozott annak a szellemi és ipari haladásnak a megvalósításáért, amelyet Nyugaton látott. Könyveiben ezeket az eszméket hirdette.

Atyja Széchenyi Ferenc alapította a Magyar Nemzeti Múzeumot. Széchenyi István az 1825-i pozsonyi országgyűlésen egy évi jövedelmét ajánlotta fel a Magyar Tudományos Akadémia céljaira. Bőkezűségét mások is követték, amelynek eredménye a Magyar Tudományos Akadémia megalapítása lett. Reformjai egy modernebb Magyarországot hoztak létre. Utakat, vasutakat épített, hajózhatóvá tette a Tiszát és a Dunát a Vaskapunál. A Balatonon is kezdtek gőzhajók közlekedni. A magyar mérnökök segítségével folyókat szabályozott, Buda és Pest között felépítette az első kőhidat, a híres Lánchidat. A magyar kereskedelmet és földművelést magasabb fokra akarta emelni, hogy a termékeket külföldön el lehessen adni.

Véleménye szerint egy ország igazi értékét a művelt emberek képviselik. Ő maga is állandóan tanult, olvasott és szervezte a magyar társodalmat. Művelt és gazdaságilag erős Magyarországot akart látni, amely azután kivívhatta volna alkotmányos szabadságát a bécsi kormánytól. Politikai ellenfele, Kossuth Lajos, akinek célja csak sorrendben különbözött Széchenyiétől, a legnagyobb magyarnak nevezte Széchenyi Istvánt.

Kérdések. Questions.

1. Ki volt Széchenyi István?
2. Milyen műveltséggel rendelkezett?
3. Milyen országokban utazott?
4. Mit akart megvalósítani Magyarországon?
5. Mit hirdetett könyveiben?
6. Miért mondjuk, hogy Széchenyi István alapította a Magyar Tudományos Akadémiát?
7. Melyek voltak híres gazdasági reformjai?
8. Mi volt a véleménye a műveltségről?
9. Hogyan akarta kivívni az ország függetlenségét?
10. Minek nevezte őt Kossuth Lajos?

huszonkettedik—twenty second
nemzedék—generation
vezető—leading, leader
államférfi—statesman
jelentős—significant
széleskörű—widely extended
műveltség—culture
rendelkezni valamivel—to dispose
  of sth., to have at one's
  disposal
megvalósítani—to realize
ipari—industrial
szellemi—intellectual
haladás—progress
eszme—idea, conception
hirdetni—to proclaim
alapítani—to found, establish
alapítás—foundation
Pozsony—former capital of
  Hungary (today Bratislava
  in Czechoslovakia)
jövedelem—income
felajánlani—to offer
Magyar Tudományos Akadémia—
  Hungarian Academy of
  Sciences
cél—goal, endeavor
bőkezűség—generosity
követni—to follow
eredmény—result
létrehozni—to create
hajózható—navigable
Vaskapu—The Iron Gates
gőzhajó—steamship
mérnök—engineer

közlekedni—to communicate,
  to run
segítség—help
folyó—river
szabályozni—to regulate, to
  adjust, to improve
kőhíd—stone bridge
híres—famous
lánc—chain
emelni—to lift
vélemény—opinion
termék—product
érték—value
művelt—educated
állandó—permanent, steady
képviselni—to represent
eladni—to sell
szervezni—to organize
társadalom—society
gazdaságilag—economically
kivívni—to achieve, to win
alkotmány—constitution
szabadság—freedom, liberty
függetlenség—independence
Bécs—Vienna
ellenfél—adversary, opponent
sorrend—order
Lajos—Louis
nevezni valaminek—to call
szállítani—to carry, to transport
bánya—mine
lóverseny—horse race
bevezetni—to introduce
lenni valamivé—to become (sth.)
termény—agricultural produce

§ 102. *Főnévképzés. Formation of nouns.*

In Hungarian nouns and verbs have different forms. Several old nouns
and verbs, and some new ones formed during the period of language re-
form have similar forms:

>   nyom—footprint, track, trace
>   nyom—he (etc.) presses (3rd person sing.)

fagy—frost
fagy—it is freezing

Formative suffixes change the meaning of words.

New nouns can be formed in two ways:
    a) by combining nouns and
    b) by formative suffixes.

a) 1. compound nouns:

kőház—stone house
kőbánya—stone mine
kőfal—stone wall
kőpad—stone bench

malomkő—millstone
drágakő—percious stone
fogkő—tartar
vízkő—water scale

sárgadinnye—canteloupe, sárga—yellow, dinnye—melon
anyanyelv—mother tongue, anya—mother, nyelv—tongue
országgyűlés—parliament, ország—country, gyűlés—meeting
szárazföld—continent, száraz—dry, föld—earth
kapukulcs—doorkey, kapu—gate, kulcs—key

    2. népkönyvtár—peoples library, nép—people, könyv—book, tár—collection
nyersanyagtermelés—production of raw material, nyers—raw, anyag—material, termelés—production
tehergépkocsi—truck, teher—freight, gép—machine, kocsi—coach

b) | Basic word | Formed word | Formative suffix |
|---|---|---|
| gondol—he thinks | gondolat—thought | -at |
| ír—he writes | irat—document, paper | -at |
| felel—he answers | felelet—answer | -et |
| tud—he knows | tudomány—knowledge | -mány |
| ered—he originates | eredmény—result | -mény |
| süt—he bakes | sütemény—pastry | |
| harangozik—he rings the bell | harangozó—sexton, bell ringer | -ó |
| kisér—accompanies (he) | kísérő—guide | -ő |
| hal—fish | halász—fisherman | -ász |
| ékszer—jewel | ékszerész—jeweller | -ész |
| óra—watch | órás—watchmaker | -s |
| katona—soldier | katonaság—soldiery (collective noun) | -ság |
| hegy—mountain | hegység—mountains (chain) (collective noun) | -ség |

jó—good	jóság—goodness (abstract)	-ság
szép—nice	szépség—beauty (abstract)	-ség
leány—girl	leányka—little girl (diminutive)	-ka
ember—man	emberke—little man (diminutive)	-ke
fiú—boy	fiúcska—little boy (diminutive)	-cska
könyv—book	könyvecske—little book, booklet	-cske
Kemény Gábor	Kemény Gáborné—Mrs. Gabriel Kemény	-né
szán—he is sorry for sb.	szánalom—pity	-alom
fél—he is afraid	félelem—fear, dread	-elem
ír—he writes	irodalom—literature	-dalom
kereskedik—he trades	kereskedelem—commerce	-delem
jár—he walks	járvány—epidemic, disease	-vány
szökik—he escapes	szökevény—fugitive	-vény

Gyakorlatok. Exercises.

A)   Fordítsuk le angolra. Translate into English.

1. Az ipari haladás gyorsabb volt Angliában, mint Magyarországon.
2. A földművelés és kereskedelem magas fokon állott.
3. Nem volt könnyű feladat megalapítani a Magyar Tudományos Akadémiát.
4. A lánchíd volt az első állandó híd a Dunán Buda és Pest között.
5. A terményeket gőzhajók szállították a Balatonon és a Dunán.
6. A hajózható folyókon lehet hajózni.
7. A művelt emberek egy ország igazi értékei, nem a bányák.
8. Vasúton az utazás kellemes.
9. Az országgyűlésen ajánlotta fel Széchenyi egy évi jövedelmét a nemzeti célra.
10. Széchenyi vezette be a lóversenyeket Magyarországon.

B)   Fordítsuk le magyarra. Translate into Hungarian.

1. Would you be afraid to travel by car in the mountains?
2. Kossuth called Széchenyi the greatest of Hungarians.
3. He has shown great generosity.
4. Horse races are popular in Hungary.
5. Steamboats started to run on the Balaton.
6. The engineers regulated the Tisza river.

7. Adam Clark, the British engineer, built the first bridge in Budapest.
8. Széchenyi founded the Hungarian Academy of Sciences.
9. The leader of the Hungarian reform generation traveled in England, France, Germany and Italy.
10. In the 19th century Budapest became the intellectual, economic and political capital of Hungary.

C) Képezzünk főneveket a következő igékből:
Form nouns from the following verbs:
közlekedni, vívni, látni, haladni, megvalósítani, képviselni, beszélni, építeni, művelni, vélni, utazni, szabályozni.

HUSZONHARMADIK LECKE. (23)

A magyar zene.

A magyar zenetörténeti kutatás az eredeti magyar zene anyagát vizsgálja. Régen egyes dallamok csak szájhagyományban éltek a nép között, mások pedig írott emlékekben maradtak fenn az utókor számára. A zene ott születik, ahol a többi művészet. Különböző népek, különböző vidékeken és szárazföldeken másként fejezik ki érzelmeiket és gondolataikat zenei alkotásaikban is.

A magyar sors és emlékek első énekesei a regősök és lantosok voltak, akik a nemzeti hagyományt őrizték. Később a főúri kastélyokban és a királyi udvarban hirdették azt a közös szellemet, amelyet a magyarság Keletről hozott magával Európába. A régi magyar zenekarok kultúrája a 16. század tragikus eseményei következtében elveszett. A magyar műzene teljesen más hatások alá került. Az új zenei műveltség máshonnan indult ki és más társadalmi köröket befolyásolt. Magyarország politikailag a Kelethez tartozott a török megszállás alatt. Erdély és a Felvidék kastélyaiban, amely országrészek nem voltak a török hatalma alatt, új magyar főúri zene fejlődött ki. A 18. században Magyarország közvetlen kapcsolatban állott ismét Európával és a népi dallam kiszorult az új zenei alkotásokból. A cigányzenészek adták elő a magyar zenét, amely jobban és jobban eltávolodott a népi hagyománytól. A magyar zenei élet a Nyugat hatása alatt állott. A nagy magyar zeneszerzők: Liszt Ferenc, Erkel Ferenc, Mosonyi Mihály, Mihalovics Ödön, Hubay Jenő Nyugat-Európa tanítványai.

Bartók Béla és Kodály Zoltán a magyar népművészetet keresik a magyar zenében, amelynek ősi hangjai Ázsiából kerültek Közép-Európába. Kutatásaikkal ők is a közös, szép és örök európai szimfónia folytatói.

Kérdések. Questions.

1. Mit vizsgál a zenetörténet?
2. Hogyan éltek az egyes dallamok a nép között?
3. Milyen zenéje van minden népnek?
4. Kik voltak a magyarok első énekesei?
5. Miért változott meg a magyar zene a 16. században?
6. Milyen befolyás alá került a magyar zene a 17. és 18. században?
7. Mi szorult ki az új alkotásokból?
8. Kik adják elő ma is a magyar zenét?
9. Mi a nevük a nagy magyar zeneszerzőknek?
10. Kik a régi magyar zene kutatói Magyarországon?

Szavak.

huszonharmadik—twenty third
zene—music
zenetörténet—history of music
kutatás—research
vizsgálni—to examine
eredeti—original
anyag—material
régen—long ago
dallam—melody
szájhagyomány—oral tradition
emlék—memory, souvenir
fennmaradni—to remain, to be left
utókor—posterity
művészet—art
alkotás—work, composition
énekes—singer
regős—minstrel, bard
lantos—harpist
hagyomány—tradition
őrizni—to guard
később—later
főúri—aristocratic, palatial
kastély—manor house, mansion
magyarság—the Hungarians (coll. noun)
kelet—orient, east
elveszni—to get lost
század—century

tragikus—tragic
esemény—event
következtében—in consequence, as a result of
műzene—artistic music
teljesen—completely
befolyás—influence
máshonnan—from another place
kiindulni- to depart, to originate
társadalmi—social
kör—circle
tartozni valamihez—to belong
megszállás—occupation
kifejlődni—to develop
rész—part
hatalom—might, power
Erdély—Transylvania
Felvidék—Upper Hungary
közvetlen—immediate, direct
kapcsolat—contact
kiszorulni—to get pushed out
alkotás—composition
cigány—gipsy
zenész—musician
előadni—to perform
eltávolodni—to grow away from
hatás—influence
zeneszerző—composer
tanítvány—disciple

népművészet—folklore
ősi—ancient
hang—voice
kerülni valahová—to get
    somewhere
folytató—one who continues
szimfónia—symphony
örök—eternal

változni—to change
népdal—folk song
törvény—law
kövér—fat
boldog—happy
remény—hope
hirdetni—to proclaim, advocate,
    advertise

Nyelvtan. Grammar.

§ 103. *A melléknevek képzése. Formation of Adjectives.*

New adjectives can be formed in two ways:
    a) by combining words and
    b) by formative suffixes.

a) compound adjectives:
The second part of a compound word determines the function of the whole, e.g.,
méz—honey (noun), édes—sweet (adj.) mézédes—sweet as honey (adj.)
sötét—dark (adj.), kék—blue (adj.) sötétkék—dark blue (adj.)
1. aranysárga—golden yellow
    csodaszép—wonderfully beautiful
    jéghideg—ice cold
    vérvörös—blood-red
    dúsgazdag—very rich, abundant
    világoszöld—light green

2. with hyphen
    csúszó-mászó—sneaking (as a noun: reptile)
    ágas-bogas—bushy
    járó-kelő (sing.)—passerby, pedestrians

b) | *Basic word* | *Formed word* | *Formative suffix* |
| --- | --- | --- |
| év—year | évi—yearly | -i |
| nap—day | napi—daily | |
| ház—house | házi—domestic, of the house | |
| Budapest—Budapest | budapesti—of Budapest, Budapester | |
| Eger—Eger (city in Hungary) | egri—of Eger | |

nő—woman	nős—married (man)	-s
erő—strength	erős—strong	
só—salt	sós—salty	
hegy—mountain	hegyes—mountainous	
zöld—green	zöldes—greenish	
szív—heart	szíves—willing	
ház—house	házas—married (man)	
harap—he bites	harapós—snapping	
ijed—to be frightened	ijedős—timid	
szőke haj—blond hair	szőkehajú—blond haired (one word)	-ú
kék szem—blue eye	kékszemű—blue-eyed (one word)	-ű
írni—to write	író—writing	-ó
menni—to go	menő—going	-ő
él—he lives	élénk—vivid	-énk
nyúl—to reach, to stretch out	nyúlánk—slim, slender	-ánk
perc—minute	percnyi—of a minute	-nyi
méter—meter	méternyi—of a meter	
sovány—thin	soványka—somewhat thin (diminutive)	-ka
kicsi—small	kicsike—somewhat small (diminutive)	-ke
barna—brown	barnácska—somewhat brown (diminutive)	-cska
szép—beautiful	szépecske—somewhat beautiful (diminutive)	-cske
só—salt	sótlan—unsalted (deprivative)	-tlan
nő—woman	nőtlen—unmarried (deprivative)	-tlen
szag—odor	szagtalan—odorless (deprivative)	-talan
szív—heart	szívtelen—heartless	-telen

NOTE: gond—care, worry, gondatlan—careless, gondtalan—carefree

§ 104. A kölcsönös névmás. The Reciprocal Pronoun.

If two or more subjects act at the same time, and the action is directed towards each other, the reciprocal pronoun is used.

egymás—each other, one another

Az emberek látják egymást az utcán. The people see each other in the street. (Egyik látja a másikat. One sees the other.)

245

A kis fiúk és kis leányok nem szeretik egymást. The little boys and little girls do not like each other.

Ők hallják egymás hangját. They hear each other's voice.

A jó barátok gondolnak egymásra. The good friends think of each other.

Gyakorlatok. Exercises.

A) Képezzünk mellékneveket a következő szavakból.
Form adjectives from the following words.

hó and fehér, azúr and kék, tenger and zöld,
kő, ló, fa, város, ország, por, Amerika, Peru, Olaszország, Szeged, Hortobágy, Svédország, nagy, kövér, boldog, remény, óra, haza, tart, víz, fű, kert, barát.

B) Fordítsuk le angolra. Translate into English.

1. A keleti és nyugati zene találkozott egymással a mai Magyarországon.
2. A zeneművészet akaratlanul is az érzelmek kifejezője.
3. A lantosok a királyi udvarban a nemzeti hagyományokról énekeltek.
4. A zenei dallamokban megtalálható a népi eredet.
5. A 17. században a magyar zenei élet új befolyás alá került.
6. A népi zene századokon át változatlan volt.
7. Ma a cigányzenészek játszák a magyar népdalokat.
8. A műzene is magas fokon áll Magyarországon.
9. A magyar zeneszerzők nyugati hatás alatt állnak.
10. A népművészet erősen érezhető a magyar zenében.

C) Fordítsuk le magyarra. Translate into Hungarian.

1. Let us eat salted meat with unsalted bread.
2. The color of the forest flowers is vivid.
3. My best friend lives away from us.
4. Apples are red and lemons are greenish in the trees.
5. The blond-haired girl went into the village theater for the morning program.
6. Folk music develops according to an unwritten law.
7. Western influence is felt in Hungarian musical compositions.
8. Hungarian and American musicians know each other.
9. Gipsy orchestras play the folk songs in Hungary.
10. After the day's work it is pleasant to listen to an evening musical performance.

HUSZONNEGYEDIK LECKE. (24)

Egy keveset a magyar irodalomról.

A magyar irodalom tanulmányozása közben az olvasó felismerheti azokat a kapcsolatokat, amelyek a magyar és nyugateurópai irodalmat összekötik.

Az ősi magyar irodalomból nem sok emlék maradt az utókor számára, mert a keresztény hittérítők a pogány szokások ellen voltak. A pogány magyarok irodalma szájhagyományban élt. Később, amikor a magyarok elfoglalták a Dunamedencét, már tudtak írni. A rovásírás volt az ősi magyar írás, amelynek utolsó emléke a 16. századból maradt fenn Erdélyben. A középkori vallásos irodalom tartalomban és formában hasonló volt a többi nyugateurópai keresztény nép irodalmához. A többi európai szellemi áramlat is eljutott Magyarországra: a renaissance, a reformáció, az ellenreformáció, a nemzeti újjászületés, a klasszicizmus, romanticizmus, a népi költészet, a realizmus, a szimbolizmus, a naturalizmus, a polgári irodalom és legújabban a szocializmus irodalmának az iskolája. A különböző irodalmi irányok képviselői megtalálhatók a magyar irodalomban. Sok kiváló munka hirdeti a magyar írók, költők és irodalmi kritikusok hírnevét. Katona József, a Bánk bán című tragédia szerzője, Madács Imre, Az ember tragédiája írója, Vörösmarty Mihály, a nagy magyar romantikus költő, Petőfi Sándor, a világhírű lírikus, Arany János, a ballada Shakespeare-je, Jókai Mór, a kitűnő képzelőtehetségű mesemondó neve ismeretes a világirodalomban. Munkáikat több művelt nép nyelvére lefordították.

A magyar nyelv elszigeteltsége miatt a magyar irodalom nagy részben ismeretlen a művelt nemzetek fiai előtt. A magyar irodalom minőség és mennyiség tekintetében nem marad el egy nagy nemzet irodalma mögött sem. A magyar írók és költők műveikkel hozzájárultak az emberiség halhatatlan eszméinek a megőrzéséhez és a világirodalom fejlesztéséhez.

Kérdések. Questions.

1. Mi maradt fenn a pogány magyar irodalomból?
2. Mi a neve a pogány magyarok írásának?
3. Mihez volt hasonló a középkori magyar irodalom?
4. Milyen irodalmi iskolák jutottak el Nyugat-Európából Magyarországra?
5. Mi hirdeti a magyar írók és költők nevét?
6. Ki írta a Bánk bánt?
7. Ki volt Az ember tragédiája költője?
8. Miért ismeretlen a magyar irodalom a külföld előtt?
9. Milyen a magyar irodalom minőség és mennyiség tekintetében?
10. Mihez járult hozzá a magyar irodalom?

Szavak.

huszonnegyedik—twenty fourth
tanulmányozás—study
felismerni—to recognize
közben—meanwhile, during
olvasó—reader
kapcsolat—connection
összekötni—to connect
keresztény—Christian
hittérítő—missionary
pogány—pagan
Dunamedence—Danubian basin
rovásírás—runic writing
középkor—the Middle Ages
vallásos—religious
tartalom—content
forma—form
hasonló—similar
áramlat—trend, tendency, current
eljutni—to get somewhere, to
  reach
ellenreformáció—counter-
  reformation
újjászületés—revival
költészet—poetry
polgári—bourgeois
irány—direction, trend

kiváló—excellent
költő—poet
kritikus—critic
hírnév—fame
cím—title, address
világhírű—world famous
lírikus—lyric poet
ballada—ballad
képzelőtehetség—imagination
mesemondó—story teller
világirodalom—world literature
művelt—educated
lefordítani—to translate
elszigeteltség—isolation
miatt—because
minőség—quality
mennyiség—quantity
tekintetében—in regard
elmaradni—to lag behind, not to
  take place
hozzájárulni—to contribute
emberiség—mankind
halhatatlan—immortal
megőrzés—preservation
külföld—foreign country

§ 105. *Hasonló alakú és hasonló jelentésű szavak.*
Homonyms and synonyms.

a) *Homonyms* are words which are spelled the same but which have different meanings.

Homonyms:

ár—price
ár—tide(flood
ár—awl, punch
nyúl—rabbit, hare
nyúl—he reaches
toll—pen
toll—feather
fog—tooth
fog—he holds

hold—moon
hold—acre

vár—castle
vár—he waits
levél—letter
levél—leaf
daru—crane (bird)
daru—crane (mach.)

fogoly—captive, prisoner
fogoly—partridge

sír—grave
sír—he cries
csiga—snail
csiga—pulley
költeni—to spend money
költeni—to write a poem

248

b) *Synonyms* are words which are spelled differently, but which have the same or similar meanings.

kutya—dog   tengeri—corn, maize   sertés—hog   öreg—old
eb—dog   kukorica—corn, maize disznó—swine vén—dottering
                                                 ó—ancient

burgonya—potatoes   halom—pile, hillock   siet—he is fast, he hurries
krumpli—potatoes   domb—hill   fut—re runs
                    hegy—mountain   rohan—he rushes

§ 106. *A magyar szórend. The Hungarian Word Order.*

The Hungarian word order is much more flexible than the English. In the English language there is a prescribed sequence of words. In Hungarian the position of words can change the meaning of the sentence. The English has a logical, the Hungarian a psychological word order. The importance of words determines the word order.

a) Tegnap nem olvastam újságot. Yesterday I did not read the newspaper. Nem tegnap olvastam az újságot. I read the newspaper but not yesterday. (The second sentence has a different meaning.)

b) If the emphasis is on the predicate, and if it is the most important part of the statement, then the predicate should be the first word of the sentence. If the predicate is a compound verb, the verbal prefix in this case comes before the verb.
Megy az utóbusz Denverbe. The bus goes to Denver.
Kivittem a padot a kertbe. I took the bench out into the garden.

c) If we want to emphasize any other word, it must be placed before the predicate.
Az autóbusz megy Denverbe. The bus goes to Denver. (emphasis on bus.)
A padot kivittem a kertbe. I took the bench out into the garden. (emphasis on bench)

d) If we do not want to emphasize anything in a sentence, then the predicate should be in the middle of the sentence and the verbal prefix behind the verb.
A padot vittem ki a kertbe. I took the bench out into the garden.
Compare:
  A füvet öntözöm meg a patak vizével.   I water the grass with the
  A patak vizével öntözöm meg a füvet.   water of the brook.
                                  (No special emphasis)
A füvet megöntözöm a patak vizével. (Emphasis on füvet.)
A patak vizével megöntözöm a füvet. (Emphasis on patak vizével.)

Gyakorlatok. Exercises.

A) Tegyük a következő mondatokat különböző szórendbe.
Put the following words in different word order.

1. A lantosok a királyi udvarban a nemzeti hagyományokról énekeltek.
2. A mezőgazdasági termékeket külföldön adták el.
3. Széchenyi felépítette a Lánchidat a Dunán.
4. A magyar irodalomból sokat fordítottak le angolra.
5. A keleti és nyugati zene találkozott egymással Magyarországon.
6. Vegyétek meg a jegyeket a futballmeccsre.
7. Ma este elolvastam az új regényt.
8. Az amerikai vendég jól megtanult magyarul.
9. A kis gyermek a vonatban gyorsan elaludt.
10. A kirándulásról éjszaka fogunk hazamenni.

HUSZONÖTÖDIK LECKE. (25)

A tudomány néhány magyar képviselője.

Eddigi leckéinkben olvastunk már a magyar irodalomról, történelemről, földrajzról, zenéről és sportról. Befejezésül említsük meg néhány magyar feltaláló és tudós nevét. Több mint száz eredeti magyar találmányról vagy más találmányok tökéletesítéséről vannak hiteles adataink. A magyar tehetség alkotó erejét bizonyítják a következő adatok.

Kempelen Farkas 1788-ban állította össze a világ első beszélő gépét. Sakkozó gépe máig is rejtély. Jedlik Ányos, fizikus, bencés szerzetes, egyetemi tanár, elsőnek találta fel a dinamót. Találmányát nem hozta nyilvánosságra, ezért a dicsőség nem az övé érte. Irinyi János vegyész volt a foszforos gyufa feltalálója a múlt század végén. Eötvös Lóránd fizikus, egyetemi tanár, torziós ingáját használja a tudományos világ ma is a gravitációs mérésekre. Ez az inga a szeizmográf alapja. Elméletét 1886-ban hozta nyilvánosságra. Ma Eötvös Lóránd tudományegyetemnek hívják a budapesti egyetemet, amelynek 1635 óta Pázmány Péter Tudományegyetem volt a neve. Asbóth Oszkár helikoptere 1928-ban szállt fel Budapesten. Az orvostudományban Semmelweis Ignác a szülészet terén tett nagyfontosságú felfedezést. Megállapította, hogy fertőzés okozza a gyermekágyi lázat.

Annak ellenére, hogy gyakori háborúk, idegen megszállások pusztították Magyarországot és nyugodt tudományos munka lehetetlen volt, a Nobel-díjas tudósok között is találunk magyarokat. 1914-ben Bárány Róbert, a fül-, gége- és torokbetegségek orvosa a bécsi és uppsalai egyetemeken, kapta meg az orvosi Nobel-díjat. Őt követte 1937-ben Szent-Györgyi Albert, a szegedi egyetem professzora, aki a magyar paprikából előállította a C vitamint. 1943-ban Hevesy György személyében ismét magyar tanár nyerte el a vegyészeti Nobel-díjat. 1961-ben pedig Békésy György orvos a belső fül fizikai szerkezetében tett felfedezéséért kapta meg a kitüntető díjat. Békésy professzor a Harvard egyetem tanára és Szent-Györgyi professzor is az Egyesült Államokban folytatja kutatómunkáját.

Mindezek a találmányok és felfedezések felbecsülhetetlen értéket jelentenek az emberi haladás számára.

Kérdések. Questions.

1. Miről olvastunk eddigi leckéinkben?
2. Hány magyar találmányról tudunk?
3. Mit bizonyítanak ezek a találmányok?
4. Mit állított össze Kempelen Farkas?
5. Ki volt Jedlik Ányos?
6. Ki csinált először gyufát?
7. Mit fedezett fel Eötvös Lóránd?
8. Mikor készült el az első helikopter Budapesten?
9. Nevezzük meg a Nobel-díjas magyar tudósokat.
10. Mit jelentenek ezek a felfedezések az emberiség számára?

Szavak.

huszonötödik—twenty fifth
befejezés—termination
megemlíteni—to mention
feltaláló—inventor
feltalálni—to invent
felfedezni—to discover
találmány—invention
tudós—scholar
tökéletesítés—perfection
hiteles—authentic
adat (sing.)—data
tehetség—ability
alkotó erő—creative power
bizonyítani—to prove
összeállítani—to construct, to put
 together
sakk—chess

rejtély—mystery
bencés—Benedictine
szerzetes—monk
nyilvánosságra hozni—to disclose,
 to reveal
dicsőség—glory
vegyész—chemist
gyufa (sing.)—matches
torziós—torsional
inga—pendulum
tudományos—scientific
mérés—measurement
alap—basis
elmélet—theory
tudományegyetem, egyetem—
 university (academic)
műegyetem—technical university

felszállni—to take off, to board a train
orvostudomány—medical science
szülészet (sing.)—obstetrics
tér—square, area
nagyfontosságú—of great importance
fertőzés—infection
gyermekágyi láz—puerperal fever
háború—war
pusztítani—to ruin, to destroy
nyugodt—quiet
lehetetlen—impossible
Nobel-díj—Nobel prize
gége—larynx

torok—throat
betegség—sickness
követni—to follow
paprika—paprika (red pepper)
előállítani—to produce, to make
vegyészet—chemistry
elnyerni—to obtain, to win
szerkezet—construction, mechanism
kitüntető—distinctive
kutatómunka—research work
felbecsülhetetlen—of inestimable value
haladás—progress

§ 107. *Címek, megszólítások. Forms of address.*

a) Titles and ranks are placed before the names. In Hungarian the Christian or given name follows the family name.

	abbreviation	*example*
doktor	dr. or Dr.	Dr. Juhász Béla or dr. Juhász Béla
báró—Baron	br.	br. Majthényi Ferenc
gróf—Count	gr.	gr. Széchenyi István
herceg—Prince, Duke	hg.	hg. Eszterházy János

b) Words designating occupations and professions are placed after the names.

Nagy Imre, orvos, dr. Nagy Imre orvos (physician)
Szent István király (king)
Mindszenty József érsek (cardinal)
Berkessy Miklós ezredes (colonel)

c) Envelopes are addressed as follows:

Nagyságos
Kovács Lajosné
úrasszonynak (lady)
KOMÁROM
Fő utca 28.

Tekintetes
Kiss László
titkár úrnak (secretary)
KOLOZSVÁR
Mátyás király utca 32.

While speaking to Mrs. Kovács her Christian name is seldom mentioned.

d) Chief titles of courtesy:

Tekintetes—Respectable (used when addressing any gentleman)
Nagyságos—Esquire (usually someone with a university degree)
Méltóságos—Honorable
Kegyelmes—Excellency
Ő Fensége—his or her Highness (prince, princess)
Ő Felsége—his or her Majesty (king, queen, emperor)

Under the present regime in Hungary everyone is now addressed as:
elvtárs- or elvtársnő—comrade.

e) The sex of animals is expressed by placing *hím*—male or *nőstény*—female before the word denoting the animal, e.g., hím szarvas—male deer
nőstény szarvas—female deer

§ 108. *Szervusz. Familiar or thouing form.*

Among close friends the familiar form of greeting is employed:

te (sing.)—you　　　szervusz (sing.)—hello, hi
ti (plural)—you　　　szervusztok (plur.)—hello, hi

Szervusz Árpád! Hi, Árpád!
Szervusz, kedves barátom. Hi, my dear friend! Hogy vagy? How are you?
Szervusztok, fiúk!! Hi, boys! Hogy vagytok? How are you?

§ 109. *Udvarias megszólítás. Polite form of greeting.*

The polite form of greeting in Hungarian is expressed by the third person singular or plural, whereas in English the second person plural is used.

1) ön (sing.)—you,　　önök (plur.)—you

Hogy van? Hogy van ön? (singular polite form)—How are you?
Hogy vannak? Hogy vannak önök? (plural polite form) How are you?

Ön írta ezt a könyvet? Did you write this book?
Önök voltak ma délelőtt nálunk? Where you this morning at our house?

2) Among the members of the same social class the following form is considered sufficient:

maga (sing.)—you, maguk (plur.)—you (polite form)
Maga jól dolgozik. You are working well.
Maguk fognak menni a nyáron a Balatonhoz? Will you go this summer to Lake Balaton?

3) The second person singular or plural can be used in polite expression in Hungarian and is usually used to address the ladies only:

Kegyed—you (sing.)   Kegyetek—you (plur.)
(A very polite form of address which is not used in modern daily conversation.)
Kegyed utazik ezzel a vonattal? Are you travelling by this train?

§ 110. *Keresztnevek. Christian or Given Names.*

1) *Original Hungarian names:*

women

Anikó
Emese
Emőke
Enikő
Gyöngyvér
Ildikó

men

Attila
Álmos
Árpád
Béla
Botond
Bulcsú
Csaba
Géza
Lehel
Levente
Zsolt

2) *Other Christian Names:*

Adorján—Hadrian
Anna—Ann
András—Andrew
Benedek—Benedict
Dorottya—Dorothy
Izabella—Isabel
Ede—Edward
Ernő—Ernest
Etelka—Adelaide
Ferenc—Francis
Fülöp—Philip
Gábor—Gabriel
Gergely—Gregory
György—George
Győző—Victor
Gyula—Julius

Ignác—Ignatius
Ilona—Helen
Imre—Emerich
János—John
József—Joseph
Julianna—Julia
Klára—Claire
Lajos—Louis
László—Ladislas, Leslie
Lőrinc—Lawrence
Márton—Martin
Mihály—Michael
Miklós—Nicolas
Nándor—Ferdinánd
Orbán—Urban
Orsolya—Ursula

Pál—Paul
Paula—Pauline
Péter—Peter
Rezső—Rudolph
Róza—Rose
Sándor—Alexander
Sarolta—Charlotte
Tamás—Thomas
Teréz—Theresa
Tivadar—Theodore
Vilmos—William
Vince—Vincent
Zsófia—Sophia
Zsuzsanna—Susan

3) *Affectionate form for some of these names:*

Anna—Ancsi (Annie)
András—Bandi (Andy)
Ferenc—Feri (Frank)
Gábor—Gabi
György—Gyuri (Georgie)
Ilona—Ili
János—Jancsi or Jani (Johnny)
József—Józsi or Jóska (Joe)

Julianna—Juliska (Julie)
Lajos—Lajcsi (Louie)
László—Laci
Sándor—Sanyi (Alex)
Tamás—Tomi (Tommy)
Vilmos—Vili (Bill)
Zsuzsanna—Zsuzsi (Susie)

Gyakorlatok. Exercises.

Address several envelopes to different people with different occupations and titles.

Közmondások. Proverbs.

Segíts magadon, Isten is megsegít.	God helps them that help themselves.
Amit megtehetsz ma, ne halaszd holnapra.	Never put off till tomorrow, what you can do today.
Ma nekem, holnap neked.	Every dog has his day.
Úgy került bele, mint Pilátus a crédóba.	How did Pilate get into the creed?
Ki korán kel, aranyat lel.	Rise early and you will see; wake and you will get wealth.
Alkalom szüli a tolvajt.	Opportunity makes the thief.
Ahol nincs, ott ne keress.	Where nothing is, nothing can be had.
Jobb ma egy veréb, mint holnap egy túzok.	Better one bird in the net than ten in the air.
Hallgatni arany.	Silence is best.
Derűreború.	After black clouds clear weather.
Nyugtával dicsérd a napot.	We can say nothing of the day 'till the sun is set.

Addig üsd a vasat, amíg meleg.	Strike while the iron is hot.
Hallgatás beleegyezés.	Silence gives consent.
Kutya kutyát nem harap.	One wolf does not bite another.
Egy bolond százat csinál.	One fool makes many.
Ki mint veti ágyát, úgy alussza álmát.	As you make you bed, so you must lie on it.
Ahány ház, annyi szokás.	So many countries, so many customs.
Senki sem próféta a saját hazájában.	No prophet is accepted in his own country.
Nem minden arany, ami fénylik.	All is not gold that glitters.
Ha nincs otthon a macska, cincognak az egerek.	When the cat sleeps, the mice play.
Szegény ember vízzel főz.	Poor folks cook thin pottage.
Ajándék lónak ne nézd a fogát.	Look not a gift horse in the mouth.
A szegénység nem szégyen.	Poverty is not shameful.
Aki sokat markol, keveset fog.	He who wants all shall have nothing.
Szél ellen nem lehet fütyülni.	Puff not against the wind.
A gazda szeme hízlalja a jószágot.	The master's eye makes the horse fat.
Madarat tolláról, embert barátjáról.	Birds of a feather flock together.
Sötétben minden tehén fekete.	All cats are grey in the dark.
Az éhes disznó makkal álmodik.	When the pig dreams, it is of draff.

Jókai Mór: Az aranyember.
Maurus Jókai: Tímár's Two Worlds.
(Excerpt.)

A t h a l i e.

A névnap előestéje egyszersmind a menyegző előestéje is volt.
Izgalmas éj.
A vőlegény és a menyasszony a legbenső szobában ülnek együtt.
Annyi elmondani valójuk lehet egymásnak.
Ki tudja mi.
A virágok beszédét csak a virágok értik, a szférák beszédét csak a csillagok, az egyik Memnon-szobor beszédét csak a társszobor, a valkürök beszédét csak az üdvözültek, a hold beszédét csak az álomjárók, s a szerelem beszédét csak a szerelmesek. S aki hallott, aki értett valaha e szentséges szent suttogásokból, az nem fogja azokat profanálni; — megőrzi, mint a gyónás titkát. — Nincsenek azok elmondva a bölcs Salamon Énekek Enekében, nincsenek elmondva Ovid Amorum Liberében, sem Hafiz énekében, sem Heine költeményeiben, sem Petőfi "Szerelem gyöngyei"-ben: azok titkok örökkön örökké.
A ház túlsó részében pedig zajos társaság mulat. A házi cselédek.
Nagy munkanap volt ez a mai! Konyhai előkészület a holnapi nagy ünnepélyhez. Az egy hadjárat.
Zsófi asszony volt a vezér. Nem engedett sem cifra szakácsot, sem cukrászt hivatni a házhoz; ő jobban érti azt a tudományt valamennyinél. Büszke rá, hogy olyan sütő-főzőt nem találni messze földön, mint ő. Még az anyjától örökölte ő is ezt a tudományt, aki nélkül nem történhetett meg a környéken lakodalom, úri mulatság.

Kölcsey Ferenc: Himnusz.
Francis Kölcsey: National Anthem.

Isten, áldd meg a magyart	God, bless the Hungarian
Jó kedvvel, bőséggel,	With abundance, gladness,
Nyújts feléje védő kart,	Graciously protect him when
Ha küzd ellenséggel;	Faced with foes or sadness.
Balsors, akit régen tép,	Bring for people torn by fate
Hozz reá víg esztendőt,	Happy years and plenty:
Megbűnhődte már e nép	Sins of future, sins of late,
A multat s jövendőt!	Both are paid for amply.

(Első versszak. — Fist stanza.)   Translated by E. F. Kunz.

Vörösmarty Mihály: Szózat.
Michael Vörösmarty: Appeal.

Hazádnak rendületlenül
Légy híve, oh magyar; ;
Bölcsőd az s majdan sírod is,
Mely ápol s eltakar.

Be true to the land of thy birth,
Son of the Magyar race;
It gave thee life, and soon its earth
Will be thy resting-place.

A nagy világon e kívül
Nincsen számodra hely;
Áldjon vagy verjen sors keze:
Itt élned, halnod kell.

Although the world is very wide,
This is thy home for aye;
Come weal or woe on fortune's tide,
Here thou must live and die.

(Első versszak — First Stanza)

Translated by W. Jaffray.

Petőfi Sándor: Nemzeti dal.
Alexander Petőfi: National Song.

Talpra magyar, hí a haza!
Itt az idő, most vagy soha!
Rabok legyünk, vagy szabadok?
Ez a kérdés, válasszatok! —
A magyarok istenére
Esküszünk,
Esküszünk, hogy rabok tovább
Nem leszünk!

Magyars, rise, your country calls you!
Meet this hour, what'er befalls you!
Shall we freemen be, or slaves?
Choose the lot your spirit craves! —
By Hungary's holy God
Do we swear,
Do we swear that servile chains
We'll no more bear!

Rabok voltunk mostanáig,
Kárhozottak, ősapáink,
Kik szabadon éltek-haltak,
Szolgaföldben nem nyughatnak.
A magyarok istenére
Esküszünk,
Esküszünk, hogy rabok tovább
Nem leszünk!

Alas! till now we were but slaves;
Our fathers resting in their graves
Sleep not in freedom's seil. In vain
They fought and died free homes to gain
By Hungary's holy God
Do we swear,
Do we swear that servile chains
We'll no more bear!

Sehonnai bitang ember,
Ki most, ha kell, halni nem mer.
Kinek drágább rongy élete,
Mint a haza becsülete.
A magyarok istenére
Esküszünk,
Esküszünk, hogy rabok tovább
Nem leszünk!

Vile is he who will not give
Life to let his country live,
Counting his poor breath a prize
Dearer than his native skies!
By Hungary's holy God
Do we swear,
Do we swear that servile chains
We'll no more bear!

Fényesebb a láncnál a kard,
Jobban ékesíti a kart,
És mi mégis láncot hordunk!
Ide veled, régi kardunk!
A magyarok istenére
Esküszünk!
Esküszünk, hogy rabok tovább
Nem leszünk!

Swords are nobler than the fetter —
Suit the freeborn arm far better.
Yet we've worn harsh chains and cords.
Give us now our faithful swords!
By Hungary's holy God
Do we swear,
Do we swear that servile chains
We'll no more bear!

A magyar név megint szép lesz,
Méltó régi nagy híréhez;
Mit rákentek a századok,
Lemossuk a gyalázatot!
A magyarok istenére
Esküszünk,
Esküszünk, hogy rabok tovább
Nem leszünk!

Beauty to the Magyar name
Shall return, and ancient fame
That these evil epochs sully
We shall cleanse in battle fully.
By Hungary's holy God
Do we swear,
Do we swear that servile chains
We'll no more bear!

Hol sírjaink domborulnak,
Unokáink leborulnak,
És áldó imádság mellett
Mondják el szent neveinket.
A magyarok istenére
Esküszünk,
Esküszünk, hogy rabok tovább
Nem leszünk!

Where our grassy graves shall sleep
Children's children still shall keep
All our names in sacred trust,
Kneeling bless our silent dust.
By Hungary's holy God
Do we swear,
Do we swear that servile chains
We'll no more bear!

Translated by W. Kirkconnel and W. N. Loew

Rövidítések. Abbreviations.

acc.—accusative
act.—active
adj.—adjective
adv.—adverb
coll.—colloquial
cond.—conditional
conjug.—conjugation
conj.—conjunction
conn.—connecting
dat.—dative
decl.—declension
def.—definite
e.g.—for example, exempli gratia
fam.—familiar
f., fem.—feminine
fut.—future
gen.—genitive
i.e.—id est, that is to say
imp.—imperative
indef.—indefinite

indic.—indicative
inf.—infinitive
m., masc.—masculine
obj.—object
part.—participle
pass.—passive
perf.—perfect
pol.—polite
poss.—possessive
postpos.—postposition
prep.—preposition
pres.—present
pron.—pronunciation
refl.—reflexive
sb.—somebody
sth.—something
subj.—subjunctive
suff.—suffixe
§—paragraph

INDEX

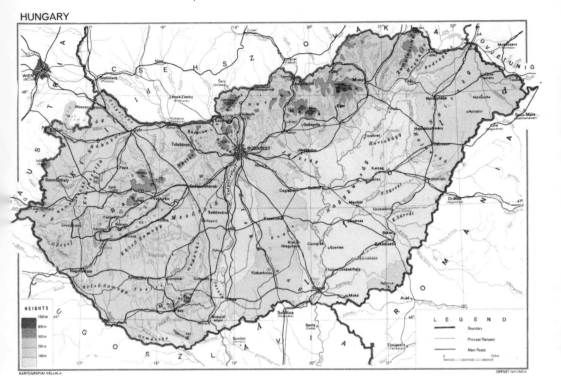

Area and population of Hungary since 1870

Year	Area Km²	Population
1870	325 411	15 512 379
1890	325 411	17 463 791
1900	325 411	19 254 559
1910	325 411	20 886 487
1920	93 073	7 990 202
1930	93 073	8 688 319
1938	105 000	10 382 014
1939	117 061	11 076 036
1940	160 165	13 653 296
1941	171 640	14 683 323
1945	93 073	8 653 000
1947	93 030	9 316 613
1973	93 030	10 415 626

Heroes' Square, **Budapest**

The Chain Bridge, **Budapest**

Fisher's bastion and the Matthias church, Budapest

Hotel Duna-Intercontinental, Budapest

The House of Parliament, Budapest

The Hungarian Academy of Sciences, Budapest

PÉCS

View of Budapest

Young peasant woman, Boldog.

The dam at Tiszalök

Szeged on the river Tisza

Ferro-concrete viaduct in front of the episcopal palace at Veszprém

The industrial district Csepel in the southern part of Budapest

Bird's eye view of Pécs

View of Debrecen with the Great Calvinist Church

The northern Danube bend with the Pilis mountains

Grape harvest at Tokaj

Az Operaház télen. The Opera House in winter.

The 900 years old Abbey of Tihany (renovated)

Lillafüred. A mountain resort.

273

The Museum of Fine Arts, Budapest

MAGYAR—ANGOL SZÓTÁR

HUNGARIAN—ENGLISH VOCABULARY

Note: In the Hungarian—English section of the dictionary the alphabetical sequence of these letters was not always followed in certain combinations: a, á, e, é, i, í, o, ó, ö, ő, u, ú, ü, ű, e.g., apa, ár, arc; tó, tő, több, tojás.

A, Á

a, az—the (def. article)
ablak—window
addig—as far as that, up, until
adni—to give
adok—I give
adományozni—to donate
ágas-bogas—bushy
ágy—bed
ahogy—as
ahol—where
ahová—where
ajak—lip
ajándék—present, gift
ajánlani—to recommend
ajtó—door
akadályozni—to hinder, prevent
akaratlan—unintentional
akárki—anybody
akarni—to want
aki—who
akkor—then
alá—under (direction)
alacsony—low
alak—form
alany—subject
alap—basis
alapítani—to found, to establish

alatt (postpos.)—under (place), during
alföldi—of plains, pertaining to plains
alkalmas—suitable
alkalom—occasion
alkonyodik—it is getting dark
alkotás—creation, work, composition
alkotmány—constitution
alkotó erő—creative work
áll—chin
áll (valamiből)—consists of sth.
állam—state
államférfi—statesman
állandó—permanent
állandóan—constantly
állat—animal
állatkert—zoo
álldogálni—to hang around
állítmány—predicate
állító—affirmative
állni—to stand
alma—apple
állomás—station
álmos—sleepy
Álmos—Álmos (given name)
alól—from under
álom—dream

alsó—low
aludni—to sleep
alvás—sleep
amely—that, which, what
amelyik—who
amennyi—as much as
Amerika—America
amerikai—American
ami—that, which, what
ami azt illeti—so far as it goes
amíg—until
amikor—when
amilyen—as
ámul—to wonder, marvel
András, Endre—Andrew (given name)
angol—English
Anna—Ann, Anne (given name)
annak—to him, of him, of that (her, it)
annál—at him (her, it)
anya (édesanya)—mother
anyag—material
anyanyelv—mother tongue
annyi—as much, as many
annyi ideig—for as long (time)
annyira—so much
apa, atya (édesapa)—father
ápolni—to nurse, to cultivate
ápolónő—nurse
április—April
ár—price
áramlat—trend, current, tendency
aranysárga—golden yellow
aratni—to harvest
arc—face
árok—ditch
Árpád—Árpád (given name)
arra—on it, for it
arra való—it is good for it
áru—merchandise
árulni—to sell
árva—orphan
ásni—to dig

asszony—woman, wife
asztal—table
át—across, over, via
átélni—to live through, to experience
átéltetni—to make (someone or sth.) survive
átugrani—to jump over
augusztus—August
autó—automobil, car
az—that (demonstrative pron.)
azé—its
azért—therefore
azok—those
azokat—those, them (acc. plur. dem. pron.)
azt—that, it (acc. sing.)
azonban—however
azonnal (rögtön)—immediately

B

-ba, -be (suffix)—into
bab—bean
baba—baby
bácsi—uncle (as a fam. address not expressing family relationship)
baj—evil, trouble (mi a baj?— what is the matter?)
bal—left (direction)
ballada—ballad
balra—on the left
-ban, -ben (suffix)—in (prep. in English)
bán—governor of Croatia
bank—bank
bankszámla—bank account
bánni—to regret, be sorry, repent
bánya—mine
barát—friend
baráti—friendly
barátságos—friendly
barna—brown

barnácska—somewhat brown
báró—baron
bátor—brave
bátya—elder brother
beállni—to join, to stand in
Bécs—Vienna
becsapni—to slam, to cheat
bedobni—to throw in
befejezés—termination
befolyás—influence
behívni—to call in
bejönni—to come in
bekapcsolni—to connect, to put on
békében hagyni—to leave alone
  (in peace)
bekezdés—paragraphe
Béla—Béla (given name)
beleesni—to fall in
belém—into me
belépni—to enter
belőlem—from me
belső—inner, inside
bemenni—to enter
bemutatkozni—to introduce
  oneself
bemutatni—to demonstrate, to
  introduce
bencés—Benedictine
benne—in it
bennem—in me
benyomni—to push in, force in
benzin—gazoline
beszélgetni—to talk, to talk on
beszélni—to speak
beszélőgép—phonograph
beszéltetni—to have (sb.) speak
beszélve—while speaking
beteg—ill, sick
betegség—sickness
betű—letter (alphabetical
  character)
bevégezni—to finish
bevezetni—to introduce
bevinni—to carry in

bezárni—to close, to lock up
biblia—Bible
bika—bull
bírni—to be able, (to be strong
  enough)
bíró—judge
birtok—property
birtokolni—to own
bizonyítani—to prove
bő—abundant
bocsánat—pardon
bodza—elder (berry-tree)
boka—ankle
bőkezű—generous
bőkezűség—generosity
-ból, -ből (suffix)—out of, from
boldog—happy
boldogtalan—unhappy
bor—wine
bőr—skin, leather
borbély—barber
bőrgyár—leather factory
bőrönd—luggage
borotválkozni—to shave oneself
borotválni—to shave
borravaló—tip
borsó—pea
budapesti—of Budapest,
  Budapester, pertaining to
  Budapest
burgonya (krumpli) (sing.)—
  potatoes
bútor—furniture
búza—wheat

C

cég—firm, company
cél—goal, endeavor
ceruza—pencil
cigány—gipsy
cikk—article
cím—address, title
cipő—shoe

citrom—lemon
comb—thigh
cukor—candy, sugar
cukrászda—sweet shop

CS

csak—only
család—family
csárda—roadside or village inn
császár—emperor
cseh—Czech
csekk—check
cselekvő—active
csendes—silent, quiet
csendőr—gendarme
csendülni—to sound once
csengeni—to ring
csengetni—to ring the bell
a csengő szól—the bell rings
csésze—cup
csillag—star, asterisk
csikó—colt
csikós—horseherd, cowboy
csinálni—to do, to make
csók—kiss, csókolni—to kiss
csókolózni—to kiss each other
csodaszép—wonderfully beautiful
csomag—parcel
csónakázni—to boat, to row
csont—bone
cső—pipe, tube
csúcs—peak, top, summit
csuklani—to hiccough
csukni—to close
csúszó-mászó—sneaking
csütörtök—Thursday

D

dallam—melody
Dánia—Denmark
dániai—Danish, of Denmark
darab—piece

de—but
Debrecen—city in Hungary
december—December
dél—noon, south
délben—at noon
délelőtt—before noon, (A.M.)
délibáb—mirage
délután—in the afternoon, (P.M.)
diák—student
diáklakás—student apartment
dicsőség—glory
díj—prize, award
dob—drum
dobszó—drum noise
dohányozni—to smoke
dohányzó—smoker, for smokers
dolgozó—worker
dolgozni—to work
dolgoztatni—to have sb. work
Dorottya—Dorothy
dörög—it is thundering
drága—dear, expensive
drágakő—precious stone
dúsgazdag—very rich

E, É

eb, kutya—dog
ebéd—lunch, dinner
ebédelni—to have lunch
ebédlő—dining room
eddig—until now, up to this point
eddigi—till now
Ede—Edward
edény (sing.)—dishes
edényt mosogatni—to wash dishes
édes—sweet
édesanya—dear mother
édesen—sweetly
edzeni—to train, to coach, to
    develop
Eger—city in Hungary
egész—whole
egészséges—healthy

egri—of Eger
egy—a, an, one
egyedül—alone, in private
egyenes—direct, straight
egyenesen—directly
egyes—single, individual
egyesülni—to unite
Egyesült Államok—United States
egyetem—university
egyetemi hallgató—university
    student
egyhangú—monotonous
egyik—the one
egymás—each other
egyszer—once
egyszerű—simple
együtt—together
éj—night
éjfél—midnight
éjféltájban—around midnight
éjjel—at night
éjszaka—night
    jó éjszakát—good night
ékszer—jewel
ékszerész—jeweller
él—he lives
eladó—for sale, salesman
eladni—to sell
elaludni—to fall asleep
elé—in front of (motion)
elég—enough
elém—in front of me
elemi iskola—elementary school
élénk—vivid
éles—sharp
élet—life
élet tava—lake of life
elfogadni—to accept
elfogni—to capture, catch
elhatározni—to decide
elhinni—to believe
elhihető—credible
elítélni—to condemn
eljutni—to reach, to get
    somewhere

elkészíteni—to complete, to finish
elkészülni—to be finished, ready
ellen—against
ellenfél—adversary, opponent
ellenkezőleg—on the contrary
ellenreformáció—counter-
    reformation
ellenség—enemy
elmaradni—to lag behind, not to
    take place
elmehetni—to be able (permitted)
    to go away
elmélet—theory
elmenni—to go away
élni—to live
elnyerni—to obtain, to win
előadás—performance
előadni—to perform, to present,
    to portray
előállítani—to produce
előétel—hors-d'oeuvre
előkelő—illustrious
elől—from in front of
előlem—from in front of me
elolvasni—to finish reading
előszoba—vestibule
először—first time
előtt—before, in front of (place)
előttem—in front of me, before me
elseje—the first day
első—first
elszigeteltség—isolation
eltávolodni—to grow away from
eltelni—to elapse, to pass (time)
elterjedni—to spread, to gain
    ground
elterülni—to be situated, to lie,
    to fall flat
eltörni—to break
elutazni—to depart
elvégezni—to finish
elvenni, venni—to take
elveszni—to get lost
elvitetni—to have sth. carried
    away

elvtárs—comrade
ember—man
emberke—little man
emberiség—mankind
emelet—storey
emelni—to lift
emlék—memory, souvenir
emlékezni—to remember
emléktárgy—souvenir
engem (or nekem)—me
engem illet—I have a right to it
engesztelhetetlen—unreconciliable
én—I, enyém—mine
ének—song
énekelni—to sing
énekes—singer
enni—to eat (eszem, ettem)
ennyi—so much
ép—unhurt
epe—bile
építeni—to build
éppen—just, exactly
épület—building
érdekes—interesting
Erdély—Transylvania
erdő—forest
eredni—to originate
eredeti—original
eredmény—result
érett—ripe, mature
érezni—to feel
    jól érezni magát—to feel well,
    to have a good time
Ernő—Ernest
erő—strength, power
erős—strong
-ért (suffix)—for (prep.)
érték—value
értelmes—intelligent
érteni—to understand
érthetetlen—unintelligible
érvényes—valid
érzelem—feeling, sentiment
érzés—feeling

Erzsébet—Elizabeth
és—and
esemény—event
esés—fall
esik—it is raining
eső—rain
ész—mind; eszem—my mind or
    I eat
észak—north
eszme—idea
esztelen—foolish
esztelenül—imprudently
este—evening
étel—food
Etelka—Adelaide
etetni—to have sb. eat
étkezőkocsi—dining car
ettem—I ate
étterem—dining hall
év—year
évente (adv.)—yearly
evés—eating
évi (adj.)—yearly
evőeszköz—silverware
evő—eating
évszak—season
évtized—decade
ez—this
ezek—these (plur.)
ezeket—these (acc. plur.)
ezer—thousand
ezredes—colonel
ezt—this (acc. sing.)
ezüst—silver

F

fa—wood
fagylalt—ice cream
fájni—to hurt
fal—wall
falu—village
falusi—villager, of a village
fáradni—to try hard, to make an
    effort

fáradt—tired
fárasztani—to overwork sb.
farkas—wolf
fazék—pot
fázni—to be cold
február—February
fedni—to cover
fehér—white
fej—head
fejedelem—duke
fejleszteni—to cultivate, to develop
fejlődés—evolution, development
fejlődni—to develop
fekete—black
feketetábla—blackboard
feküdni—to lie (in bed), to recline
fekve—lying
fel—up
fél—half
fél—he is afraid
feladat—assignment, task
felajánlani—to offer
felakasztani—to hang
felállni—to stand up
felállítani—to erect
felbecsülhetetlen—of inestimable value
felébredni—to wake up
felé—toward
felém—towards me
fél egy—half past 12
felejthetetlen—unforgettable
felel—he answers
félelem—fear, dread
felelet—answer
felelni—to answer
felemelni—to lift
felépíteni—to build up
felépítés—developing, building
feleség—wife
felett (postpos.)—above (prep.) (place)
felettem—above me

felfedezni—to discover
felirat—sign, inscription
felismerni—to recognize
felkelni—to get up, to rise
felkeresni—to visit
félkezű—one-handed
felkiáltójel—exclamation mark
fél kilenc—half past eight
féllábú—one-legged
felmenni—to go up
felmenteni—to acquit
felmondani—to give notice
félni—to be afraid
felnőtt—adult, grown up
felső—upper
felső bíróság—upper court
felsőfok—superlative
felszállni—to take off, to board a train
félszemű—one-eyed
felszólító mód—subjunctive
feltalálni—to invent
feltaláló—inventor
feltétel—condition
feltételes mód—conditional
felugrani—to jump up
Felvidék—Upper Hungary
fenn, fent—above, up
fennmaradni—to remain, to be left, be on top
Ferenc—Francis
férfi—man
férj—husband
fertőtleníteni—to disinfect
fertőzés—infection
festeni—to paint
festés—painting (job)
festőkészlet—painting set
fésű—comb
fésülködni—to comb oneself
fésülni—to comb (sb. else)
fiatal—young
fiatalítani—to rejuvenate
fia valakinek—son of somebody

finn—Finnish
Finnország—Finland
finom—fine
finomulni—to become more
    refined
fiú—boy
fizetni—to pay
fizika—physics
fizikus—physicist
flamand—Flemish
fő—main, chief
fog—tooth
fogas—coat-rack, -stand
fogás—grab; course (meal)
fogkő—tartar
foglalkozás—occupation
fogni—to hold
fogódzni—to cling
fogoly—partridge; captive,
    prisoner
fogva—since, from
fok—degree
fokozás—comparison
folyosó—corridor
föld—earth, land, soil
földbirtokos—landowner
földrajz—geography
főleg—mainly
folyni—to flow
folyó—river
folytatás—continuation
folytatni—to continue
folytató—one who continues
főnév—substantive
fontos—important
fordítás—translation
fő rész—main part
forgalmas—busy (with traffic)
forint—Hungarian monetary unit
forma—form
forró—hot
főúri—aristocratic, palatial
főváros—capital city
főzni—to cook

francia—French
fű—grass
függetlenség—independence
függöny—curtain
fújni—to blow
fül—ear
Fülöp—Philip
fürdőszoba—bath room
fürödni—to take a bath
füröszteni—to give a bath
füst—smoke
fűteni—to heat
fűtés—heating
futni—to run
füzet—notebook

G, GY

gárda—guard
gáz—gas
gazda—landowner
gazdag—rich
gazdasági--economic
gazdaságilag—economically
gége—larynx
Gergely—Gregory
Géza—Géza (given name) (m.)
gimnázium—high school
gipsz—plaster
gond—care
gondatlan—careless
gondol—he thinks
gondolat—thought
gondolatjel—dash
gondolkodás—thinking
gondolni—to think
gondolkodni—to think about,
    meditate
gondtalan—carefree
görög—Greek
gőzhajó—steamship
griffmadár—griffon
gróf—count
gyakorlat—exercise

gyakran—often
gyár—factory
gyártani—to manufacture
gyenge—weak
gyengén—weakly
gyerekszoba—children's room
gyermek—child
gyermekágyi láz—puerperal fever
gyomor—stomach
Gyöngyvér—given name (fem.)
György—George
gyors—swift, rapid
győzni—to win
Győző—Victor
gyufa (sing.)—matches
Gyula—Julius
gyűjtőnév—collective noun
gyűlés—meeting
gyümölcs—fruit
gyűrű—ring

H

ha—if
habozni—to hesitate
habozván—hesitatingly
hadd—let
hagyomány—tradition
haj—hair
hajlandó—willing
hajó—boat
hajókirándulás—boat excursion
hajózható—navigable
hajtani—to drive
hal—fish
haladás—progress
halastó—fish hatchery
halász—fisherman
halászni—to fish
halhatatlan—immortal
hálókocsi—sleeping car
hálószoba—bedroom
hall—he, she hears
hallani—to hear, hallgatni—to
listen

hallgatózni—to listen in on
hamar—soon
hanem—but
hang—voice
hangverseny (koncert)—concert
hány?—how much?, how many?
hányadik?—which?
hányadika van ma?—what is the
date today?
hányadik osztályba jár?—what
grade is sb. in?
hányni—to throw, to vomit
hány óra van?—what time is it?
haragudni—to be angry
harangozni—he rings the bell
harangozó—sexton
harap—he bites
harapós—snappy, snapping
harcolni—to fight
harisnya—stockings
harmadik—third
harmat—dew
hármat (acc. sing.)—three
harminc—thirty
harmincadik—thirtieth
hármunk—three of us, we three
három—three
háromnegyed—three quarters
háromnegyed hét—quarter to
seven
hasonló—similar
használni—to use
hat—six
hatalom—might, power
határ—limit, border
határozó—adverb
határozói igenév—participle
határozott—definite
határtalan—limitless
hatás—effect, influence, result
hatni—to be permitted (-hatni,
-hetni)
hatodik—sixth
hatvan—sixty

havazik—it is snowing
havazni—to snow
ház—house
haza—fatherland, homeward
hazafelé—homeward
hazafias—patriotic
hazamenni—to go home
házas—married (man)
hazavitetni—to have sth. carried
   home
házi—domestic
házi feladat—homework
hazudni—to tell a lie
hazulról—from home
hegedű—violin
hegedűs—violinist
hegy—mountain
hegyes—mountainous, sharp,
   pointed
hegymászás—mountain climbing
hegység—mountains (chain)
hely—place
helyes—pretty
helyett—instead of
helyzet—situation
Herend—town in Hungary
hét—week, seven
hetedik—seventh
hétfő—Monday
hétvég—week end
hiányozni—to be absent, lack
híd—bridge
hideg—cold
hideg van—it is cold
higgyek—that I may believe
hímnemű—masculine
hinni—to believe
hirdetni—to proclaim
híres—famous
hírnév—fame
hiszek—I believe
hiteles—authentic
hittérítő—missionary
hivatal—office

hivatalos—official
hívni valakinek—to call sb.
hó (havat, acc. sing.)—snow
hogy—that (conj.)
hogyan—how
hogy vagy? (fam.)—how are you?
hogy van? (pol.)—how are you?
hogyan?—how
hol?—where? (place)
Hollandia—Holland, Netherlands
hol van?—where is it?
hol vannak—where are they?
holmi—belongings
holnap—tomorrow
holnapután—day after tomorrow
homlok—forehead
hónap—month
honnan—from where
hordozni—to carry
Hortobágy—semiarid plains in
   Hungary
hős—hero, valiant, warrior
hosszú—long
hová?—where?
hoz—he brings
hozni—to bring
-hoz, -hez, -höz (suffix) —to
hozzájárulni—to contribute
hozzájuk—to them, to their house
hozzám—to me, to my house
hű—faithful
húga—his or her younger sister
hülye—crazy
hús—meat
húsz—twenty
huszadik—twentieth
huszár—cavalry man
huszonegyedik—twenty first
huszonharmadik—twenty third
huszonkettedik—twenty second
huszonnegyedik—twenty fourth
huszonötödik—twenty fifth
hüvelykujj—thumb
hűvös—cool

I, Í

ide—here
idegen—foreign
idegennyelvű—of foreign language
idehozni—to bring here
ideig—for short time
idén—this year
idézőjel—quotation mark
idő—time
időjárás—weather
időnként—from time to time
időt beosztani—to plan one's time
időt tölteni—to spend time
ifjabb—younger
ifjú—young
-ig (suffix)—until, to
igaz—real, right
igazgató—director
ige—verb
igekötő—verbal prefix
igen—yes
igény—demand, claim
igeragozás—conjugation
így—so, thus, in this way
ijedni—to be frigthened
ijedős—timid
illik—to suit, fit
Ilona—Helen
ilyenkor—at such time
inga—pendulum
inkább—rather, sooner
indulás—departure
indulatszó—interjection
indulni—to depart
inni—to drink (iszom, ittam)
ipar—trade, industry
ipari—industrial
iparos—tradesman
ír—he writes
irány—direction
írás—writing
irat—document
iratni—to have sth. written

irattáska—briefcase
írni—to write
író—writer, writing
íróasztal—writing desk
irodalom—literature
irogatni—to write repeatedly
is—also, too
iskola—school
iskolaszolga—school caretaker
ismeretlen—unknown, unfamiliar
ismerni—to know, to be acquainted
    with, to be familiar with
ismét—again
Isten—God
István—Stephen
iszom—I drink
ital—drink
itatni—to make sb. drink
itt—here
ittam—I drank
itt van—here is
itt vannak—here are
ivás—drinking
ivóvíz—drinking water
íz—taste
Izabella—Isabel
ízleni—to taste
ízlés—taste

J

János—John
János Vitéz—Childe John
január—January
jár—he walks
járni—to go frequently, repeatedly
járom—yoke
járvány—epidemic disease
játék—play
játszani—to play
javára írni—to put stb. on sb's
    credit
jegy—ticket, grade (in school)
jegyzőkönyv (sing.)—minutes,
    protocol

jelen—present
jelen idő—present tense
jelenteni—to report, announce, mean
jelentős—significant
jó—good
jobb—better (adj.), right (direction)
jobban—better (adv.)
jobbra—on the right
jog—right, privilege
jól—well
jóízű—delicious, tasty
jobb ízű—more delicious
jókedvű—merry, good humored
jómódú—well to do
jobb módú—more well to do
jönni—to come
jóság—goodness (abstract)
jövedelem—income
jövedelmi adó—income tax
jövő—future
jövő idő—future tense
József—Joseph
juh—lamb
Julianna—Julia
július—July
június—June
jutalom—reward

K

kaland—adventure
kalap—hat
kanál—spoon
kapcsolat—connection, contact
kapni—to get, to receive
kapu—gate, outside door
kapukulcs—door key
kar—arm
kár—damage
karácsony—Christmas
kardvívás—fencing
Károly—Charles

karóra—wrist watch
karosszék—armchair
kartárs—colleague
kastély—manor house
katona—soldier
katonaság—soldiery
kávé—coffee
kedd—Tuesday
kedv—mood, good humor
kedvelni—to prefer, to favor, to like
kedves—dear, kind
kefe—brush
kefélni—to brush
kegyelmes—excellency
kék—blue
kelet—east
kell—it is necessary
nekem kell—I must
kellemes—pleasant, agreeable
kellemetlen—unpleasant, disagreeable
kellemetlenül—unpleasantly
kellőképpen—necessarily
kemény—hard
kémia—chemistry
kenni—to spread
kenyér—bread
kénytelen—obliged, forced
kép—picture
képző—formative suffix
képesnek lenni—to be able (to do sth.)
képviselni—to represent
képviselő—representative
képzelet, képzelőtehetség—imagination
kérdés—question
kérdezni—to ask
kérdőjel—question mark
kerék—wheel
kerékpár—bicycle
kérem—please
kereskedelem—commerce

kereskedelmi—commercial
kereskedik—he trades
kereskedő—merchant
kereskedni—to trade
keresni—to seek, to earn
keresett pénz—earned money
keresztény—Christian
keresztül—through
keret—frame
kérni—to ask
kert—garden
kertajtó—garden door
kerület—district
kerülni valahová—to get
   somewhere
kérve-kérni—to ask impatiently
kés—knife
keserű—bitter
keskeny—narrow
később—later
későn—late
készen van—ready, it is ready
készíteni—to prepare
készülék—appliance
két, kettő—two
kettes—a two
kettőnk—both of us
kettőspont—colon
keverni—to stir
kevés—few, a little
kevesebb—less
kéz—hand
kezdeményező—initiator
kezdeni to begin
kézfej—back of hand
kezdődni—to start
kezdő igék—inceptives
kézujj—finger
ki? (sing.), kik? (plur.)—who?
kibérelni—to rent
kicsi—small
kicsike—somewhat small
kié?—whose?
kiéi?—whose? (plur.)

ki ez?—who is this?
kik ezek?—who are these?
kifejezés—phrase, expression
kifejlődni—to develop
kifejlődve van—is developed
kifizetni—to pay off
kiindulni—to depart
kijelölni—to assign, to mark
kijelölt—assigned, marked
kiközösíteni—to excommunicate
kilenc—nine
kilencedik—ninth
kilencven—ninety
kilincs—door knob
kimenni—to go out
kínai—Chinese
kínaiul—in Chinese
kincs—treasure
kint—outside
kinyitni—to open
kinyújtózkodni (refl.)—to stretch
   out
király—king
királyleány—princess
kirándulni—to make an excursion
kis, kicsi—small
kisebb—smaller
kisbetű—small letter
kisér—he accompanies
kisérni—to accompany
kisérő—guide
kiskanál (kávéskanál)—teaspoon
kisméretű—small sized
kiszállni—to descend, to get out
kiszorulni—to get pushed out
kitüntető—distinctive
kiválasztani—to choose, to select
kiváló—excellent, outstanding
kivívni—to achieve, to win
kivonni—to subtract
kitűnő—excellent
kitűnően—excellently
Klára—Claire
kő (követ, acc. sing.)—stone

kocsi—coach, wagon
kőbánya—stone mine
köd—fog
kőfal—stone wall
kőház—stone house
kőhíd—stone bridge
kölcsönös—mutual
költészet—poetry
költő—poet
költői—poetic
költözni—to move
könnyen—easily
könnyű—easy, light
konyha—kitchen
konyhaedény—kitchenware
könyök—elbow
könyv—book
könyvecske—booklet
könyvtár—library
kőpad—stone bench
köpni—to spit
köpköd—to spit repeatedly
kor—age
kór—disease
kör—circle
korán—early
korcsolyázni—to skate
kórház—hospital
kormány—government
kormány, kormánykerék—
    steering wheel
köröm—fingernail, toenail
körte—pear
körül, köré—around
    körém—around me (motion)
    körülöttem—around me
    (place)
körülbelül—about, circa
körút—boulevard
kosár—basket
kosárlabda—basket ball
kötelező—compulsory
kötet—volume
kötőjel—hyphen

kötőszó—conjunction
kövér—fat
következtében—in consequence
következő—following, next
követni—to follow
közben—meanwhile, during
közé—between, among (motion)
közéjük—among them (motion)
közeli—close, nearby
közelség—nearness
közép—middle
középfok—comparative degree
Közép—Európa—Central Europe
középiskola—high school
középkor—Middle Ages
közlekedni—to communicate, to
    run
közmondás—proverb
közönség—audience
közös—common, joint, mutual,
    public
között—between, among, (place)
közöttünk—among us
központ—center
központi—central, centrally
    located
közül—from among
közülünk—from among us
közvetlen-—immediate, direct
kréta—chalk
kristály—crystal
kritikus—critic
kukorica—corn
Kukorica Jancsi—Johnny Corncob
kulcs—key
külföld—foreign country
külföldi—foreigner, foreign
küldeni—to send
különálló—separate
különböző—different
különbözőképen—differently
különbség—difference
különféle—various
külső—outer, outside, external

külsőség—formality, ceremony
kutatás—research
kutatómunka—research work
kutya—dog
kvalitás—quality

L

láb—foot, leg
lábas—pan
labdarúgás (futball)—football
lábfej—foot
lábszár—shin
lábtörés—breaking of the leg
lábujj—toe
Lajos—Louis
lakás—apartment
lakni—to dwell, to live
lakó—inhabitant
lámpa—lamp
lánc—chain
lándzsa—spear
langyos—lukewarm
lantos harpist
lap—page
lassú—slow
László—Ladislas, Leslie
latin—Latin
látni—to see
látogatni—to visit
le—down
lé (levet, acc. sing.)—juice
leány—girl, daughter
leányka—little girl
lecke—lesson
leesni—to fall off
lefeküdni—to lie down
lefektetni—to lay down
lefordítani—to translate
legbátrabb—bravest
legdrágább—dearest
legelni—to graze
legjobb (adj.)—best
legjobban (adv.)—(the) best
  (of all)

leginkább—for the most part,
  especially
legtöbb—most
legújabb—most recent, newest
legújabban—most recently
lehet—it is possible, may
lehetőleg—possibly
leírni—to write down
lélegezni—to breathe
lélek—soul
lemenni—to go down
lenni—to be
  (vagyok—I am)
lenni valamivé—to become sth.
lesz—will be, he (she, it)
leszek—I shall be
létrehozni—to create, to bring into
  existence
levegő—air
levél—letter
  (falevél, levél—leaf)
levelet feladni—to mail a letter
leves—soup
levonni—to deduct
lexikon—encyclopedia
likőr—liquor
ló (lovat, acc. sing.)—horse
lovagolni—to ride a horse
lóverseny—horse race
lőni—to shoot
  (lövök—I shoot)
Lőrinc—Lawrence
lyuk—hole

M

-m, -am, -em, -om, -öm (poss.
  suffix)—my
ma—today
macska—cat
madár—bird
madzag—string
maga (pol. sing.), maguk (pol.
  plur.)—you

magam (refl.)—myself
magán—private
magánhangzó—vowel
magas—high, tall
magas fokon áll—it stands on a high level
magasan—highly
magyar—Hungarian, Magyar
magyarázni—to explain
Magyarország—Hungary
magyarországi—of Hungary
magyarság—the Hungarians
Magyar Tudományos Akadémia—Hungarian Academy of Sciences
magyarul—in Hungarian
maharadzsa—maharaja
mai—today's, of today
máig—until today, up to this day
majdnem—almost
május—May
makk—acorn
malom—mill
malomkő—millstone
már—already
maradni—to remain, to stay
március—March
Margit—Margaret
más—other
máshonnan—from another place
másik—the other
másként—differently
másnap—next day
második—second
mássalhangzó—consonant
mechanika—mechanics
mechanikus—mechanic
meddig?—until when?
meg—and
még—still
megakadályozni—to prevent
megállapítani—to ascertain, to establish
megállni—to stop, to come to a stop

megborotválkozni—to shave oneself
megborotválni—to shave
megemlíteni—to mention
megengedni—to allow, to permit
megenni—to eat up
megérkezni—to arrive
megérteni—to understand
megértés—understanding
megfogózni—to hang on
megfőni—to be cooked through
meggyógyítani—to heal
meggyújtani—to light
meghívás—invitation
meghívni—to invite
meghívó—invitation card
megigérni—to promise
megindítani—to start up, to set in motion
megindulni (refl.)—to start, to move
megírni—to finish writing, to put down in writing
megírt—written
megkapni—to obtain, catch, seize, grasp
megkérdezni—to ask
megkeverni—to stir
meglátogatni—to visit
megmagyarázni—to explain
megmagyarosodás—the process of becoming Hungarian
megmenteni—to save
megmérni—to measure
megmondani—to tell
megmosakodni—to wash oneself (refl.) (to finish washing)
megmutatni—to show
megnevezni—to name
megnézni—to inspect, look up
megnyílni—to get open
megolvasni—to count
megöregedni—to age
megőrizni—to preserve

megszakítójel—ellipsis
megszállás—occupation
megszavazni—to vote for
megtalálni—to find
megtudni—to find out, to learn
megvakarni—to scratch
megvalósítani—to realize
megvenni—to buy up
megvizsgálni—to examine
méh—bee
meleg—warm
mellé—beside (motion)
mellém—beside me (motion)
mellékmondat—clause
melléknév—adjective
mellett—beside (place)
mellettem—beside me (place)
mellől—from beside
mellőlem—from beside me
méltó—worthy
méltóságos—honorable
méltóztatni—to be pleased
melyik?—which one?
menni—to go
    (megyek—I go)
    (mehetni—to be able to go)
mennyi?—how much?, how many?
mennyire—to what extent
mennyiség—quantity
menő—going
menvén—having gone
mérés—measurement
mérkőzés—competition
mérkőzni—to compete
mérni—to measure
mérnök—engineer
mert—because, for
mértan—geometry
mese—fable, tale
mesélni—to narrate, to tell a story
mesélő készség—narrative ablity
mesemondó—story teller
messze—far
messzelévő—far laying

méter—meter
méternyi—of a meter
méz—honey
mező—meadow
mezőgazdaság—agriculture
mi—we   mienk—ours
mi? (sing.), mik? (plur.)—what?
mi a baj?—what is the matter?
miatt—because of
mié?—of what?
mi ez?—what is this?
mik ezek?—what are these?
mielőtt—before
miért?—why?
mikor?—when?
milyen?—what is it like?, what
    kind of?
mindegyik—everyone
milyen színű?—what color of?
minden—every
mindenhol—everywhere
mindenki—everybody
mindhármunk—all three of us
mindennapi—everyday (adj.)
mindenütt—everywhere
mindíg—always
mindjárt—immediately
minket (bennünket)—us
minőség—quality
mint—as, than
mintha—as if
mióta?—since when?
mire való? what is it good for?
miután—after, afterwards
módszer—method
mögé—behind (motion)
mögém—behind me (motion)
mögött—behind (place)
mögöttem—behind me (place)
mögül—from behind
mögülem—from behind me
mondani—to say
mondanivaló—something to say
mondat—sentence

mosakodni (refl.)—to wash
oneself
mosogatni—to wash dishes
mosni—to wash
most—now
mozdulni—to set in motion
mozi—movie, cinema
mozzanatos igék—intensives
múlt—past
múlt idő—past tense
munka—work, labor, job
munkahely—working place
munkás—workman, laborer
munkásnő—working woman
munkát végezni—to do the work
mutatni—to show
mutató névmás—demonstrative
pronoun
mutató ujj—index finger
múzeum—museum
mű (művet, acc. sing.)—artificial,
artistic, work
művek—plant, works (plur.)
műegyetem—technical university
műsor—program
művelt—educated
műveltség—culture
művész—artist
művészet—art
művészi—artistic
műzene—artistic music

N

-n, -on, -en, -ön (suff.)—on
(prep.) (azon—on that,
ezen—on this)
nagy—big, large, great
nagyanya—grandmother
nagyapa—grandfather
nagy betű—capital lettetr
nagyfontosságú—of great
importance
nagylelkű—magnanimous

nagyobb—larger
nagyon—very
nagyságos—esquire
nagyságos asszony—madam
-nál, -nél (suff.)—at, beside
nálad (fam. sing.)—at your
house, on you
nálam—at me, at my house, on me
nálunk—at our house
nálatok (fam. plur.)—at your
house
nap—day, sun
napi—daily
a nap süt—the sun shines
nappal—daylight, during the day
nappali szoba—living room
ne—no, not
négy—four
negyed—quarter
negyedik—fourth
negyed kettő—quarter after one
néha—sometimes
néhány—several
nehéz—heavy, difficult
néhnáyszor—several times
nekem—me (dat.)
nekem illik—it suits me
nekem szabad—I may
nekem van—I have
nélkül—without
nélkülem—without me
nem—no, not, ne—do not
néma—dumb
német—German
németül—in German
nem illik—it is not proper
nemsokára—soon
nemzet—nation
nemzeti—national
nemzetközi—international
néni—aunt (a familiar address
not expressing family
relationship)
nép—people

népdal—folksong
népkönyvtár—people's library
népszerű—popular
név—name
   (nevet, acc. sing.)
névelő—article, preposition
nevetni—to laugh
nevezetesség—celebrity
nevezni valaminek—to call
névmás—pronoun
névragozás—declension
névutó—postposition
néz—he looks
nézeget—he looks around
nézni—to look at
nimfa—nymph
nincs—is not
nincsenek—are not
Nobel-díj—Nobel prize
nő—woman; he grows
nőnem—feminine
nőni—to grow
nős—married (man)
nőtlen—unmarried (man)
november—November
nővér—elder sister

NY

nyak—neck
nyáj—sheep
nyár—summer
nyaraló—summer resort
nyelni—to swallow
nyelv—language, tongue
nyelvet beszélni—to speak a
   language
nyelvtan—grammar
nyelvtani—grammatical
nyerni—to win, to gain
nyers—raw
nyersanyagtermelés—production
   of raw material(s)
nyilt—open

nyilván—obviously
nyilvános—public
nyilvánosságra hozni—to disclose
nyitni—to open
nyittatni—to have sth. opened
nyitva—open
nyolc—eight
nyolcadik—eighth
nyolcvan—eighty
nyom—track, trace
nyom—he presses
nyomni—to press
nyugat—west
nyugati—western
nyugodt—quiet
nyugodtan—quietly
nyúl—hare
nyúl—he reaches for sth.
nyúlánk—slender
nyúlni—to reach for sth.

O, Ó

oda—to there
odaérni—to get there, arrive
óhaj—wish
óhajtani—to wish
ok—cause
okos—smart, intelligent
okozó—causing, being the cause of
október—October
olaj—oil
olasz—Italian
olaszul—in Italian
olcsó—cheap
olcsón—cheaply
olimpiai verseny—Olympic
   competition
olvasás—reading
olvasgatni—to read frequently
olvasni—to read
olvasó—reader
olyan—such
olyan mint—such as

operett—operetta
óra—watch, hour, clock
   magyar óra—Hungarian
   lesson
órás—watchmaker
Orbán—Urban
orosz—Russian
oroszul—in Russian
orr—nose
Orsolya—Ursula
ország—country
országgyűlés—parliament
országos—national
országút—highway
orvos—doctor, physician
orvostudomány—medical science
osztály—class, classroom, grade,
   division
osztani—to divide
óta—since
ott—there
ott van—there is
ott vannak—there are
otthon—home, at home

Ö, Ő

ő—he, she; ők—they
öböl—bay
öccse—his, her younger brother
ökör—ox
öltözködni (refl.)—to dress
   oneself
öltözni—to dress oneself
öltöztetni—to dress sb.
ön—you (pol. sing.)
önök—you (pol. plur.)
önteni—to pour
őr—guard, watchman
öreg—old
őrizni—to guard
őriztetni—to have sth. guarded
örök—eternal
öröm—pleasure, joy

örülni—to be pleased
ős—ancestor, forefather; ancient
ősz—autumn, fall
ősszel—in the fall, in fall
összeállítani—to construct, to put
   together
összes—all
öt—five
őt—him, her
öten—five people
ötödik—fifth
ötös—a five
ötven—fifty
övé—his, hers
övéké—theirs

P

pad—bench, desk
padlás—attic
Pál—Paul
pályaudvar—railway station
papír—paper
paprika—paprika, red pepper
parancsoló mód—imperative
pár—pair
part—shore, coast
pásztor—shepherd
Paula—Pauline
pedig—but, however
például, pl.—for example, e.g.
péntek—Friday
pénz—money
perc—minute
percnyi—of a minute
Péter—Peter
piac—market
pince—basement
pincér—waiter
pincérnő—waitress
pipa—pipe
piros—red
pogány—pagan
pohár—drinking glass

pont—period, point
pontos—exact
pontosan—exactly
pontosvessző—semi colon
programszám—program number
puha—soft
puszta—semiarid prairie
pusztítani—to ruin, to destroy
pusztulás—decay, ruination
püspök—bishop

R

-ra, -re (suff.)—on, onto (prep.)
rám—on me (motion)
rag—suffix
ragozni—to conjugate (to decline)
    igeragozás—conjugation
    névragozás—declension
ráírni—to write on
rajta—on it
rajtam—on me (place)
rang—rank
reá nézve—for him, her
régen—long time ago
regény—novel
reggel—morning, in the morning
reggeli—breakfast
reggelizni—to take breakfast
régi—old, ancient
regős—bard, minstrel
rejtély—mystery
remélni—to hope
remény—hope
rendelkezni—to dispose of
rendelni—to order
rendelő—examination room, office
rendkívüli—extraordinaire,
    irregular
rendszerint—usually
repülni—to fly
repülőgép—airplane
repülőtér—airport
rész—part

részére—for (prep.)
részemre—for me
részeshatározó—dative
rethoromán—Rhaetic
réz—copper
Rezső—Rudolph
rohanni—to rush
-ról, -ről (suff.)—from
rólam—from me
római—Roman
róni—to scold
rossz—bad
rosszabb—worse
rosszul—badly
rögtön—immediately
röplabda—volleyball
rovásírás—runic writing
rövid—short
Róza—Rose
rózsa—rose
ruha—clothes, suit, dress
ruhatár—check-room
ruhatisztító—(dry-)cleaner
ruhaujj—sleeve
rúzs—lipstick
rügy—bud

S

saláta—salad, lettuce
saját—own
sajnálni—to be sorry for
sajt—cheese
Sándor—Alexander
Sarolta—Charlotte
sárga—yellow
sárgadinnye—canteloupe
sarok—corner, heel
sas—eagle
segíteni—to help
segítség—help, aid
sejteni—to guess, to suspect
sem, se—neither, not either, nor
semmi—nothing

senki—nobody
sereg—troop
serleg—prize, cup
séta—walk
sétálni—to take a walk
sietni—to hurry
sík—level, even
siker—success
sikeres—successful
sikerülni—to suceed
sikkasztani—to fraund, to
    misappropriate
síkság (sing.)—plains
sincs—nothing is, neither has
sincsenek—nothing are, neither
    have
sír—tomb, grave
sír—he cries
sírás—crying, weeping
sírni—to cry, to weep
sízni—to ski
só—salt
sofőr—chauffeur
soha, sohasem—never, not ever
sok—much, many
sokáig—for a long time
sokan—many people
sokszor—many times
sonka—ham
sor—line, row
sorrend—order
sorszámnév—ordinal number
sors—fate
sós—salty, salted
sör—beer
sőt—even
sötét—dark
sótlan—unsalted
sovány—thin
soványka—somewhat thin
sózni—to salt
sózott—salted
spanyol—Spanish
Spanyolország—Spain

spanyolul—in Spanish
sportág (sing.)—types of sport
sportélet—sport life
sportot űzni, sportolni—to
    cultivate a sport
sportpálya—athletic field
stadion—stadium
süket—deaf
súly—weight
süt—he bakes
süt a nap—the sun shines
sütemény—pastry
sütni—to bake
Svájc—Switzerland
svájci—Swiss
svéd—Swedish
Svédorsszág—Sweden
svédül—in Swedish

SZ

szabad—free
nekem szabad—I am permitted,
    I may
szabadon—freely
szabadság—freedom, liberty,
    holiday
szabó—tailor
szag—odor
szagolni—to smell
szagtalan—odorless
száj—mouth
szájtátva—gaping
szaladni—to run
szálló, szálloda—hotel
szám—number
számnév—numeral
számára (postpos.)—for (prep.)
    for him, her
számomra—for me
szamár—donkey
szamárfej—donkey's head
számtan—arithmetic
szánni—to be sorry for

szán—sleigh
szánalom—pity
szánkázni—to ride in a sleigh
szappan—soap
száraz—dry
szárazföld—continent
szárny—wing
szavak—words
szavazni—to vote
    megszavazni—to vote for
száz—one hundred
század—century, company
    (military)
századik—one hundredth
százas—a hundred
szeg—nail
Szeged—city in Hungary
szék—chair
szekrény—wardrobe
széles—wide
széleskörű—widely extended
szellem—spirit
szellemi—intellectual
szem—eye
személy—person
személyes névmás—personal
    pronoun
személytelen ige—impersonal
    verb
szemöldök—eyebrow
szempont—viewpoint
szemtelen—impertinent
szenvedő—passive
szép beautiful, nice
    szebb—nicer
szépség—beauty
szeptember—September
szerda—Wednesday
szerelem—love
szerep—role
szerencsés—lucky
szeretni—to love, to like
szeretet—affection, charity, love
szerető—loving, lover

szerezni—to get, to acquire
szerint—according to
szerintem—according to me
szervusz—hello, hi
szerző—author, originator
szilva—plum
szín—color
színész—actor
színésznő—actress
színház—theater
színművészet—theatrical art
színpad—stage
színtársulat—theater group
szív—heart
szíves—willing
szívesen—willingly, gladly
szívtelen—heartless
szó (szavat, acc. sing.)—word
szók, szavak—words
szoba—room
szokás—custom, habit
szokni—to get used to
szőke haj—blond hair
szőkehajú—blond haired
szökevény—fugitive
szökik—he escapes
szökni—to escape
szőlő—grape
szombat—Saturday
szomjas—thirsty
szomszéd—neighbor
szomszédos—neighboring
szőni—to weave
szőnyeg—carpet
-szor, -szer, -ször—times
szórend—word order
szorgalmas—industrious, diligent
szorgalmasan—diligently
szőrme—fur
szörnyebb—more horrible
szörnyen—terribly
szörnyű—terrible, horrible
szorozni—to multiply
szorzószámnév—multiplicative

szótag—syllable
szükségem van valamire—I need something
szükséges—necessary
szülészet—obstetrics
születésnap—birthday
születni—to be born
szülni—to bear
szülő—parent
szünet—pause
szünidő—vacation
szürke—gray

T

tábor—camp
tag—member
tagadás—negation
tagadó—negative
tágas—spacious
táj—scenery
takarni—to cover
tál—platter
található—can be found
találkozni—to meet
találmány—invention
találni—to find
talán—perhaps
Tamás—Thomas
támogatás—support
tanár—professor
tánc—dance
táncolni—to dance
tanítani—to teach
tanítási nyelv—language of instruction
tanító—teacher
tanítvány—disciple
tankönyv—textbook
tantárgy—subject matter
tanulás—study, learning
tanulmányozás—study
tanulni—to study, to learn
tanuló—student, pupil

tanult—educated
tanya—farm
tányér—plate
tapsolni—to applaud
tár—collection, store-house
tárgy—object
tárgyas ragozás—objective (definite) conjugation
tárgyeset—accusative
társalgó—conversationalist
társadalmi—social
társadalom—society
társaság—company, society
tartani—to hold
tartózkodni—to stay
tartozni—to belong, to owe
táska—briefcase, bag
tatár—Tartar
tavaly—last year
tavasz—spring
tavasszal—in spring
távirat—telegram
távolabb—further
távolság—distance
te (fam. sing.)—you, thou téged, tégedet (acc. sing.)—you
technika—technics
technikus—technician
teendő—to be done
tegezni—to use thouing form
tegnap—yesterday
tehén—cow
tehergépkocsi—truck
tehetség—ability
tej—milk
tekintetes—respectable
tél—winter
télen—in winter
telefonálni—to telephone
telek—lot, site
templom—church
tenger—sea
tengerpart—beach

tenni (teszek, pres., tettem, past)
—to put, to do
tenyér—palm of the hand
tér—square, space, room
térd—knee
Teréz—Theresa
terjedni—to spread
terjesztő—propagator
térkép—map
termék—product
termékeny—fertile
termelés—production
térzene—open air music
tessék—plase, be so kind
test—body
testnevelés, torna—gymnastics
testvér—sibling (brother and
sister)
tető—roof
tetszeni—to please
teve—camel
ti (fam. plur.)—you
titeket, benneteket (fam. plur.
acc.)—you
tied (fam. sing.)—yours
tietek (fam. plur.)—yours
tilos—prohibited
Tisza—river in Hungary
tiszt—officer
tiszta—clean
tisztulni—to become clean
titkár—secretary
Tivadar—Theodore
tíz—ten
tizedes pont—decimal point
tizedik—tenth
tizenegy—eleven
tizenkettő—twelve
tizenöt—fifteen
tizenötödik—fifteenth
tizes—a ten
tó (tavat, acc. sing.)—lake
tő—stem
több—more

többesszám—plural
többnyire—mostly
többször—several times
tojás—egg
-tól, -től (suff.)—from
tőlem—from me
tökéletes—perfect
tölgy—oak
toll—pen
tollbamondás—dictation
tölteni—to fill, to spend (time)
tőr—dagger
tornaterem—gymnasium
tornaszer—gymnastic equipment
törni—to break
torok—throat
török Turk
Törökország—Turkey
törökül—in Turkish
torony—tower
tört—fraction
törtszámnév—fractional
torta—cake
tortasütű—cake pan
történelem—history
történet—story
történni—to happen
törülközni (refl.)—to dry oneself
törülköző—towel
törülni—to dry
törvény—law
tőszámnév—cardinal number
törzs—trunk
tragédia—tragedy
tragikus—tragic
tudomány—knowledge
tudományegyetem—university
(academic)
tudományos—scientific
tudós—scholar, scientist
tudni—to know
tudomány—knowledge, science,
learning
túl—beyond, too

tündérmese—fairy tale
türelmes—patient
tűz—fire
tüzet rakni—to make fire

TY
tyúk—hen

U, Ú

udvar—backyard
udvarias—courteous
ugrani—to jump
    átugrani—to jump over
    felugrani—to jump up
ugratni—to make jump
úgy—so that
ugye?—isn't it?, is it?
úgyszólván—so to speak
új—new
újabban—recently
ujj—finger, toe
újjászületés—revival
újság—newspaper
újságcikk—newspaper article
újságíró—journalist
újságírónő—lady journalist
unokatestvér—cousin
úr—gentleman, Mr.
uralkodó—ruler (political)
után, utána—after
utánam—after me
utazás—travel
utazni—to travel
utazó—traveler
utca—street
    az utcán—in the steet
utiterv—itinerary
utókor—posterity
utolsó—last
útravaló (sing.)—provisions
úszás—swimming
úszni—to swim
út—road

Ü, Ű

üdvözölni—to greet
ügyes—skillful, dextrous
ügyesen—skillfully
ügynök—agent
üldögélni—to sit around
ülés—seat, session
ülni—to sit
ünnep—holiday
ünnepélyes—solemn
üres—empty
ütni—to beat, to hit
üzlet—store, shop
űzni—to chase, pursue

V

vacsora—dinner, supper
vacsorázni—to dine, to sup
vad—wild
vadász—hunter
vádlott—defendant
vágány—rail
vágni—to cut
vágott—cut
vagy—or
vágy—desire
vagyok—I am
vak—blind
vakáció—holiday, vacation
vakarni—to scratch
vakarózni (refl.)—to scratch
    oneself
vaj—butter
vajas kenyér—bread and butter
vajjon—whether
-val, -vel—with
velem—with me
valaki—somebody
valami—something
valamire való—fits for something
választani—to choose, to elect
    kiválasztani—to select

való—true; being; for
várni—to wait
valószínű—probable
valószínűleg—probably
változat—version
változni—to change
van—he, she, it is
vannak—they are
var—scab
vár—castle
váratlan—unexpected
várni—to wait
város—city
városbíró—mayor
váróterem—waiting room
varrni—to sew
vas—iron
vásár—market
vasárnap—Sunday
vásárolni—to shop
vasfüggöny—iron curtain
vasgolyó—iron ball
a Vaskapu—the Iron Gates
vasút—railway
vasútállomás—railway station
vég—end
végezni—to finish
végtag (sing.)—limbs
végzett finished
végzett munka—finished job
vegyész—chemist
vegyészet—chemistry
vegytan—chemistry
vele—with him, her, it
vélemény—opinion
vendég—guest
vendéglő—restaurant
vendéglős—innkeeper
venni (veszek, pres. vettem, past)
    —to buy
vér—blood
verekedni (reciprocal)—to fight
    each other
verni—to beat, to hit

vers—verse
verseny—race, competition
vérvörös—bloodred
vese—kidney
veszedelmes—dangerous
Veszprém—city in Hungary
vessző—comma
vetkőzni (refl.)—to undress
    oneself
vetköztetni—to undress sb.
vetni—to sow
vevő—buyer, consumer
vezetés—leadership
vezetni—to lead
vezető—leader, leading
vicc joke
vidék—region, countryside
vigyázat—attention
vigyázva—with attention
világ—world
világgá menni—to go out into the
    world
világhírű—world famous
világirodalom—world literature
világos—clear, light
világosan—clearly
világoszöld—light green
villa—fork; villa
villámlani—to lighten
villámilik—it is lightning
villamos—streetcar
Vilmos—William
Vince—Vincent
vinni (viszek, vittem)—to carry
virág—flower
virrad—the day breaks
viselkedni—to behave
viszketni—to itch
viszontlátásra—I see you again
vissza—back
visszaható—reflexive
visszajönni—to come back
visszamenni—to go back
vitéz—hero

vitetni—to have sb. carry
vitorlázni—to sail
vitrin—china cabinet
víz—water
vizipóló—water polo
vízkő—water scale
vízvezeték—water plumbing
vizsga—examination
vizsgálni—to examine
volt—he, she, it was
vonakodni—to hesitate
vonalzó—ruler
vonat—train

Z

zár—lock
zárni—to lock, to close
zárójel (sing.)—brackets
zárva—closed, locked
zene—music

zenekar—orchestra
zeneművészet—musical art
zenész—musician
zeneszerző—composer
zenetörténet—history of music
zenét szerezni—to compose music
zöld—green
zöldes—greenish
Zoltán—given name (masc.)
zongora—piano
zongorázni—to play piano
zörej—noise

ZS

zsák—sack, bag
zseb—pocket
zsindely—shingle
zsivány—highwayman, outlaw
Zsófia—Sophie
Zsuzsanna—Susan

ANGOL—MAGYAR SZÓTÁR

ENGLISH—HUNGARIAN VOCABULARY

A

a, an—egy
ability—tehetség
able, to be (to do sth.)—képesnek lenni
able, to be (to be strong enough)—bírni
about—körülbelül
above—felett, fölé (place, motion)
abundant—bő, bőséges
accept, to—elfogadni
accompanies—kisér
according to—szerint
accusative—tárgyeset
achieve, to—kivívni
acorn—makk

acquit, to—felmenteni
active—cselekvő
actor—színész
actress—színésznő
address—cím
adjective—melléknév
adventure—kaland
adverb—határozó
adversary—ellenfél
affirmative—állító
afraid, he is—fél
afraid, to be—félni
after—után
afternoon, in the afternoon—délután
again—ismét

age—kor
agent—ügynök
agriculture—mezőgazdaság
air—levegő
airplane—repülőgép
airport—repülőtér
Alexander—Sándor
all—összes, mind
almost—majdnem
already—már
also—is
always—mindíg
America—Amerika
American—amerikai
ancient—ősi
and—és, meg
Andrew—András, Endre
angry,to be—haragudni
animal—állat
ankle—boka
Ann—Anna
answer—felelet
answer, to—felelni
anybody—akárki
anything—bármi, valami
apartment—lakás
applaud, to—tapsolni
apple—alma
appliance—készülék
April—április
aristocratic—főúri
arithmetic—számtan
arm—kar
armchair—karosszék
around—körül, köré (place, motion)
around midnight—éjfél tájban
arrive, to—megérkezni, érkezni
art—mű
article—cikk
artistic—művészi
artistic music—műzene
artist—művész
as—mint, ahogy

ascertain, to—megállapítani
as if—mintha
ask, to—kérni, kérdezni
    (to ask impatiently—kérve-kérni)
assign, to—kijelölni
assigned, marked—kijelölt
assignment—feladat
asterisk—csillag
at— -nál, -nél (suffix)
at home—otthon
at your house—nálad, nálatok, önnél, önöknél, magánál, maguknál
attention—vigyázat
athletic field—sportpálya
attic—padlás
audience—közönség
August—augusztus
aunt—nagynéni
aunt—néni (a familiar address not expressing family relationship)
authentic—hiteles
autumn—ősz
away from— -tól, -től (suffix)

B

baby—baba
back—hát
backyard—udvar
bag—táska
bake, to—sütni
ballad—ballada
bank account—bankszámla
barber—borbély
baron—báró
basement—pince
basket—kosár
basis—alap
    to give a bath—füröszteni
bathe, to—fürödni
bathroom—fürdőszoba

bay—öböl
be, to—lenni
beach—tengerpart
bean—bab
beat, to—verni
beauty—szépség
beautiful—szép
   somewhat beautiful—
   szépecske
because—mert, miatt
become, to—lenni valamivé
   to become clean—tisztulni
   to become more refined—
   finomulni
bed—ágy
bedroom—hálószoba
bear, to—szülni
bee—méh
beer—sör
before—előtt, mielőtt
begin, to—kezdeni, kezdődni
begins to speak—szólal
behave, to—viselkedni
behind, beyond—mögött
Belgium—Belgium
believe, to—hinni, elhinni
bell rings, the—a csengő szól
belong, to—tartozni
belongings—holmi (sing.)
bench—pad
Benedictine (rel. order)—bencés
beside—mellett (postpos.) -nál,
   -nél (suffix)
beside me—mellettem
better—jobb, jobban
between—között
Bible—biblia
bicycle—kerékpár, bicikli
big—nagy
bile—epe
bird—madár
birthday—születésnap
bites, he—harap
bitter—keserű

black—fekete
blackboard—fekete tábla
blind—vak
blond hair—szőke haj
blow, to—fújni
blue—kék
blue eye—kék szem
boat—hajó
boat, to—csónakázni
boat excursion—hajókirándulás
body—test
bone—csont
book—könyv
booklet, little book—könyvecske
born, to be—születni
boulevard—körút
boy—fiú
brackets—zárójel
brave—bátor
bread—kenyér
break, to—törni, eltörni
breaking of the leg—lábtörés
breaks, he or she—tör
breakfast—reggeli
   to take breakfast—reggelizni
bridge—híd
briefcase—táska, irattáska
bring into existence, to—létrehozni
brings, he or she—ő hoz
brother (elder)—bátya
brother (younger, his, hers)—
   öccse
brother or sister—testvér
brought—hozott
brown—barna
brush—kefe
build, to—építeni
building—épület
build up, to—felépíteni
bull—bika
busy—forgalmas, elfoglalt
but—hanem, de
butter—vaj
buy, to—venni, megvenni

C

cake—torta
cake pan—tortasütő
call, to—nevezni valaminek
call in, to—behívni
camel—teve
camp—tábor
can—tudni, képesnek lenni
canteloupe—sárgadinnye
capital letter—nagybetű
capital city—főváros
car—autó
cardinal—érsek
cardinal number—tőszámnév
care—gond
carefree—gondtalan
careful—óvatos
carefully—óvatosan
careless—gondtalan
carpet—szőnyeg
carry, to—vinni, hordozni,
    szállítani
carry in, to—bevinni
    to have carried away—
    elvitetni
    to have sth. carried home—
    hazavitetni
castle—vár
cat—macska
causative verb—műveltető ige
cavalryman—huszár
celebrity—nevezetesség
center—központ
central—központi
Central Europe—Közép-Európa
century—század
chain—lánc
chair—szék
chalk—kréta
change, to—változni
Charles—Károly
chase, to—űzni
cheap—olcsó
cheaper—olcsóbb

cheapest—legolcsóbb
cheaply—olcsón
check—csekk
cheese—sajt
chemist—vegyész
chemistry—kémia, vegyészet
chess—sakk
child—gyermek
Childe John—János Vitéz
children's room—gyerekszoba
chin—áll
china cabinet—vitrin
Chinese—kínai
    in Chinese—kínaiul
choose, to—választani,
    kiválasztani
Christian—keresztény
Christmas—karácsony
church—templom
circle—kör
city—város
class—osztály, (group of students)
classroom—osztály, tanterem
clause—mellékmondat
clean—tiszta
clear—világos
climb, to—mászni
clock—óra
close—közeli
close, to—bezárni
closed—zárva
clothes—ruha (sing.)
coach—kocsi
coffee—kávé
cold—hideg
cold, to be—fázni
collection—tár, gyűjtemény
collective noun—gyűtőnév
colleague—kartárs
colonel—ezredes
color—szín
Colorado—Colorado
Coloradan, of Colorado—colorádói
comb—fésű

comb sb., to—fésülni
comb oneself, to—fésülködni
come, to—jönni
come back, to—visszajönni
come in, to—bejönni
    it comes to life—éled
comma—vessző
commerce—kereskedelem
commercial—kereskedelmi
communicate, to—közlekedni,
    közölni
complete—teljes
complete, to befejezni
completely—teljesen
competition—mérkőzés
compose, to—összetenni,
    kidolgozni, alkotni
compose music, to—zenét szerezni
composer—zeneszerző
composition—alkotás
compulsory—kötelező
conception—eszme, fogalom,
    fogamzás
concert—hangverseny, koncert
condemn, to—elítélni
conditional mood—feltételes mód
conjugation—igeragozás
conjunction—kötőszó
connect, to—összekötni
connection—kapcsolat
consequence, in—következtében
consider a plan, to—tervvel
    foglalkozni
consist of sth.—áll valamiből
consonant—mássalhangzó
constantly—állandóan
construct, to—összeállítani
construction—szerkezet
consumer, buyer—vevő
contact—kapcsolat
content—tartalom
continent—szárazföld
continues, one who—folytató
contrary, on the—ellenkezőleg

contribute. to—hozzájárulni
conversationalist—társalgó
cook, to—főzni
cool—hűvös
copper—réz
corn—kukorica
corner—sarok
cottage cheese—brindza
count—gróf
count, to—megszámolni,
    megolvasni
counter-reformation—
    ellenreformáció
country—ország, vidék
countryside—vidék
courage—bátorság
courageously—bátran
courteous—udvarias
cost—költség
    at sb's own cost—saját kárán
cousin—unokatestvér
cover, to—takarni, fedni
cow—tehén
cowboy—csikós
crazy—hülye, őrült
create, to—létrehozni
creation—alkotás
creative power—alkotó erő
crockery—konyhaedény
crystal—kristály
culture—műveltség, kultúra
cup—csésze, serleg
current—áramlat
curtain—függöny
custom—szokás
cut—vágott
cut, to—vágni
Czech—cseh

D

dagger—tőr
dance—tánc
dangerous—veszedelmes
Danish, of Denmark—dániai

Danubian Basin—Dunamedence
dark—sötét
    to get dark—alkonyodni
dash—gondolatjel
data—adat (sing.)
dative—részeshatározó esete
daughter—leánya valakinek
day—nap
    the day breaks—virrad
daylight—nappal
deaf—süket
dear—drága
dearer—drágább
dearest—legdrágább
decade—évtized
December—december
decide, to—elhatározni
declension—névragozás
deer—szarvas
deduct, to—levonni
defend, to—védeni
defendant—vádlott
definite—határozott
degree—fok
delicious—jóízű, fínom
demand—igény
demonstrative—mutató
depart, to—indulni, kiindulni
departure—indulás
desk—pad
desire—vágy
destroy, to—pusztítani
develop, to—fejlődni, fejleszteni
    is developed—ki van fejlődve
developing—felépítés
development—fejlődés
dew—harmat
dictation—tollbamondás
difference—különbség
different—különféle
differently—különbözőképen
difficult—nehéz
diligent—szorgalmas
dining car—étkezőkocsi

dining hall—étterem
dining room—ebédlő
dinner—vacsora, estebéd
direction—irány
directly—egyenesen
disciple—tanítvány
disclose, to—nyilvánosságra hozni
discover, to—felfedezni
disease—kór
dishes—edény (sing.)
disinfect, to—fertőtleníteni
dispose of sth., to—rendelkezni
    valamivel
distance—távolság
distinctive—kitüntető
district—kerület
ditch—árok
divide, to—osztani
do, to—csinálni
doctor (physician)—orvos
document—irat, okmány
dog—kutya
domestic—házi
donate, to—adományozni
donkey—szamár
door ajtó
door key—kapukulcs
door knob—kilincs
Dorothy—Dorottya
down—le
dread—félelem
dream—álom
dress—ruha
drink—ital
drink, to—inni
drinking glass—pohár
drinking water—ivóvíz
drive, to—hajtani
drum—dob
drum noise—dobszó
dry—száraz
dry oneself, to—törülközni
duke—fejedelem
dumb—néma

during—közben
dwell, to—lakni

E

each—mindegyik
each other—egymás
eagle—sas
ear—fül
early—korán
earn (money), to—keresni
earned money—keresett pénz
earth—föld
east—kelet
easy—könnyű
easily—könnyen
eat, to—enni
economic—gazdasági
economically—gazdaságilag
educated—művelt
education—műveltség
Edward—Ede
effect—hatás
egg—tojás
either—vagy
either ... or—vagy ...vagy
elapse, to—eltelni
elbow—könyök
elder—bodza
elder brother—bátya
elder sister—nővér
elect, to—választani
elementary school—elemi iskola
Elizabeth—Erzsébet
Emerich—Imre
emperor—császár
empty—üres
endeavor—cél
enemy—ellenség
engineer—mérnök
English—angol
enough—elég
enter, to—belépni
epidemic—járvány
erect, to—felállítani

Ernest—Ernő
escape, to—megszökni
establish, to—alapítani
establish, to—megállapítani
eternal—örök
even—egyenes, lapos, sőt (conj.)
evening—este
event—esemény
every—minden
everybody—mindenki
everyday (adj.)—mindennapi
everything—minden
everywhere—mindenhol,
    mindenütt
evolution—fejlődés
exact—pontos
exactly—pontosan
examination—vizsga
examination room (office)—
    rendelő
examine, to megvizsgálni
excellency—kegyelmes úr
excellent—kitűnő, kiváló
excellently—kitűnően
exclamation mark—felkiáltójel
excommunicate, to—kiközösíteni
excursion—kirándulás
    to make an excursion—
    kirándulni
exercise—gyakorlat
expensive—drága
explain—magyarázni
extend, to—kiterjeszteni
extended—széleskörű
eyebrow—szemöldök
eye—szem

F

face—arc
factory—gyár
fairy tale—tündérmese
faithful—hű
fall—esés; ősz
fall in, to—beleesni

fall off, to—leesni
fame—hírnév
family—család
famous—híres
    world famous—világhírű
far—messze
farm—farm, tanya
fat—kövér
fate—sors
father—atya, apa
favor, to—kedvelni
fear—félelem
February—február
feel, to—érezni
feminine—nőnem
fencing—kardvívás
fertile—termékeny
few—kevés
fifteen—tizenöt
fifth—ötödik
fifty—ötven
fight, to—harcolni
fight each other, to—verekedni
fill, to—tölteni
find, to—találni, megtalálni
find out, to—megtudni
finger—ujj, kézujj
fingernail—köröm
finish, to—elvégezni, elkésziteni
finished, done—végzett
finished job—végzett munka
Finland—Finnország
Finnish—finn
fire—tűz
firm (company)—cég
first—első
first time—először
fish—hal
fisherman—halász
fish hatchery—halastó
five—öt
flat—lapos
flat (apartment)—lakás
Flemish—flamand

flies, he—repül
flow, to—folyni
flower—virág
fly, to—repülni
fog—köd
folklore—népművészet
folksong—népdal
follow, to—követni
following—következő
food—étel
foolish—esztelen
foot—lábfej
football—labdarúgás
for (prep.)—részére, -ért (suff.)
for as long—annyi ideig
forehead—homlok
foreign—idegen
foreign country—külföld
foreign language, of—
    idegennyelvű
forest—erdő
for example, e.g.,—például, pl.
fork—villa
form—alak, forma
formality—külsőség, formalitás
forty—negyven
found, to—alapítani
foundation—alapítvány, alapítás
four—négy
fourteen—tizennégy
fourth—negyedik
fraction—tört
fractional—törtszám
frame—keret
France—Franciaország
Francis—Ferenc
free—szabad
freedom—szabadság
freely—szabadon
French—francia
Friday—péntek
friend—barát
friendly—barátságos, baráti
frightened, to be—ijedni,
    megijedni

from above—felülről
from among—közül
from among us—közülünk
from behind—mögül
from behind me—mögülem
from beside—mellől
from beside me—mellőlem
from down— -ról, -ről (suff.)
from in front of—elölről
from out of— -ból, -ből (suff.)
from there—onnan
from under—alól
from under me—alólam
front of, in—elé, előtt
    in front of me—elém, előttem
fruit—gyümölcs
fugitive—szökevény
fur—szőrme
furniture—bútor
further—távolabbi, tovább
future—jövő
future tense—jövő idő

G

gain, to—nyerni, terjedni
garden—kert
garden door—kertajtó
gas—gáz
gasoline—benzin
gate—kapu
gendarme—csendőr
generation—nemzedék
generosity—bőkezűség
generous—bőkezű
genitive—birtokos eset
gentleman (Mr.)—úr
geography—földrajz
geometry—mértan
George—György
German—német
    in German—németül
get, to—kapni
get out, to—kimenni
get pushed out, to—kiszorulni

get somewhere, to—eljutni
    valahová
get up, to—felkelni
get use to, to—szokni, megsszokni
giant—óriás
gift—ajándék
gipsy—cigány
girl—leány
give, to—adni
give a bath, to—füröszteni
gladly—szívesen
glass—üveg, pohár
glory—dicsőség
go, to—menni
go frequently, repeatedly, to—
    járni
go home, to—hazamenni
go out into the world, to—világgá
    menni
goal—cél
God—Isten
going—menő
good—jó
good-bye—Isten vele
goodness—jóság
government—kormány
grade—fok, osztály
    what grade is sb. in?—
    hányadik osztályba jár?
grammar—nyelvtan
grammatical—nyelvtani
grandfather—nagyapa
grandmother—nagyanya
grape—szőlő
grass—fű (füvet, acc. sing.)
grave—sír
to graze—legelni
great—nagy
great importance, of—
    nagyfontosságú
greatly—nagyon
Greek—görög
green—zöld
greenish—zöldes

greet, to—üdvözölni
Gregory—Gergely
grey—szürke
griffon—griffmadár
grow, to—nőni
grow away from, to—eltávolodni
grown up—felnőtt
guard—gárda, őr
guard, to—őrizni
   to have sth. guarded—őriztetni
guess, to—sejteni
guest—vendég
guide—kísérő, vezető
gymnasium—tornaterem
gymnastic equipment—tornaszer

H

hair—haj
half—fél
half past eight—fél kilenc
half past twelve—fél egy
ham—sonka
happy—boldog
hard—kemény
harpist—lantos, hárfás
hat—kalap
have, to—bírni
   I have—nekem van
   I had—nekem volt
   I shall have—nekem lesz
he—ő
heal, to—meggyógyulni
healthy—egészséges, ép
hear, to—hallani
heart—szív
heartless—szívtelen
heat, to—fűteni
heating—fűtés
heel—sarok (láb-, cipő-)
Helen—Ilona
hello—szervusz
help—segítség
help, to—segíteni
hen—tyúk

her—őt (acc. sing. fem.
   övé (poss. fem.)
here—itt, ide
here are—itt vannak
here is—itt van
hero—hős, vitéz
hesitate, to—vonakodni
hesitatingly—vonakodván,
   habozván
hi—szervusz
high—magas
higher—magasabb
highly—magasan
high school—középiskola,
   gimnázium
highway—országút
highwayman—zsivány
him—őt (acc. sing.)
   for him—reá nézve, neki
his—övé
history—történelem
history of music—zenetörténet
hit, to—ütni
hole—lyuk
hold, to—tartani
Holland—Hollandia
holiday—szabadság
home—otthon
   at home (adv.)—otthon
homeward—haza, hazafelé
homework—házi feladat
homonyms—hasonló alakú szavak
honey—méz
honorable—méltóságos
hope—remény
hope, to—remélni
horrible—szörnyű
hors-d'oeuvre—előétel
horse—ló
horse-back ride, to—lovagolni
horseherder, cowboy—csikós
horse race—lóverseny
hospital—kórház
hot—forró

hotel—szálloda, szálló
hour—óra
house—ház
    at my house—nálam
how?—hogyan?
how are you?—hogy van?, hogy
    vannak? hogy vagy?, hogy
    vagytok?
however—azonban
how many?, how much?—hány?,
    mennyi?
Hungarian—magyar
    in Hungarian—magyarul
Hungarian Academy of Sciences—
    Magyar Tudományos
    Akadémia
Hungarian monetary unit—forint
Hungary—Magyarország
    of Hungary—pertaining to
    Hungary—magyarországi
hunter—vadász
hurt, to—fájni
husband—férj
hyphen—kötőjel

I

ice—jég
ice cream—fagylalt
idea—eszme
if—ha
ill—beteg
illustrious—előkelő
imagination—képzelet, képzelődés
imitate, to—utánozni
immediate—közvetlen
immediately—közvetlenül, rögtön
immortal—halhatatlan
imperative—parancsoló mód
impertinent—szemtelen
important—fontos
impossible—lehetetlen
imprudently—esztelenül
in (prep.)— -ban, -ben (suff.)
in it—benne

inceptives—kezdő igék
income—jövedelem
income tax—jövedelmi adó
indefinite—határozatlan
independence—függetlenség
industrial—ipari
industrious—szorgalmas
industry—ipar
inestimable value, of—
    felbecsülhetetlen értékű
infection—fertőzés
influence—befolyás, hatás
in front of—előtt (place)
inhabitant—lakó
initiator—kezdeményező
inn—kocsma
    roadside inn—csárda
inner, inside—belső
instead of—helyett
intellectual—szellemi
intelligent—okos, értelmes
    inteligens
intensives—mozzanatos igék
interesting—érdekes
international—nemzetközi
interrogative—kérdő
into— -ba, -be (suff. motion)
into it—bele
introduce, to—bevezetni,
    bemutatni
introduce oneself, to—
    bemutatkozni
invent, to—feltalálni
invention—találmány
inventor—feltaláló
invitation—meghívás
invitation card—meghívó
invite, to—meghívni
iron—vas
iron ball—vasgolyó
iron curtain—vasfüggöny
the Iron Gates—a Vaskapu
is—van
Isabel—Izabella

is not—nincs
isolation—elszigeteltség
Italian—olasz
    in Italian—olaszul
itch, to—viszketni
itinerary—utiterv
its—azé

J

January—január
jewel—ékszer
jeweller—ékszerész
John—János
Johnny Corncob—Kukorica Jancsi
joke—vicc, tréfa
join, to—csatlakozni
Joseph—József
journalist—újságíró
judge—bíró
Julia—Julianna
Julius—Gyula
July—július
June—június

K

key—kulcs
kick, to—rúgni
kidney—vese
king—király
kiss—csók
kiss, to—csókolni
kiss each other, to—csókolódzni
kitchen—konyha
kitchen ware—konyhaedény
knee—térd
knife—kés
know, to—tudni, ismerni
knowledge—tudomány, ismeret

L

Ladislas—László
lag behind, to—elmaradni
lake—tó
lamb—juh
lamp—lámpa

land—föld, ország
land owner—földbirtokos
language—nyelv
language of instruction—tanítási
    nyelv
large—nagy
larger—nagyobb
largest—legnagyobb
last—utolsó
late—késő, későn (adv.)
later—később, későbben
Latin—latin
laugh, to—nevetni
law—törvény, jog
lay, to—fektetni
leader—vezető
leadership—vezetés
learn, to—tanulni
learned—tanult
leather—bőr
leave, to—hagyni, elmenni
leave alone, to—békében hagyni
left—bal (direction)
    on the left—balra
leg—láb
lemon—citrom
let—hadd
letter—levél
    to mail a letter—levelet
    feladni
lesson—lecke
library—könyvtár
lie, to—feküdni; hazudni
lie down, to—lefeküdni
life—élet
light—könnyű
light, to—meggyújtani
lighten, to—villámlani
    it is lightening—villámlik
limbs—végtagok (plur.)
limit—határ
limitless—határtalan
line—sor
lips—ajak (sing.), ajkak (plur.)

liquor—likőr
literature—irodalom
little—kicsi, kis
    a little—kevés
little girl—leányka
little man—emberke
live, to—élni
live quietly, to—éldegélni
living room—nappali szoba
lock—zár
locked—zárva
lock up, to—bezárni
long—hosszú
    for a long time—sokáig
    a long time ago—régen
look, to nézni
lost, to get—elveszni
lot—telek
Louis—Lajos
love, to—szeretni
love—szerelem, szeretet
love, of—szerelmi
loving—szerető
low—alacsony
lucky—szerencsés
luggage—bőrönd
lukewarm—langyos
lunch—ebéd
lunch, to have—ebédelni
lying—fekve
lyric poet—lírai költő, lírikus

M

machine—gép
madam—nagyságos asszony
maharaja—maharadzsa
magnanimcus—nagylelkű
mail a letter, to—levelet feladni
main—fő
mainly—főleg
main part—főrész
majesty, his, her—őfelsége
make, to—csinálni
make fire, to—tüzet rakni

make sb. drink, to—itatni
man—ember
mankind—emberiség
manor house—kastély
many, much—sok
many people—sokan
many times—sokszor
map—térkép
March—március
Margaret—Margit
mark, to—kijelölni, megjelölni
marked—kijelölt, megjelölt
market—piac
married (man)—nős
masculine—hímnem
material—anyag
May—május
may—lehet
mayor—városbíró, polgármester
me—engem (acc.), nekem (dat.)
meadow—mező
meanwhile—miközben
measurement—mérés
meat—hús
mechanic—mechanikus
mechanics—mechanika
meet, to—találkozni
meeting—gyűlés
melody—dallam
melon—dinnye
memory—emlék
mention, to—megemlíteni
merry—jókedvű, vidám
meter—méter
method—módszer
middle—közép
    the middle ages—középkor
midnight—éjfél
might—hatalom
milk—tej
mill—malom
millstone—malomkő
mine—bánya
mine—enyém (poss. pron.)

minstrel—regős
minute—perc
minutes—jegyzőkönyv
mirage—délibáb
mirror—tükör
missionary—hittérítő
mister (Mr.)—úr
Monday—hétfő
money—pénz
monk—szerzetes
monotonous—egyhangú
month—hónap
monthly—hónapi, havi
mood—kedv
more—több
morning—reggel
most—legtöbb
mostly—többnyire, legtöbbnyire
mother—anya
mother tongue—anyanyelv
multiplication—szorzás
multiplicatives—szorzószámok
mountain—hegy
mountain climbing—hegymászás
mountainous—hegyes
mountains (chain)—hegység
    (collective)
mouth—száj
move, to—költözni
movie—mozi
much, many—sok
music—zene
musician—zenész
mutual—kölcsönös
my—enyém -m, -am, -em, -om, -öm
    (poss. suffix)
my place, to—hozzám
myself (refl.)—magam (refl.)
mystery—rejtély

N

nail—szeg
name—név
narrative ability—mesélő készség
narrow—keskeny

nation—nemzet
national—nemzeti
navigable—hajózható
nearby—közeli
nearness—közelség
necessary—szükséges
necessarily—kellőképen
neck—nyak
negative—tagadó
need sth., I—szükségem van
    valamire
neighbor—szomszéd
neither—sem
nest—fészek
never—soha
new—új
news—hír (sing.), hírek (plur.)
newspaper—újság
next—következő
next day—másnap, következő nap
nice—szép
night—éj
    at night—éjjel
nine—kilenc
ninety—kilencven
ninth—kilencedik
no, not—nem
Nobel prize—Nobel-díj
nobody—senki
noise—zörej
nomadic—nomád
nominative—alanyeset
noon—dél
noon, at—délben
north—észak
northern—északi
notebook—füzet
novel—regény
November—november
number—szám
numeral—számnév
nurse, to—ápolni
nurse—ápolónő
nymph—nimfa

O

oak—tölgy
object—tárgy
objective conjugation—tárgyas
   igeragozás
obliged—kénytelen, köteles
obstetrics—szülészet
obtain, to—megkapni, elnyerni
obviously—nyilván
occasion—alkalom
occasionally—alkalmilag
October—október
odor—szag
odorless—szagtalan
offer, to—felajánlani
office—hivatal
official—hivatalos, hivatali
often—gyakran
oil—olaj
old—öreg, régi
Olympic competition—olimpiai
   verseny
on— -n, -on, -en, -ön (suff.)
on the contrary—ellenkezőleg
once—egyszer
one—egy
   the one—az egyik
one of them—egyik
one-eyed—félszemű
one-handed—félkezű
one-legged—féllábú
only—csak
open—nyitva
open, to—kinyitni
open air music—térzene
operetta—operett
opponent—ellenfél
or—vagy
ordinal number—sorszám
original—eredeti
originally—eredetileg
other—más
   the other—másik
outer, outside—külső

overwork sb. to—fárasztani
own—saját
ox—ökör

P

page—lap
painful—fájdalmas
paint, to—festeni
painting—festés
painting set—festőkészlet
pair—pár
palatial—főúri
pan—lábas
paper—papír
paprika (red pepper)—paprika
paragraph—bekezdés
parcel—csomag
pardon—bocsánat
parliament—országgyűlés,
   parlament
part—rész
participle—igenév
partridge—fogoly
passive—szenvedő
pass time, to—időt tölteni
past—múlt
past tense—múlt idő
pastry—sütemény
paternal—atyai
patient—türelmes
patriotic—hazafias
Paul—Pál
Pauline—Paula
pay, to—fizetni
pay for, to—fizetni valamiért
pay down, to—lefizetni
pay off, to—kifizetni
pea—borsó
peak—csúcs
pear—körte
peasant—paraszt
pen—toll
pencil—ceruza
pendulum—inga

people—nép
people's library—népkönyvtár
performance—előadás
perhaps—talán
period—időszak; pont
permanent—állandó
permit, to—megengedni
permitted—szabad
permitted, to be—hatni, -hetni
   to be permitted to go—
   elmehetni
person—személy
Peter—Péter
phrase—kifejezés
physical education—testnevelés
physics—fizika
piano—zongora
picture—kép
piece—darab
pipe—pipa
pity—szánalom
place—hely
plains—síkság (sing.)
   of plains—alföldi
plaster—gipsz
plate—tányér
platter—tál
play, to—játszani
play—játék
   to play the piano—zongorázni
please—tessék, kérem
pleased, to be—örülni
pleasant—kellemes
pleasure—öröm
plum—szilva
plural—többes szám
pocket—zseb
poet—költő
poetic—költői
point—pont
   decimal point—tizedes pont
points of suspension, ellipsis—
   megszakítójel
popular—népszerű

portray, to—előadni
positive (grade)—alapfok
possessive—birtokos
possible—lehető
   it is possible—lehetséges
possibly—lehetőleg
postposition—névutó
pot—fazék
potatoes—burgonya, krumpli
   (sing.)
pour, to—önteni
praise, to—dicsérni
pray, to—imádkozni
precious stone—drágakő
predicate—állítmány
prefere, to—kedvelni
prepare, to—készíteni, elkészíteni
preposition—elöljáró
present—jelen; ajándék
present tense—jelen idő
present, to—előadni;
   megajándékozni
preservation—megőrzés
press, to—nyomni
pretty—szép, helyes, csinos
price—ár
prisoner—fogoly, rab
privilege—jog, kiváltság
probable—valószínű
probably—valószínűleg
production—termelés
production of raw material—
   nyersanyagtermelés
professor—tanár
program—műsor
progress—haladás
prohibited—tilos
promise, to—megígérni
pronoun—névmás
propagator—terjesztő
property—birtok
prove, to—bizonyítani
proverb—közmondás
provisions—útravaló (sing.)

public—nyilvános
public donation—közadakozás
puerperal fever—gyermekágyi láz
pupil—tanuló
purchase, to—venni, megvenni
put, to—tenni
    to put sth. on sb.'s credit—
    javára írni

Q

quality—minőség, kvalitás
quantity—mennyiség
quarter—negyed
quarter after one—negyed kettő
question—kérdés
question mark—kérdőjel
quiet—csendes
quotation mark—idézőjel

R

rail—vágány
railway—vasút
railway station—pályaudvar,
    vasútállomás
rain—eső
rain, to—esni
    it rains—esik
raise—emelni
rank—rang
rather—inkább
reach, to—nyúlni
read, to—olvasni
    to read frequently—
    olvasgatni
reader—olvasó
reading—olvasás
ready—kész
recently—újabban
    most recently—legújabban
reciprocal—kölcsönös
red—piros
reflexive—visszaható

region—vidék
rejuvenate, to—fiatalítani
remain, to—maradni
remember, to—emlékezni
repay, to—visszafizetni
representative—képviselő
restaurant—vendéglő
result—eredmény
return—visszatérni
reward—jutalom
Rhaetic—rethoromán
rich—gazdag
right—jog; jobb (direction); igaz
    on the right—jobbra
    I have a right to it—engem
    illet
ring—gyűrű
    to ring the bell—csöngetni
    he rings the bell—harangozik
ripe—érett
river—folyó
road—út
roadside inn—csárda
role—szerep
roof—tető
room—szoba
Rose—Róza
rose—rózsa
row—sor
Rudolph—Rezső
ruin—rom
ruin, to—pusztítani
ruler—uralkodó; vonalzó
run, to—futni, szaladni
runic writing—rovásírás
rush, to—rohanni
Russia—Oroszország
Russian—orosz
    in Russian—oroszul

S

sack—zsák
sail, to—vitorlázni
salad—saláta

salesman—eladó, ügynök
    for sale—eladó
salt—só
salted—sózott
salty—sós
same—ugyanaz
Saturday—szombat
say, to—mondani
scab—var
scenery—táj
scold, to—róni, megróni
scholar—tudós
school—iskola
school caretaker—iskolaszolga
scratch, to—vakarni
scratch oneself—vakarózni (refl.)
sea—tenger
season—évszak
secretary—titkár
see, to—látni
seek, to—keresni
select, to—kiválasztani
sell, to—árulni
semiarid prairie—puszta
semi colon—pontos vessző
sense—érzés, érzék
sentence—mondat
separate—különálló
September—szeptember
Serbian—szerb
    in Serbian—szerbül
serve—szolgálni
seven—hét
seventh—hetedik
seventeen—tizenhét
seventy—hetven
several—néhány
sew, to—varrni
sexton—harangozó
sharp—éles
shave, to—borotválni,
    megborotválni
shave oneself, to—borotválkozni,
    megborotválkozni

she—ő (fem.)
shepherd—pásztor
shin—lábszár
shine, to—fényleni
shingle zsindely
shoot—lőni
shop—üzlet
shop, to—vásárolni
shore—part
short—rövid
shortly—röviden
shoe—cipő
show, to—mutatni, megmutatni
sibling—testvér
sick—beteg
sign—felirat, jel
significant—jelentős
silent—csendes
silver—ezüst
silverware—evőeszköz
simple—egyszerű
since óta
sing, to—énekelni
singular—egyesszám
sister nővér
sister and brother—testvér
sit, to—ülni
site, lot—telek
situated (to be)—elterülni,
    feküdni
situation—helyzet
six—hat
sixth—hatodik
sixteen—tizenhat
sixty—hatvan
skate, to—korcsolyázni
ski, to—sízni
skill—ügyesség
skilled labor—szakmunka
skillfully—ügyesen
skin—bőr
sleep—alvás
sleep, to—aludni
sleeping car—hálókocsi

sleigh—szán
   to ride in a sleigh—szánkázni
slender—nyúlánk
slow—lassú
slowly—lassan
small—kicsi, kis
smaller—kisebb
small letter—kis betű
small sized—kisméretű
smoke—füst
smoke, to—dohányozni
smoker—dohányzó
snappy—harapós
snow—hó
snow, to—havazni
   it is snowing—havazik
soap—szappan
social—társadalmi
society—társadalom
so far as it goes—ami azt illeti
soldier—katona
soldiery—katonaság
some—néhány
somebody—valaki
something—valami
something to say—mondanivaló
somewhat small—kicsike
son—fia valakinek
speak—beszélni
stay, to—maradni, tartózkodni
steampship—gőzhajó
stem—tő
step, to—lépni
Stephen—István
still—még; csendes
stir, to—keverni, megkeverni
stockings—harisnya (sing.)
stomach—gyomor
stone—kő
stone bench—kőpad
stone house—kőház
stone mine—kőbánya
stone wall—kőfal
stop—megállás

store—üzlet
storey—emelet
street—utca
streetcar—villamos
strength—erő
stretch out, to—kinyújtózkodni
   (refl.)
string—madzag
strong—erős
strongly—erősen
student—diák
student apartment—diáklakás
study—tanulás, tanulmányozás
study, to—tanulni
stumble, to—megbotlani
subject—alany
subjective conjugation—alanyi
   igeragozás
subject matter—tantárgy
subjunctive—felszólító mód
substantive—főnév
subtract, to—kivonni
subtraction—kivonás
succeed, to—sikerülni
successful—sikeres
such—olyan
suffix—rag
   formative suffix—képző
sugar—cukor
suitable—alkalmas
   it suits me—nekem illik
summer—nyár
summer resort—nyaraló
summit—csúcs
sun—nap
Sunday—vasárnap
superlative—felsőfok
supper—vacsora
   to have supper—vacsorázni
Swedish—svéd
   in Swedish—svédül
sweetshop—cukrászda
swift—gyors
swim, to—úszni

Swiss—svájci
Switzerland—Svájc
syllable—szótag
synonyms—hasonló jelentésű
   szavak

T

table—asztal
tail—farok
tailor—szabó
take, to—venni, elvenni
tale—mese
talk, to—beszélgetni
tall—magas
tartar—fogkő
Tartar—tatár
taste—íz
taste, to—ízleni
tasty—ízletes, jóízű
teach, to—tanítani
teacher—tanító (elementary
   school)
   tanár (high school)
team—csapat
teaspoon—kávéskanál
technician—technikus
technics—technika
technical university—műegyetem
telegram—távirat
telephone—telefon, távbeszélő
telephone, to—telefonálni
tell, to—megmondani
ten—tíz
tendency—irányzat
tenth—tizedik
tense—igeidő, feszült
termination—befejezés
terrible—szörnyű
terribly—szörnyen
textbook—tankönyv
than—mint
that—az (dem. pron.), hogy
   (conj.) ami, amely (rel. pron.)

the—a, az
theater—színház
then—akkor, majd
there—ott
there is—ott van
there are—ott vannak
therefore—azért
these—ezek
theory—elmélet
they—ők
third—harmadik
thigh—comb
thin—sovány
   somewhat thin—soványka
think, to—gondolkodni
thinking—gondolkodás
thirsty—szomjas
thirty—harminc
this—ez
those—azok
thou—te
though—bár, ámbár
thouing form (fam. form)—
   tegező alak
thought—gondolat
thousand—ezer, ezret (acc. sing.)
three—három
three quarters—háromnegyed
through—keresztül
throw, to—dobni, hányni
thundering, it is—dörög
Thursday—csütörtök
ticket—jegy
tile—cserép (tégla)
time—idő
   to plan one's time—időt
   beosztani
    from time to time—
   időnként
times— -szor, -szer, -ször
timid—ijedős
tip—borravaló
to— -hoz, -hez, -höz (suff.)
to me—hozzám

today—ma
together—együtt
toe—lábujj
tomb—sír
tomorrow—holnap
tongue—nyelv
too—is, túl
tooth—fog
top—csúcs
tower—torony
toy—játék
track—nyom
trade—kereskedelem, ipar,
  mesterség
  he trades—kereskedik
tradesman—iparos
traditional—hagyományos
tragic—tragikus
train—vonat
train, to—edzeni, betanítani
tramway—villamos
translate, to—fordítani
translation—fordítás
Transylvania—Erdély
travel—utazás
travel, to—utazni
traveler—utazó
treasure—kincs
tree—fa
trend—irány
troop—sereg
true—való, hű
truck—tehergépkocsi, teherautó
trunk—törzs
try hard, to—fáradni
tube—cső
Tuesday—kedd
Turk—török
Turkey—Törökország
Turkish—török
  in Turkish—törökül
twelve—tizenkettő
twelfth—tizenkettedik

twenty—húsz
twentieth—huszadik
twenty eighth—huszonnyolcadik
two—kettő, két
types of sport—sportág (sing.)

U

uncle—nagybátya, bácsi
under—alatt (place), alá (motion)
under me—alattam (place), alám
  (motion)
understand, to—érteni
understanding—megértés
undress sb., to—vetkőztetni
undress oneself, to—vetkőzni
  (refl.)
unexpected—váratlan
unexpectedly—váratlanul
unforgettable—felejthetetlen
unintelligible—érthetetlen
unite, to—egyesülni
United States—Egyesült Államok
university—egyetem
university student—egyetemi
  hallgató
unlimited—határtalan
unmarried (man)—nőtlen
unpleasant—kellemetlen
unpleasantly—kellemetlenül
unreconciliable—engesztelhetetlen
unsalted—sótlan
until, to— -ig, amíg
  reggelig—until morning
  a házig—to the house
up—fel
upper—felső
upper court—felső bíróság
Upper Hungary—Felvidék
use, to—használni
  to get used to—szokni
usage—használat
usually—rendszerint

V

vacation, holiday—vakáció, szünidő
valid—érvényes
valuable—értékes
value—érték
variety—változatosság
various—különböző
verb—ige
verbal prefix—igekötő
    auxiliary verb—segédige
verse—vers
very—nagyon (adv.)
vestibule—előszoba
vicinity—közelség, szomszédság
Vienna—Bécs
village—falu
villager, of a village—falusi
Vincent—Vince
vineyard—szőlőskert, szőlőhegy
visit, to—meglátogatni, felkeresni
vivid—élénk
voice—hang
volume—kötet
vote, to—szavazni
vote for, to—megszavazni
vowel—magánhangzó

W

wagon—kocsi, szekér
wait, to—várni
waiter—pincér
waiting room—váróterem
waitress—pincérnő
wake up, to—felébredni
walk—séta
    to take a walk—sétálni
wall—fal
want, to—akarni
war—háború
wardrobe—szekrény
warm—meleg
was, he, she, it—volt

wash, to—mosni
wash dishes, to—mosogatni
wash oneself, to—mosakodni
    (refl.)
watch—óra
watch, to—vigyázni, őrizni, nézni
watchmaker—órás
water—víz
water plumbing—vízvezeték
water polo—vizipóló
water scale—vízkő
we—mi
we are—mi vagyunk
weak—gyenge
weakly—gyengén
weather—időjárás
weave, to—szőni
Wednesday—szerda
week—hét
weekly—heti
weight—súly
well—jól
well-to-do—jómódú
more well-to-do—jobb módú
weep, to—sírni
weeping—sírás
west—nyugat
western—nyugati
what? (interr. pron.)—mi?
    (sing.) mik? (plur.)
what (rel. pron.)—amely, ami
    (sing.) amelyek, amik (plur.)
what kind?—milyen?
what is it like?—milyen?
    of what?—miből?
what is it good for?—mire való?
what is the matter?—mi a baj?
wheat—búza
wheel—kerék
when?—mikor?
when—amikor
whence?—honnan?
where?—hol?, hová?
where—ahol

where is?—hol van?
where are?—hol vannak?
where from?—honnan?
where to?—hová?
whether—vajjon
which (dem. pron.)—amely, ami
    (sing.) amelyek, amik (plur.)
which one?—melyik? (sing.)
    melyek? (plur.)
while—amíg
white—fehér
who? (interr. pron.)—ki? (sing.)
    kik? (plur.)
who (rel. pron.)—aki (sing.)
    akik (plur.)
whole—egész
whom?—kit? kiket?
whose?—kié?
why?—miért?
wide—széles
widow—özvegy (fem.)
widower—özvegy (masc.)
wife—feleség
will be, he, she, it—lesz
William—Vilmos
willing—szíves
willingly—szívesen
window—ablak
win, to—győzni
wine—bor
wing—szárny
winter—tél
wish—óhaj
wish, to—óhajtani
with— -val, -vel (suffix)
with me—velem
without—nélkül
without me—nélkülem
wolf—farkas
woman—nő, asszony
wood—fa
word—szó
word order—szórend
words—szavak, szók

work—alkotás, munka
work, to—dolgozni
working place—munkahely
working woman—munkásnő,
    dolgozó nő
workman—munkás, dolgozó
world—világ
world famous—világhírű
world literature—világirodalom
worse—rosszabb
worst—legrosszabb
worthy—méltó
    I would like—szeretnék
wristwatch—karóra
write, to—írni
write down, to—leírni
writer—író
writing desk—íróasztal
written—megírt
    to have sth. written—iratni

Y

yard—udvar
year—év
yearly—évente, évi
yellow—sárga
    golden yellow—aranysárga
yes—igen
yesterday—tegnap
yoke—járom
you—te (fam.), maga, ön (pol.
    (sing.) ti (fam.), maguk,
    önök (pol. plur.)
young—fiatal, ifjú
younger—ifjabb, fiatalabb
younger brother, his, her—öccse
younger sister, his, her—húga
youngest—legifjabb, legfiatalabb

Z

zero—nulla
zoo—állatkert

Imprimerie des Editions Paulines
250 nord, boul. St-François, Sherbrooke, Québec, Canada

Imprimé au Canada

Printed in Canada

$ 8⁰⁰